基礎から応用まで
完全攻略BOOK

釣り上達のコツ

増補改訂版

「小学生の釣り」編集室 著

メイツ出版

釣《つ》りって楽《たの》しい

〜釣《つ》りの起源《きげん》とおもしろさ〜

海《うみ》でも川《かわ》でも湖沼《こしょう》でも、釣《つ》り糸《いと》をたれて、そこにいる魚《さかな》を釣《つ》ろうとすることはオーバーにいえば人類《じんるい》の原点《げんてん》に返《かえ》ることではないでしょうか。

海水《かいすい》の中《なか》や川《かわ》の流《なが》れの中《なか》にいる魚《さかな》たちは私《わたし》たちの目《め》には見《み》えません。その魚《さかな》たちを釣《つ》り上《あ》げたい、これもまた人《ひと》がもつ自然《しぜん》な気持《きも》ちです。海《うみ》や川《かわ》、そして魚《さかな》という自然《しぜん》にチャレンジすることが「釣《つ》り」なのです。だから、その自然《しぜん》の姿《すがた》を調《しら》べ、季節《きせつ》や天候《てんこう》や時間帯《じかんたい》を考《かんが》え、魚《さかな》のいる場所《ばしょ》やエサなどについて情報《じょうほう》を集《あつ》め、いろいろな道具《どうぐ》を用《よう》意《い》します。魚《さかな》はいわば大自然《だいしぜん》そのもので、その大《おお》きな存在《そんざい》に生《い》きものとしては小《ちい》さな人間《にんげん》が知恵《ちえ》をしぼり、戦《たたか》いを挑《いど》むことが釣《つ》りのおもしろさなのです。

日本《にほん》の釣《つ》りの歴史《れきし》は、縄文時代《じょうもんじだい》にさかのぼります。いろいろな説《せつ》がありますが、縄文時代《じょうもんじだい》は紀元前《きげんぜん》1万《まん》1千年《せんねん》から紀元前《きげんぜん》1千年《せんねん》くらいまでの時代《じだい》です。この時代《じだい》は主《おも》に狩猟生活《しゅりょうせいかつ》をしており、狩《か》りを行《おこな》い、木《き》の実《み》などを取《と》り、そのひとつとして魚釣《さかなつ》りがあったようです。最初《さいしょ》は、竹《たけ》や木材《もくざい》だったといわれている釣《つ》り針《ばり》も、縄文時代後期《じょうもんじだいこうき》（紀元前《きげんぜん》2千《せん》〜

1万年《まんねん》）には、鹿《しか》のツノなど動物《どうぶつ》の骨《ほね》を使《つか》ったものになり、現在《げんざい》の釣《つ》り針《ばり》にもある「アゴ」（カエシ）も見《み》ることができます。縄文時代《じょうもんじだい》の貝塚《かいづか》からは、これらの針《はり》といっしょにマダイ、スズキ、コチなどの魚《さかな》の骨《ほね》が出土《しゅつど》しているところもあります。

　食料確保《しょくりょうかくほ》の釣《つ》りが「娯楽《ごらく》」（楽《たの》しみ）の釣《つ》りへと変《か》わっていったのは江戸時代《えどじだい》あたりからとされています。現在《げんざい》もその名前《なまえ》が残《のこ》っている「和竿《わざお》」の数々《かずかず》も江戸時代《えどじだい》に生《う》まれたといわれています。なお、リールが本格的《ほんかくてき》に登場《とうじょう》し始《はじ》めるのは、大正《たいしょう》時代《じだい》からです。

　人《ひと》は理由《りゆう》を別《べつ》として1万年近《まんねんちか》く釣《つ》りをしていることになります。そして大正時代《たいしょうじだい》から100年弱《ねんじゃく》、釣《つ》り道具《どうぐ》は進化《しんか》を重《かさ》ねます。道具《どうぐ》がどれだけ進歩《しんぽ》しても、自然《しぜん》の魚《さかな》を相手《あいて》にするという釣《つ》りの原点《げんてん》に変《か》わりはありません。

　今《いま》、魚《さかな》を釣《つ》るというおもしろさを体験《たいけん》するには、まず豊富《ほうふ》になった釣《つ》り道具《どうぐ》について知《し》ることが大切《たいせつ》です。また、釣《つ》り場所《ばしょ》（海《うみ》、川《かわ》、湖沼《こしょう》など）についての知識《ちしき》や個々《ここ》の魚《さかな》の仕《し》かけなどについての情報《じょうほう》もポイントになります。

　本書《ほんしょ》では、これらの基本的《きほんてき》なことをわかりやすく説明《せつめい》しており、「釣《つ》り場《ば》」に行《い》くまでに知《し》っておくべき内容《ないよう》がたくさん盛《も》り込《こ》まれています。「釣《つ》り名人《めいじん》」をめざす子《こ》どもたちに必《かなら》ずやお役《やく》に立《た》つものと考《かんが》えております。

もくじ

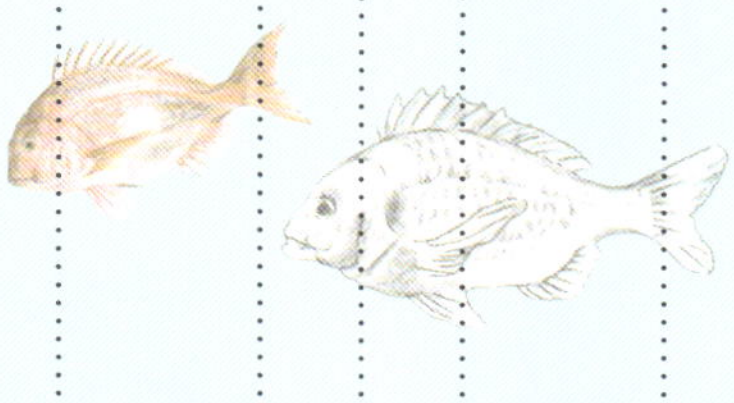

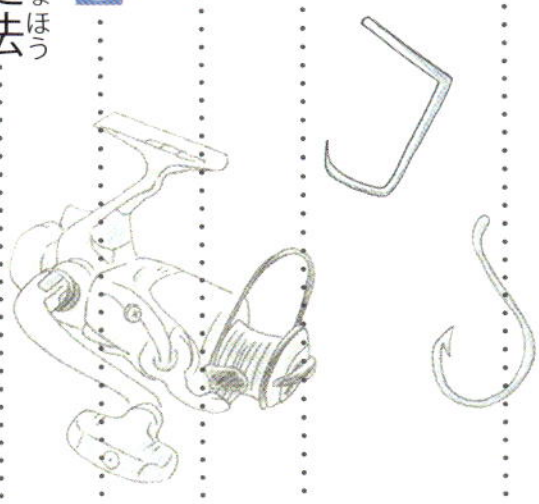

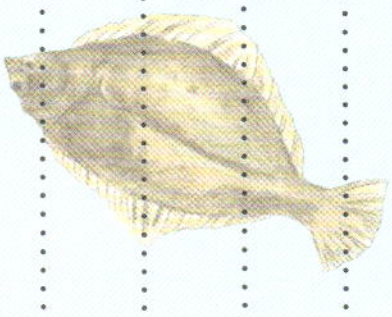

※本書《ほんしょ》は2018年発行《ねんはっこう》の『この一冊《いっさつ》で差《さ》がつく！ 釣《つ》り上達《じょうたつ》のコツ完全攻略《かんぜんこうりゃく》ＢＯＯＫ』を元《もと》に、新《あたら》しい内容《ないよう》の追加《ついか》と必要《ひつよう》な情報《じょうほう》の確認《かくにん》・更新《こうしん》を行《おこな》い、書名《しょめい》を変更《へんこう》し「増補《ぞうほ》改訂版《かいていばん》」として新《あら》たに発行《はっこう》したものです。

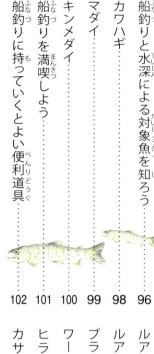

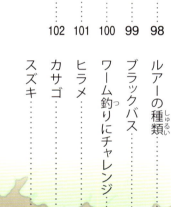

釣《つ》り場《ば》は大《おお》きく分《わ》けて「海《うみ》」「川《かわ》」「湖沼《こしょう》」の3つです

日本列島《にほんれっとう》は、北《きた》は北海道《ほっかいどう》から南《みなみ》は沖縄《おきなわ》まで、3000㎞ほどあり、周囲《しゅうい》はすべて海《うみ》に囲《かこ》まれています。太平洋《たいへいよう》、日本海《にほんかい》、オホーツク海《かい》…いたるところに釣《つ》り場《ば》があります。

この細長《ほそなが》い国土《こくど》、平野《へいや》の部分《ぶぶん》は少《すく》なく約《やく》70%が山地《さんち》です。緑《みどり》の森林《しんりん》に包《つつ》まれた山々《やまやま》からは川《かわ》が流《なが》れ出《で》ています。日本《にほん》の川《かわ》の数《かず》は、主要河川《しゅようかせん》だけでも約《やく》3万《まん》5千本《せんぼん》あり、本流《ほんりゅう》から分《わ》かれた支流《しりゅう》、そして小《ちい》さな川《かわ》の流《なが》れを入《い》れると約《やく》18万本《まんぼん》の川《かわ》があるといわれています。日本《にほん》の川《かわ》は世界《せかい》の川《かわ》と比較《ひかく》すると、一般的《いっぱんてき》に非常《ひじょう》に短《みじか》く急流《きゅうりゅう》です。変化《へんか》に富《と》んだ、網《あみ》の目《め》のような川《かわ》が日本列島《にほんれっとう》を包《つつ》んでいるのですから、

そこには釣《つ》り場《ば》もたくさんあります。

湖沼《こしょう》は、火山《かざん》の爆発《ばくはつ》にともなってできるカルデラ湖《こ》や海《うみ》や川《かわ》の一部《いちぶ》が取《と》り残《のこ》されて湖《みずうみ》になったりとさまざまです。

北《きた》から南《みなみ》まで、いろいろな海《うみ》や川《かわ》や湖沼《こしょう》があるということは、いろいろな魚《さかな》がいるということで、釣《つ》り人《びと》にとってはまさに日本《にほん》は天国《てんごく》なのです。

海釣《うみづ》りのいろいろと釣《つ》れる魚《さかな》

海《うみ》のおもな魚《さかな》がどのような場所《ばしょ》で、どのような方法《ほうほう》で釣《つ》られているかをおおまかに左《ひだり》のイラストで表《あらわ》しています。（魚《さかな》の種類《しゅるい》と釣《つ》り方《かた》はいろいろな場合《ばあい》があります）

防波堤《ぼうはてい》の釣《つ》り

港《みなと》や防波堤《ぼうはてい》が海《うみ》のどのような場所《ばしょ》に位置《いち》しているかで、釣《つ》れる魚《さかな》もちがってきます。たとえば、防波堤《ぼうはてい》が外海《そとうみ》に面《めん》していれば、磯《いそ》と同《おな》じような魚《さかな》が釣《つ》れることもあるからです。この釣《つ》りのよい点《てん》は、簡単《かんたん》に釣《つ》り場《ば》に行《い》くことができ、気軽《きがる》に楽《たの》しめることです。また、釣《つ》り方《かた》もウキ釣《づ》り、投《な》げ釣《づ》り、サビキ釣《づ》り、フカセ釣《づ》りなど、場所《ばしょ》と釣《つ》りたい魚《さかな》によっていろいろな組《く》み合《あ》わせがあります。

投《な》げ釣《づ》り

砂浜《すなはま》から重《おも》いオモリをつけた仕《し》かけを投《な》げて、主《おも》に海底部《かいていぶ》にいる魚《さかな》を狙《ねら》う釣《つ》りです。北海道《ほっかいどう》では砂浜《すなはま》からウキを使《つか》った投《な》げ釣《づ》りで鮭《さけ》を釣《つ》ります。鮭《さけ》は、海底《かいてい》ではなく、海中《かいちゅう》にいます。

磯釣《いそづ》り

磯釣《いそづ》りとは、磯《いそ》＝岩場《いわば》からの釣《つ》りです。岩場《いわば》は、たいてい足元《あしもと》から海《うみ》が深《ふか》くなり、潮《しお》の流《なが》れが速《はや》くなっています。こういう場所《ばしょ》には魚《さかな》が集《あつ》まりやすく、釣《つ》り場《ば》としていいポイントになるのです。イシダイ、クエなど超大物級《ちょうおおものきゅう》から、中層《ちゅうそう》や低層《ていそう》を泳《およ》ぐさまざまな魚《さかな》を釣《つ》るなど、幅広《はばひろ》い釣《つ》りが楽《たの》しめます。

船釣《ふなづ》り

船《ふね》から釣《つ》るもので、大《おお》がかりなトローリングなども含《ふく》めいろいろな船釣《ふなづ》りがあります。海《うみ》にいる魚《さかな》の大半《たいはん》はこの釣《つ》りで釣《つ》ることができます。海《うみ》の深《ふか》さによって、深度《しんど》50ｍくらいの浅場釣《あさばづ》り、中間深度《ちゅうかんしんど》の釣《つ》り、300ｍ以上《いじょう》の深場釣《ふかばづ》りに分《わ》けることができます。

船釣《ふなづ》り
イワシ マグロ
ブリ クエ
イシダイ
タチウオ
シマアジ
キンメダイ
ブリ
カツオ
タラ
シイラ
イシダイ
ブダイ
イシガキダイ
アジ
イナダ
カサゴ
メジナ
ウミタナゴ
クロダイ
スズキ アナゴ
ボラ
港《みなと》
岩礁底《がんしょうてい》
クロダイ
マダイ
ウミタナゴ
防波堤《ぼうはてい》の釣《つ》り
磯《いそ》釣り
タコ メバル
イサキ ハタ
カワハギ アジ
アイナメ
カレイ
メゴチ
スズキ
シロギス
アナゴ
サヨリ
クロダイ
カレイ
など
ヒラメ スズキ
イシモチ
メゴチ
砂浜《すなはま》
河口《かこう》
投《な》げ釣《づ》り

川《かわ》釣《づ》りのいろいろと釣《つ》れる魚《さかな》

川《かわ》には多《おお》くの種類《しゅるい》の淡水《たんすい》（塩分《えんぶん》をほとんど含《ふく》まない河川《かせん》や湖沼《こしょう》などの水《みず》のこと）魚《ぎょ》がいます。また流《なが》れの急《きゅう》な渓流《けいりゅう》、さらに中流《ちゅうりゅう》・下流《かりゅう》では魚《さかな》の種類《しゅるい》が変《か》わります。なお、川釣《かわづ》りの場合《ばあい》、大半《たいはん》が地元《じもと》の漁業組合《ぎょぎょうくみあい》によって管理《かんり》されていることも特徴《とくちょう》です。禁漁《きんりょう》や解禁《かいきん》の期間《きかん》、入漁料《にゅうぎょりょう》を設定《せってい》していることもあります。

渓流《けいりゅう》の釣《つ》り

川《かわ》の上流《じょうりゅう》にいるイワナ、ヤマメなどを釣《つ》ります。川《かわ》を上流《じょうりゅう》に向《む》かって上《のぼ》っていくことがあるため、山歩《やまある》きの経験《けいけん》や登山《とざん》の知識《ちしき》が必要《ひつよう》な場合《ばあい》もあります。

中流《ちゅうりゅう》と下流《かりゅう》から河口《かこう》の釣《つ》り

中流《ちゅうりゅう》での代表的《だいひょうてき》な釣《つ》りは、アユ釣《つ》

り。アユは日本独特《にほんどくとく》の淡水魚《たんすいぎょ》で解禁《かいきん》のシーズンも6月《がつ》～9月《がつ》と短《みじか》いです。オイカワも川《かわ》釣《づ》りで人気《にんき》ある魚《さかな》です。

湖沼《こしょう》の釣《つ》り

湖《みずうみ》や沼《ぬま》での釣《つ》りは、場所《ばしょ》によって釣《つ》れる魚《さかな》がちがうので事前《じぜん》に調《しら》べておきましょう。

ブラックバスなどを狙《ねら》うルアー釣《づ》りも盛《さか》んです。

汽水域《きすいいき》の釣《つ》り

海水《かいすい》と淡水《たんすい》がまざった部分《ぶぶん》を汽水域《きすいいき》といいます。潮《しお》の影響《えいきょう》を受《う》けて、クロダイ、ボラ、スズキなどが釣《つ》れます。

釣《つ》りを楽《たの》しむうえでの大事《だいじ》なマナー

近年《きんねん》は釣《つ》り場《ば》でのマナー違反《いはん》や対人《たいじん》トラブルが問題《もんだい》になることも。ルールを守《まも》らない人《ひと》が増《ふ》えると、釣《つ》り自体《じたい》が禁止《きんし》になることもあります。釣《つ》りをする際《さい》は普段《ふだん》の生活《せいかつ》と同《おな》じく、常識的《じょうしきてき》な行動《こうどう》を取《と》りましょう。ここではよくある釣《つ》り場《ば》での違反《いはん》やトラブルの一例《いちれい》を紹介《しょうかい》します。

迷惑駐車《めいわくちゅうしゃ》はしない

車《くるま》で釣《つ》りに行《い》く場合《ばあい》は、周囲《しゅうい》に迷惑《めいわく》にならない場所《ばしょ》に車《くるま》を停《と》めましょう。駐車禁止《ちゅうしゃきんし》の場所《ばしょ》はもちろん、私有地《しゆうち》やあいまいな場所《ばしょ》には勝手《かって》に駐車《ちゅうしゃ》しないように。停《と》められそうな場所《ばしょ》でも不安《ふあん》な場合《ばあい》は近《ちか》くの漁師《りょうし》さんや地元《じもと》の方《かた》に確認《かくにん》を取《と》るか、多少離《たしょうはな》れていてもパーキングに停《と》めましょう。

ゴミは持《も》ち帰《かえ》り、釣《つ》り場《ば》を汚《よご》さない

食《た》べ物《もの》や釣《つ》り具《ぐ》のパッケージなど、自分《じぶん》で出《だ》したゴミは自分《じぶん》で持《も》ち帰《かえ》りましょう。またゴミ以外《いがい》にも、コマセや魚《さかな》の血《ち》などが地面《じめん》についてしまったらきちんと洗《あら》い流《なが》して帰《かえ》りましょう。「来《き》た時《とき》よりもきれいに」くらいの気持《きも》ちでいれば問題《もんだい》ないでしょう。

釣《つ》り人同士《びとどうし》のマナーを守《まも》る

釣《つ》れそうな場所《ばしょ》には人《ひと》が集《あつ》まるもの。しかし先《さき》に釣《つ》りをしている人《ひと》がいるときや、混雑《こんざつ》している場所《ばしょ》には無断《むだん》で割《わ》り込《こ》むことはやめましょう。対人《たいじん》トラブルの原因《げんいん》にもなるので、そうした場合《ばあい》はひとこと「ここ入《はい》っていいですか」と許可《きょか》を取《と》るか、釣《つ》り場《ば》を変更《へんこう》することも考《かんが》えよう。

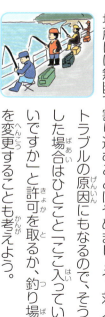

安全《あんぜん》を考《かんが》えた釣《つ》りを

釣《つ》れそうだからといって、立《た》ち入《い》り禁止区域《きんしくいき》には絶対《ぜったい》に入《はい》らないように。立《た》ち入《い》り禁止《きんし》になっている場所《ばしょ》には必《かなら》ず理由《りゆう》があります。海《うみ》や川《かわ》への落水《らくすい》の危険《きけん》はもちろん、そもそも法律違反《ほうりついはん》になるので警察《けいさつ》に捕《つか》まってしまう可能性《かのうせい》もあるため十分《じゅうぶん》に気《き》を付《つ》けましょう。

漁師《りょうし》さんの迷惑《めいわく》をかけない

漁港《ぎょこう》は漁師《りょうし》さんたちの仕事《しごと》の場《ば》で、漁船《ぎょせん》や漁業関係《ぎょぎょうかんけい》の作業船《さぎょうせん》が泊《と》まっています。漁具《ぎょぐ》にむやみに触《さわ》ったりはせず、船道《ふねみち》を漁船《ぎょせん》が通《とお》るときは仕掛《しか》けを上《あ》げましょう。漁港《ぎょこう》では漁師《りょうし》さんの仕事《しごと》の邪魔《じゃま》にならないよう、釣《つ》りをさせてもらっているという意識《いしき》を持《も》ちましょう。

幼魚《ようぎょ》は放流《ほうりゅう》する

幼《おさな》い魚《さかな》や必要以上《ひつよういじょう》の食《た》べない魚《さかな》は海《うみ》に返《かえ》してあげましょう。成長《せいちょう》するまで数年《すうねん》かかる魚《さかな》もいるため、根《ね》こそぎ釣《つ》ってしまっては魚《さかな》の魚影《ぎょえい》が維持《いじ》できなくなります。またアワビやウニ、ナマコなど特定《とくてい》の魚介類《ぎょかいるい》は許可《きょか》なく獲《と》ってしまうと密漁《みつりょう》になってしまうので注意《ちゅうい》。

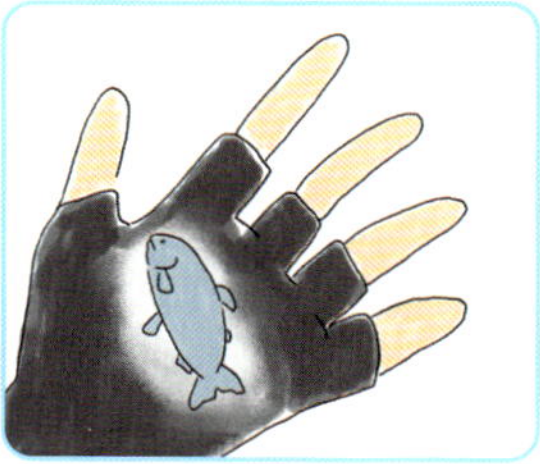

近隣住民《きんりんじゅうみん》の迷惑《めいわく》を考《かんが》える

釣《つ》り場《ば》の周辺《しゅうへん》に住《す》んでいる人《ひと》の迷惑《めいわく》にならないようにしましょう。夜《よる》や早朝《そうちょう》に楽《たの》しむことが多《おお》いのが釣《つ》りですが、そういった時間帯《じかんたい》に漁港《ぎょこう》で騒《さわ》いだりしないように注意《ちゅうい》しましょう。近年《きんねん》は花火《はなび》やＢＢＱをして近隣住民《きんりんじゅうみん》からクレームを受《う》ける問題《もんだい》も増《ふ》えています。

フィッシング・豆知識《まめちしき》 vol.1

釣《つ》り具《ぐ》のそろえ方《かた》には決《き》まりがあるの？

●決《き》まりはないが、ポイントの整理《せいり》はできます

釣《つ》りの道具《どうぐ》としては、ハリとイト、それにエサがあればOKです。これは最低限《さいていげん》の話《はなし》で、やはりサオやリールがあった方《ほう》が魚《さかな》を釣《つ》るには便利《べんり》です。

またハリ、イト、サオ、リールと言《い》っても、それぞれ種類《しゅるい》が多《おお》く、初心者《しょしんしゃ》なら、これとこれのセットというような決《き》まりがあるわけではないので、選《えら》ぶことが大変《たいへん》になるのです。なぜ、決《き》まりがないのでしょう？ 釣《つ》り場《ば》が多《おお》く、魚《さかな》の種類《しゅるい》も多《おお》いからです。

●釣《つ》りたい場所《ばしょ》を決《き》める！ 釣《つ》りたい魚《さかな》を決《き》める！

前《まえ》のページで説明《せつめい》したように、「海《うみ》」か「川《かわ》」（湖沼《こしょう》）かを決《き》めることが先決《せんけつ》になります。つまり、海《うみ》の釣《つ》り道具《どうぐ》と川《かわ》の釣《つ》り道具《どうぐ》があるということです。さらに、「海《うみ》」でこのような魚《さかな》を釣《つ》りたい、「川《かわ》」でこのような魚《さかな》を釣《つ》りたい、ということを決《き》め、それに合《あ》わせて道具《どうぐ》をそろえることになります。

そのときに、釣《つ》りたい魚《さかな》を一般的《いっぱんてき》なものにしておけば、ある程度《ていど》の範囲《はんい》で応用《おうよう》ができる道具《どうぐ》をそろえられるでしょう。

●釣《つ》り道具屋《どうぐや》さんで気《き》をつけたいこと

釣《つ》り道具屋《どうぐや》さんは大《おお》きく分《わ》けると、専門店《せんもんてん》と量販《りょうはん》ディスカウントの店《みせ》になるでしょう。どちらでも親身《しんみ》になってくれる親切《しんせつ》な店員《てんいん》を見《み》つけることがポイントです。

また、釣《つ》りを知《し》っているような顔《かお》はせず「自分《じぶん》は初心者《しょしんしゃ》です」とはっきりと言《い》うことも大切《たいせつ》です。

第《だい》1章《しょう》

釣《つ》り具《ぐ》の基《き》礎《そ》知《ち》識《しき》

サオ

サオの持《も》つ意味《いみ》

サオはサオでも「物干《ものほ》しザオ」では、どうしてダメなのでしょうか。海《うみ》でも川《かわ》でも、陸《りく》に立《た》って 魚《さかな》のいる「水《みず》」のところにイトをたらすには、サオとしての長《なが》さが必要《ひつよう》です。「物干《ものほ》しザオ」でも長《なが》さはありますが、重《おも》すぎて片手《かたて》で 長時間持《ちょうじかんも》つことはムリでしょう。

それ以上《いじょう》に重要《じゅうよう》なことは、釣《つ》りザオには「しなり」があることです。この「しなり」があることで、イラストのように魚《さかな》がかかってもイトが切《き》れにくいという役割《やくわり》を果《は》たしてくれます。

もうひとつは、魚《さかな》がかかったときの動《うご》きを伝《つた》える役目《やくめ》です。魚《さかな》がかかった瞬間《しゅんかん》、サオから手《て》に伝《つた》わる独特《どくとく》の感覚《かんかく》は、「プルルル…」とか「ビィビィビィ…」とか、言《こと》葉《ば》にはしにくい表《ひょう》現《げん》になりますが、このために釣《つ》りをするという人《ひと》がいるくらいです。

サオの種類《しゅるい》・分《わ》け方《かた》・素材《そざい》

サオは大《おお》きく海用《うみよう》、川用《かわよう》に分《わ》かれます。また、つなぎ方《かた》やガイドによる分《わ》け方《かた》（イラスト参照《さんしょう》）もあります。

釣《つ》りザオの素材《そざい》は、圧倒的《あっとうてき》にカーボンになっています。昔《むかし》はガラス繊維《せんい》を使《つか》ったグラスロッドが主流《しゅりゅう》の時代《じだい》もありました。カーボンは宇宙《うちゅう》ロケットなどに使《つか》う材料《ざいりょう》として開発《かいはつ》されたもので、原料《げんりょう》は炭素《たんそ》せんいとプラスチックです。

つなぎ方《かた》による分《わ》け方《かた》

振《ふ》り出《だ》しザオ

ワンタッチで伸《の》ばすことができるサオで、コンパクトにしまえます。

並《な》み継《つ》ぎザオ

手《て》もとの方《ほう》は太《ふと》く、先《さき》のほうにいくほど細《ほそ》くなる、分解《ぶんかい》されたサオ（数本《すうほん》に分《わ》かれたサオ）をつないで1本《ほん》にするサオです。分解《ぶんかい》されたサオとサオはキチンとつながるように太《ふと》さが調整《ちょうせい》されています。

インロー継《つ》ぎザオ

並《な》み継《つ》ぎザオの場合《ばあい》、サオとサオのつなぎ目《め》にほんのわずか段差《だんさ》が生《う》まれます。つなぎ方《かた》を工夫《くふう》して、その段差《だんさ》を解消《かいしょう》したのがこのサオで、段差《だんさ》が出《で》ない分《ぶん》だけ調子《ちょうし》のいいサオになりやすいです。

サオの見分《みわ》け方《かた》

サオの良《よ》し悪《あ》しは、「調子《ちょうし》」でみます。調子《ちょうし》にはサオの曲《ま》がり方《かた》と硬《かた》さがあります。サオに負担《ふたん》をかけた（魚《さかな》がかかったような状態《じょうたい》）ときの曲《ま》がり方《かた》がポイント、たとえば曲《ま》がりの頂点《ちょうてん》がサオ先寄《さきよ》りにあるものは先調子《さきちょうし》といいます。硬《かた》さは、サオ全体《ぜんたい》の硬《かた》さのことで「硬調子《こうちょうし》」・「軟調子《なんちょうし》」と言《い》ったりします。（サオの調子《ちょうし》、P21参《さん》照《しょう》）

ガイド（イトを通《とお》すリング）による分《わ》け方《かた》

ガイド付《つ》きサオ

サオの先端《せんたん》から胴《どう》にかけてイトを通《とお》すリングがついているサオで、普通《ふつう》はリールを使《つか》います。海釣《うみづ》り用《よう》のサオやルアーロッド（サオ）に多《おお》い。

ノベザオ

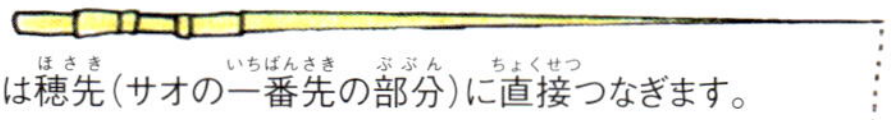

ガイドがなく、仕《し》かけは穂先《ほさき》（サオの一番先《いちばんさき》の部分《ぶぶん》）に直接《ちょくせつ》つなぎます。川釣《かわづ》りのサオに多《おお》い。

中通《なかとお》しサオ

ミチイトをサオの中《なか》に通《とお》すサオなので、もちろんガイドはなく、またイトのからみも少《すく》ない。海釣《うみづ》り用《よう》のサオに多《おお》い。

海《うみ》釣《づ》り用《よう》サオのいろいろ

海《うみ》釣《づ》り用《よう》のサオの分《わ》け方《かた》に決《き》まりはありませんが、一般的《いっぱんてき》には「磯《いそ》ザオ」「投《な》げザオ」「船《ふな》ザオ」に分《わ》けることが多《おお》いようです。このように分類《ぶんるい》されたサオは、さらに細《こま》かな種類《しゅるい》に分《わ》かれています。

磯《いそ》ザオ

磯釣《いそづ》りに使《つか》われるサオのことで、上物《うわもの》（海《うみ》の表《ひょう》層《そう》、中層《ちゅうそう》で釣《つ》る魚《さかな》、グレ、チヌ、カツオなどがいます）を狙《ねら》う「上物《うわもの》ザオ」と底物《そこもの》を狙《ねら》う「底物《そこもの》ザオ」（イシダイザオなどとも呼《よ》びます）に大《おお》きく分《わ》けることができます。

上物《うわもの》ザオは基本的《きほんてき》に振《ふ》り出《だ》しのサオになります。長《なが》さは5〜6ｍ、サオの強《つよ》さを表《あらわ》す1号未満《ごうみまん》から5号以上《ごういじょう》の号数表示《ごうすうひょうじ》がついていますが、統一《とういつ》した規格《きかく》ではありません。なお、2号程度《ごうていど》までは、使用《しよう》する八リス（ハリを結《むす》ぶイトのこと）の号数《ごうすう》と同《おな》じようですが、それ以上《いじょう》になるとサオの号数《ごうすう》よりハリスの方《ほう》が太《ふと》くなる（号数《ごうすう》が上《あ》がる）傾向《けいこう》にあります。底物《そこもの》ザオは、イシダイやクエなどの磯《いそ》の岩礁《がんしょう》にいる大物《おおもの》を釣《つ》るためのサオです。並《な》み継《つ》ぎでイトを通《とお》すガイドの口径《こうけい》が小《ちい》さいのが特徴《とくちょう》です。リールは、両軸型《りょうじくがた》の大型《おおがた》リールを使《つか》います。（リール・Ｐ22参照《さんしょう》）

投《な》げザオ

投《な》げ釣《づ》り用《よう》の2.7〜4.5ｍのサオです。中《ちゅう》・大型《おおがた》のスピニングリールを使《つか》います。遠投《えんとう》するのでサオとしての弾力性《だんりょくせい》と強《つよ》さの両方《りょうほう》を備《そな》えています。

船《ふな》ザオ

船《ふね》に乗《の》り、沖釣《おきづ》りで使《つか》うサオです。水深《すいしん》と釣《つ》る魚《さかな》によってサオの種類《しゅるい》が分《わ》かれています。水深《すいしん》30ｍ以内《いない》くらいの浅《あさ》いもの用《よう》、水深《すいしん》100ｍ前後《ぜんご》に使《つか》う船《ふな》ザオが一般的《いっぱんてき》なものとされています。さらに、深海用《しんかいよう》、トローリング用《よう》のものもあります。

※その他《ほか》、ルアー用《よう》のサオなどあります。

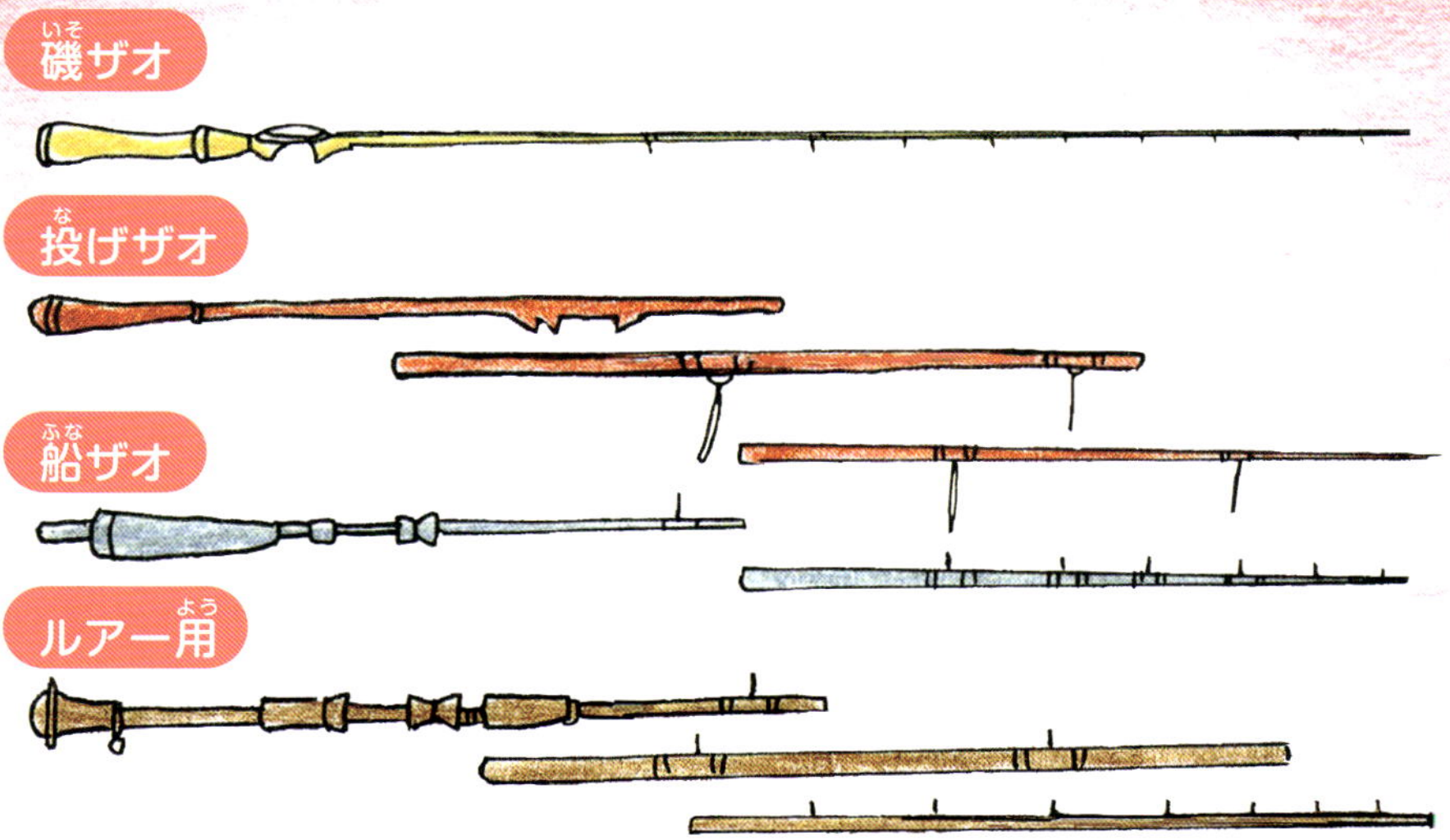

磯《いそ》ザオ

ワンポイント情報《じょうほう》

サオの寿命《じゅみょう》を延《の》ばしてくれるメンテナンス（お手《て》入《い》れ）

釣《つ》り場《ば》でサオをしまうときも、汚《よご》れや塩《しお》、砂《すな》や水分《すいぶん》がついたら拭《ふ》きとっておきましょう。特《とく》に継《つ》ぎのあるサオは、継《つ》ぎの部分《ぶぶん》に汚《よご》れを残《のこ》すと、あとで抜《ぬ》けなくなったり、ガタついたりすることがあるので気《き》をつけましょう。家《いえ》に戻《もど》ったら、水道水《すいどうすい》で洗《あら》って日蔭《ひかげ》に干《ほ》しておきましょう。保管《ほかん》は、日《ひ》の当《あ》たらない室内《しつない》に。

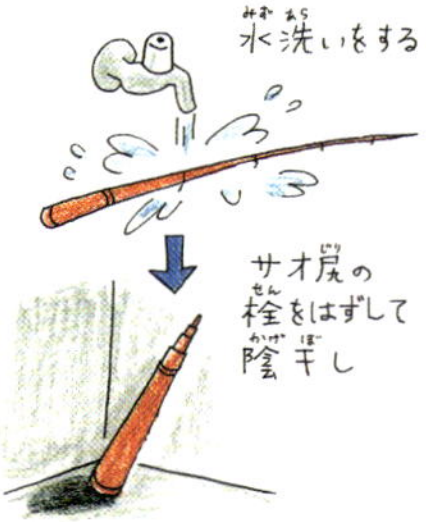

振《ふ》り出《だ》しサオは水洗《みずあら》い後《ご》、サオ尻《じり》の栓《せん》をはずして陰干《かげぼ》しします。濡《ぬ》れた状態《じょうたい》での保管《ほかん》はやめましょう。

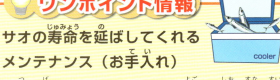

川《かわ》釣《づ》り用《よう》サオのいろいろ

川《かわ》釣《づ》り用《よう》のサオの特徴《とくちょう》は、ヘラブナ専用《せんよう》、アユ専用《せんよう》と特定《とくてい》の魚《さかな》を釣《つ》るためのサオがあることです。なお、清流《せいりゅう》ザオと渓流《けいりゅう》ザオを明確《めいかく》に区分《くぶん》しない分類《ぶんるい》もあるようです。ガイド付《つ》きのルアーロッド（サオ）やフライロッドも、合《あ》わせて紹介《しょうかい》します。

清流《せいりゅう》ザオ

昔《むかし》からある、川《かわ》釣《づ》り用《よう》のサオ。言《い》わば、川《かわ》の釣《つ》りならなんでもOKの万能《ばんのう》ザオです。川《かわ》の釣《つ》りを試《ため》してみようという方《かた》には、このタイプで十分《じゅうぶん》です。

渓流《けいりゅう》ザオ

渓流《けいりゅう》でヤマメ、イワナ、ニジマスなどを釣《つ》るのに向《む》いたサオです。長《なが》さ5〜6m、重《おも》さ160g以内《いない》のものが使《つか》いやすいとされています。先端部《せんたんぶ》がよく曲《ま》がる、先調子《さきちょうし》のものがよいです。

ヘラザオ

ヘラブナを釣《つ》るための専用《せんよう》ザオです。並《な》み継《つ》ぎが普通《ふつう》ですが、振《ふ》り出《だ》しザオもあります。全体《ぜんたい》にやわらかな調子《ちょうし》を持《も》ち、長《なが》さは2・1〜7・2mとバリエーションも豊《ゆた》かです。

アユザオ

最低《さいてい》でも8m近《ちか》く、長《なが》いものでは10m、12mという限界《げんかい》に近《ちか》い長《なが》さのあるアユザオ。さらに友釣《ともづ》り、毛《け》バリ釣《つ》り用《よう》など釣《つ》り方《かた》によって分《わ》けている場合《ばあい》もあります。アユ釣《つ》りはサオ以外《いがい》の装備《そうび》も結構《けっこう》あるので、簡単《かんたん》に試《ため》せる釣《つ》りではないでしょう。

ルアーロッド・フライロッド

ルアーを投《な》げるための専用《せんよう》ザオで、リールをセットして使《つか》います。普通《ふつう》は2m前後《ぜんご》の長《なが》さですが長《なが》いものもあります。フライ（毛《け》ばり）を使《つか》って釣《つ》るための専用《せんよう》のサオがフライロッドです。長《なが》さはいろいろあります。

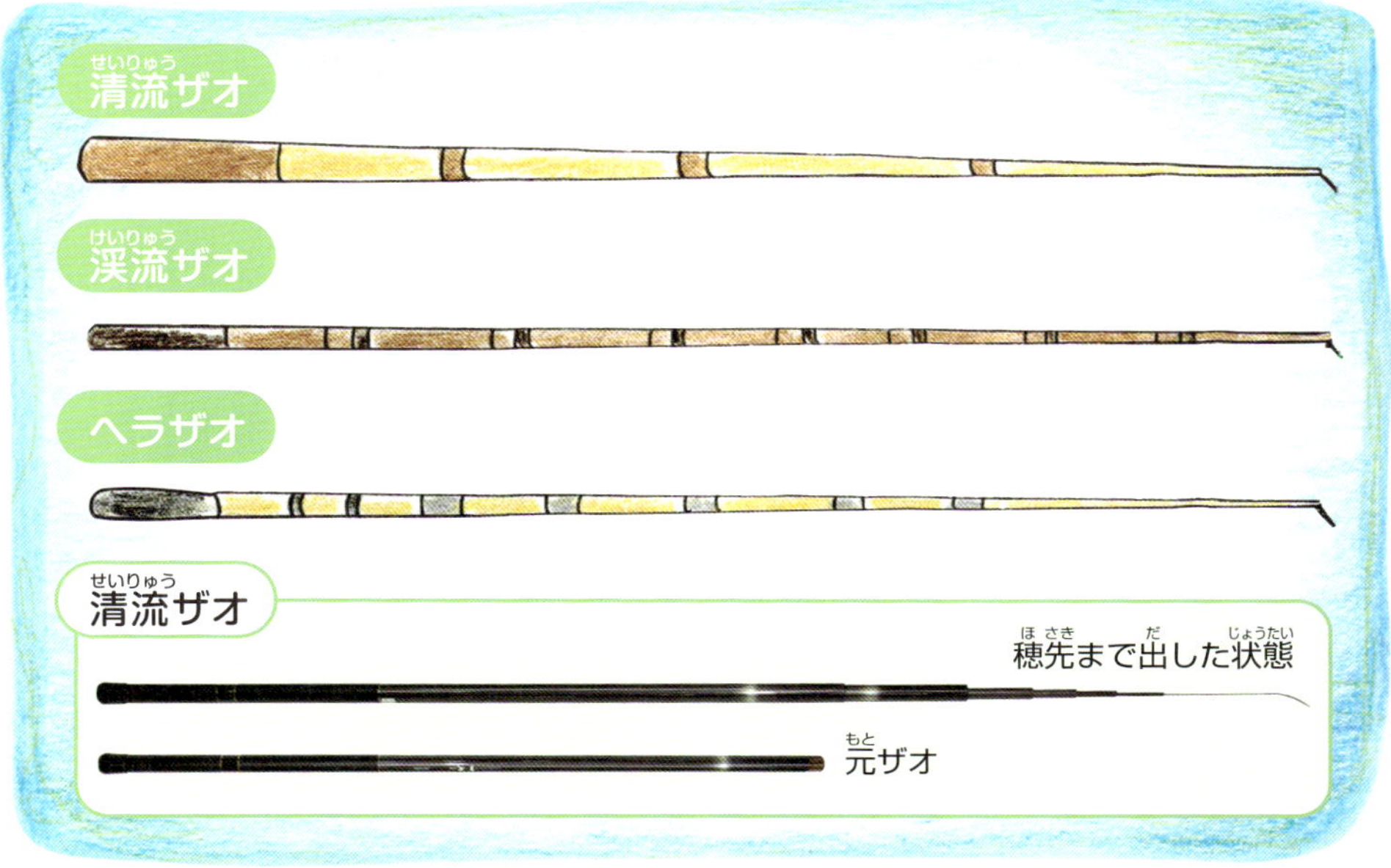

ワンポイント情報《じょうほう》

サオの調子《ちょうし》

サオの多《おお》くは、七三《しちさん》調子《ちょうし》の先調子《さきちょうし》でこれが標準《ひょうじゅん》と言《い》われています。これよりも穂先《ほさき》の方《ほう》に曲《ま》がりの頂点《ちょうてん》があるサオもあります。これに対《たい》し、胴調子《どうちょうし》は手《て》もとの6分目《ぶめ》から曲《ま》がる六四調子《ろくよんちょうし》や五五調子《ごーごーちょうし》のものを言《い》います。

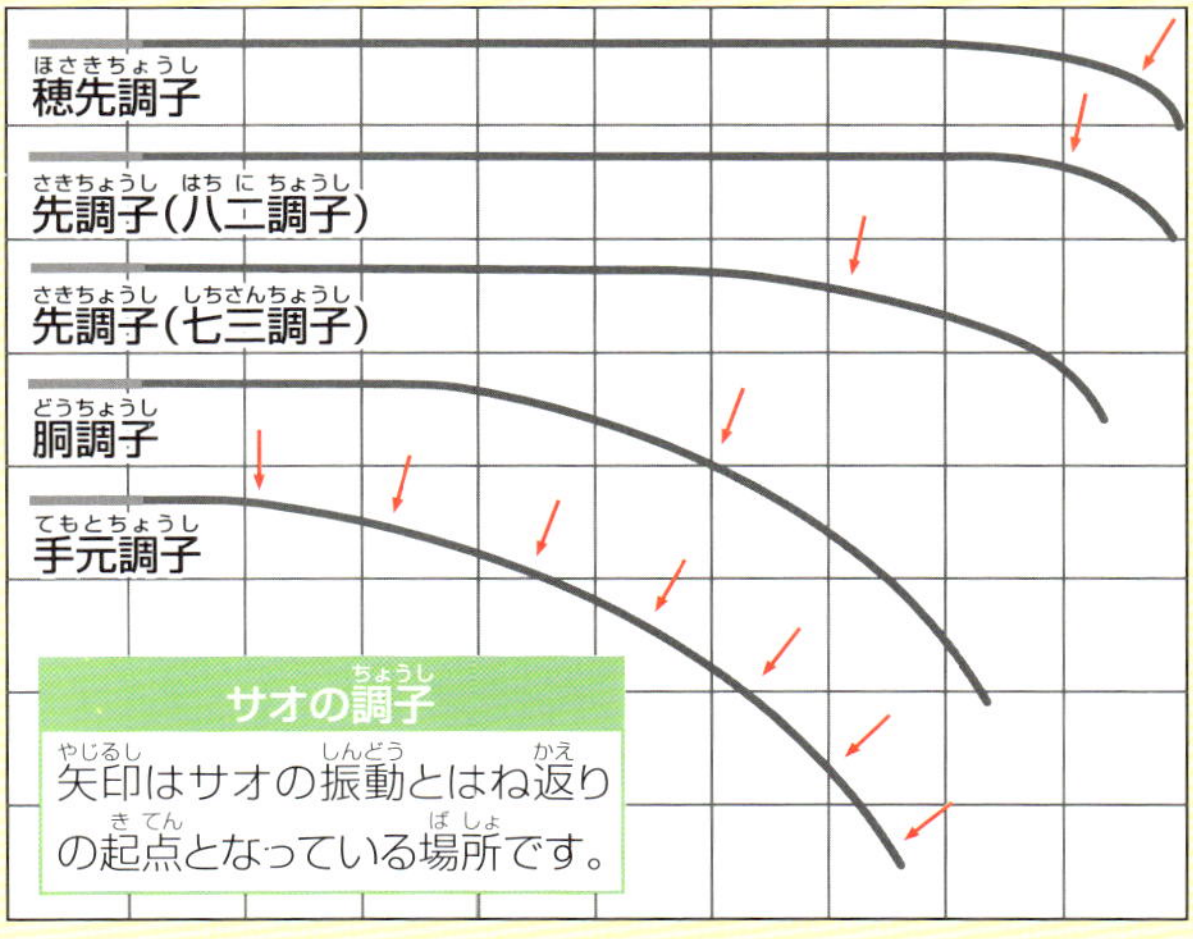

リール

リールは、サオの届《とど》かないところで魚《さかな》を釣《つ》るのに便《べん》利《り》な道具《どうぐ》です。最《もっと》も古《ふる》い本格的《ほんかくてき》なリールは大正時代《たいしょうじだい》にあったという木《き》でできたもの。今《いま》から約《やく》90年前《ねんまえ》にあったのです。リールは、釣《つ》り具《ぐ》の中《なか》でただひとつのメカニカル（機械的《きかいてき》）な道具《どうぐ》です。

リールの種類《しゅるい》

リールは釣《つ》りザオにつけて使《つか》うイト巻《ま》きの機械《きかい》ですが、単《たん》なるイト巻《ま》きではありません。リールは大《おお》きく分《わ》けて2つの系統《けいとう》に分《わ》けることができます。

ひとつは「スピニングリール系《けい》」で、もうひとつは「両軸受《りょうじくう》けリール系《けい》」です。スピニングリール系《けい》は、固定《こてい》されたスプール（イト巻《ま》き、P24参照《さんしょう》）にイトを巻《ま》きつけてゆく方式《ほうしき》です。両軸受《りょうじくう》けリール系《けい》は、スプール自体《じたい》が回転《かいてん》してイトを巻《ま》く方式《ほうしき》です。

それぞれいいところ、使《つか》いにくいところがあり、用途《ようと》に合《あ》わせて選《えら》ぶようにしましょう。幅広《はばひろ》く使《つか》え、子《こ》どもに向《む》いているのがスピニングリールです。堤防《ていぼう》や浜辺《はまべ》からの投《な》げ釣《づ》り、磯《いそ》での小物《こもの》や上物《うわもの》、小《こ》、中物《ちゅうもの》の船釣《ふなづ》りに、ルアーフィッシングにも使《つか》えます。

ライン（イト）がよれずに送《おく》り出《だ》しでき、巻《ま》き取《と》る力《ちから》が強《つよ》い両軸受《りょうじくう》けリールは、船釣《ふなづ》りに最適《さいてき》です。

リールはサオにセットした状態《じょうたい》でバランスを見《み》ながら選《えら》びましょう。

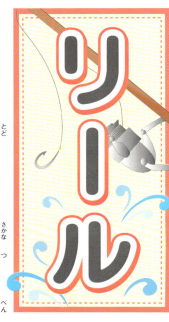

リールの種類《しゅるい》

クローズドフェイスリール

スプールにカバーがかかっているのが特徴《とくちょう》

レバー付《つ》きスピニングリール

ドラグのかわりに手《て》の動《うご》きでスプールの動《うご》きを操作《そうさ》するレバーが付《つ》いたもの。主《おも》に上物《うわもの》釣《づ》りに

電動《でんどう》リール

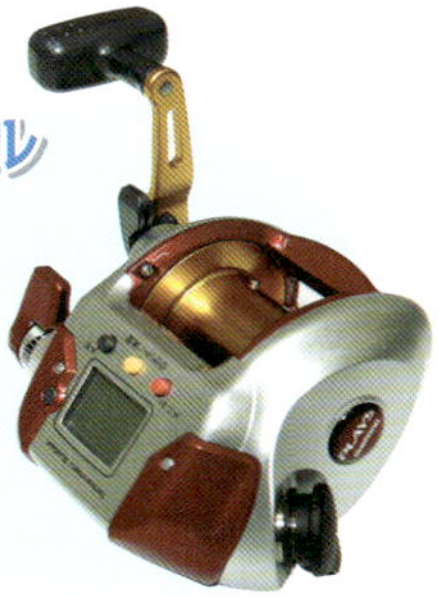

船釣《ふなづ》りの深場《ふかば》に最適《さいてき》、電気《でんき》モーターでスプールを巻《ま》き上《あ》げます

投《な》げ釣《づ》り用《よう》スピニングリール

投《な》げ釣《つ》り専用《せんよう》のスピニングリール。浅《あさ》くて長《なが》いスプールが特徴《とくちょう》で、これによって抵抗《ていこう》なくライン（イト）が出《で》ていくようにしています

フライリール

片軸受《かたじくう》けリールの一種《いっしゅ》でフライフィッシング専用《せんよう》

両軸受《りょうじくう》けリールの一種《いっしゅ》ベイトキャスティングリール

ルアーフィッシングでよく使《つか》われるタイプで、ドラグ性能《せいのう》やキャスティング（狙《ねら》ったポイントに投《な》げ込《こ》むこと）に優《すぐ》れています

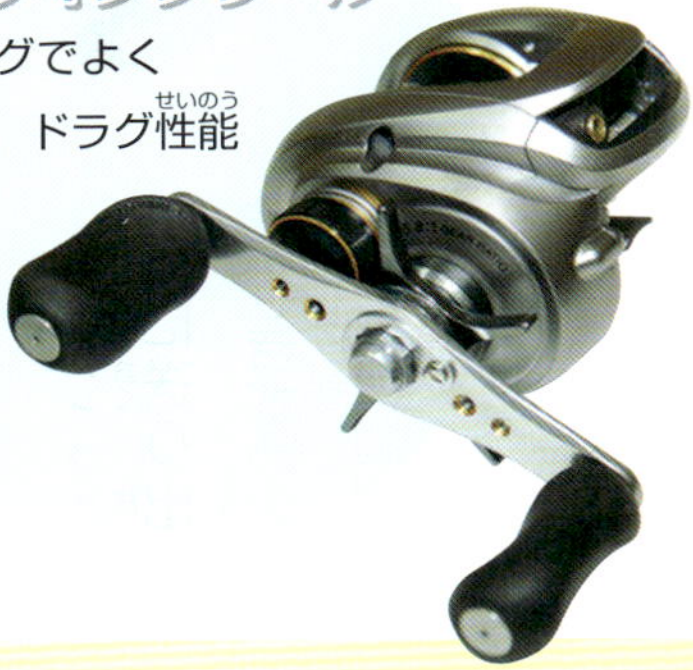

写真協力《しゃしんきょうりょく》／株式会社《かぶしきがいしゃ》 アメリカ屋漁具《やぎょぐ》

スピニングリール

スピニングリールの機能《きのう》

スピニングリールは、ラインローラーにイトをかけ、ハンドルでローターを回《まわ》してイトを巻《ま》きつけます。イトを出《だ》すときはベイルアームを起《お》こしてイトの押《お》さえをはずすことで、イトが自然《しぜん》にほどけてスプールから出《で》ていきます。

ドラグの調整《ちょうせい》を行《おこな》うのがドラグナット。ドラグは、言《い》わばリールのブレーキのこと。どのくらいの力《ちから》で引《ひ》っ張《ぱ》られたときにイトがでるかを調整《ちょうせい》するものです。イトの強度《きょうど》より低《ひく》い力《ちから》で引《ひ》き出《だ》せるようにすれば、イトが切《き》れることも少《すく》なくなります。イラストのドラグはスプールの先端《せんたん》に付《つ》いていますが、中《なか》にはリアドラグという後《うし》ろ側《がわ》にあるものもあります。

スピニングリールの各部《かくぶ》と役割《やくわり》

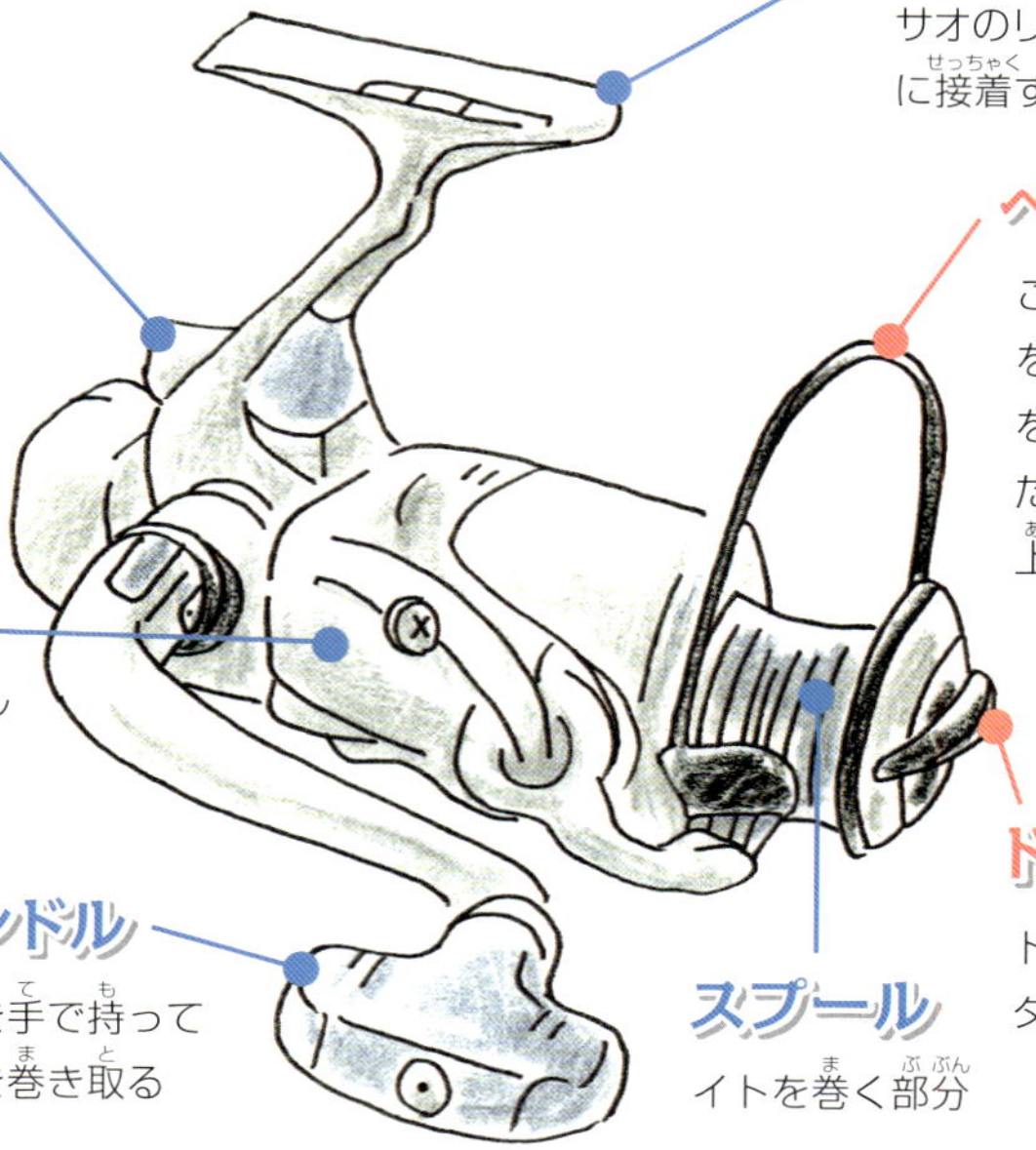

スピニングリールの使《つか》い方《かた》

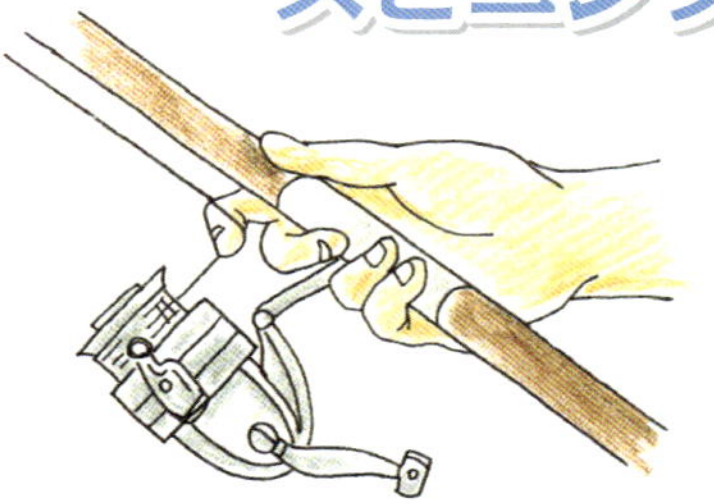

①中指《なかゆび》とくすり指《ゆび》の間《あいだ》にリールをはさみ、人《ひと》さし指《ゆび》の先端《せんたん》にイトをかけます

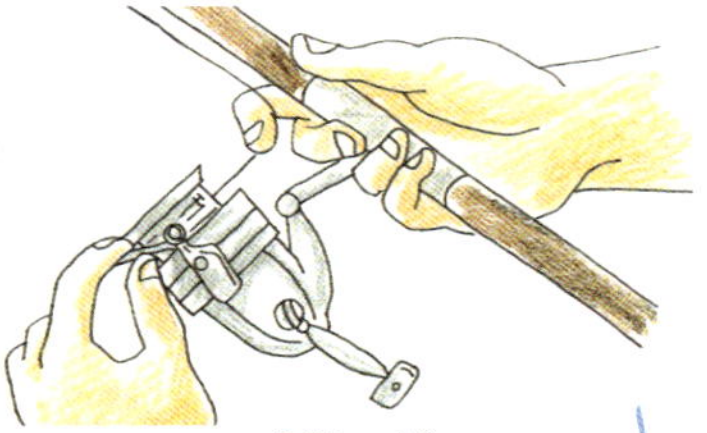

②ベイルアームを手前《てまえ》に倒《たお》します

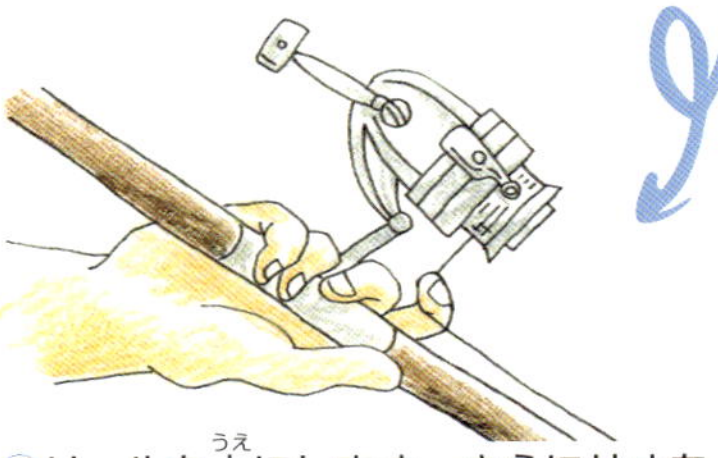

③リールを上《うえ》にします。さらにサオを横《よこ》にして頭上《ずじょう》にかまえます

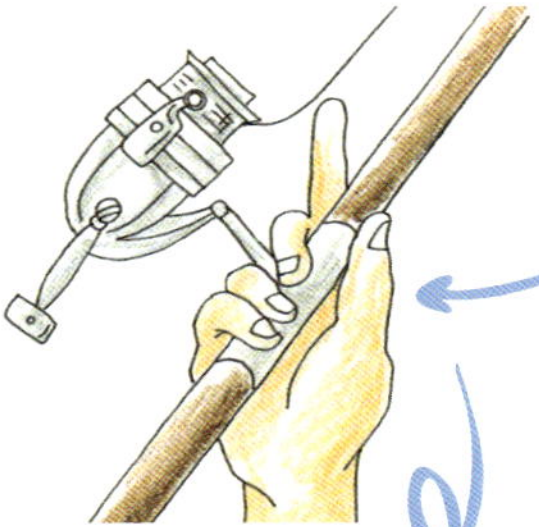

④サオをふり、サオ先《さき》が頭上《ずじょう》の真上《まうえ》にきたところでイトを放《はな》します

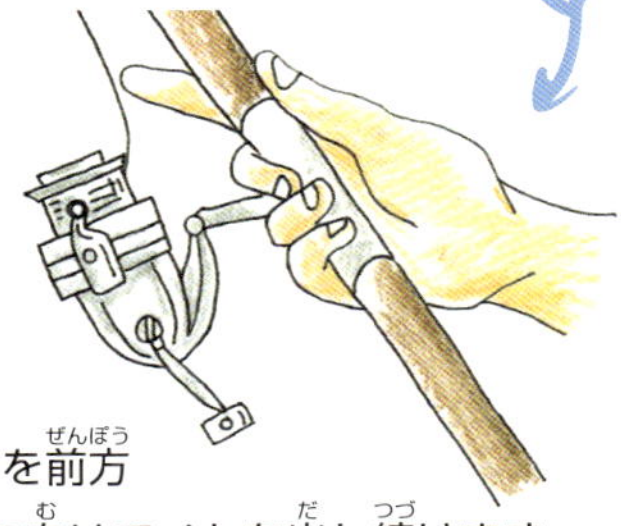

⑤サオを前方《ぜんぽう》40度《ど》に向《む》けてイトを出《だ》し続《つづ》けます

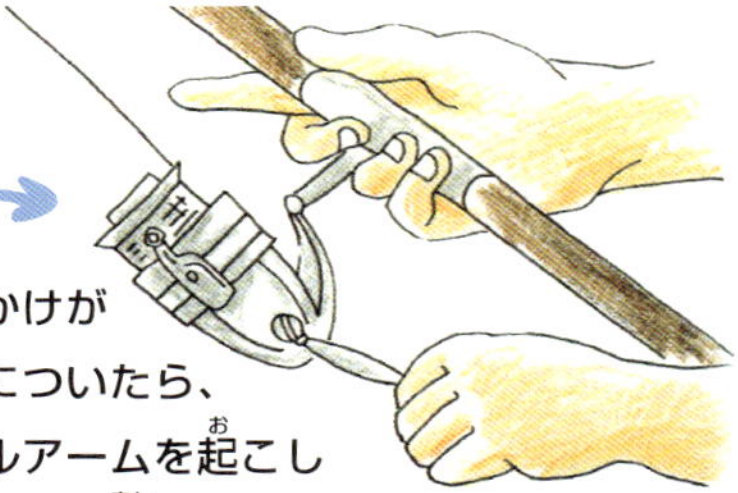

⑥仕《し》かけが海底《かいてい》についたら、ベイルアームを起《お》こしハンドルを回《まわ》して、イトふけをとります

＊イトふけ…サオの先端《せんたん》からウキやルアーの間《あいだ》の道糸《みちいと》やラインがたるんでいる状態《じょうたい》のこと。なお、イトふけが起《お》こらないように着水《ちゃくすい》の直前《ちょくぜん》にラインを指《ゆび》で押《お》さえることも大切《たいせつ》です。

ハンドルは左右《さゆう》が選《えら》べます

スピニングリールのハンドルは買《か》ったときには右側《みぎがわ》についている場合《ばあい》が多《おお》いです。右《みぎ》ききの人《ひと》は、左側《ひだりがわ》にハンドルをつけた方《ほう》が巻《ま》きやすく、右手《みぎて》でサオを扱《あつか》うようにしましょう。ハンドルの左右交換《さゆうこうかん》は、ネジをはずしハンドルを引《ひ》き抜《ぬ》いてつけかえるだけです。

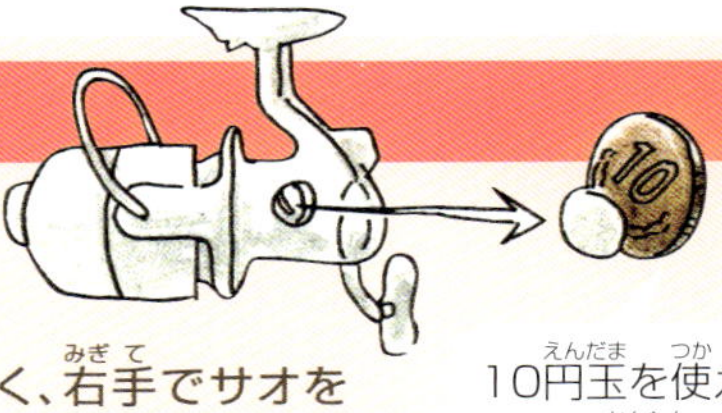

10円玉《えんだま》を使《つか》えばネジが簡単《かんたん》にはずせるはずです

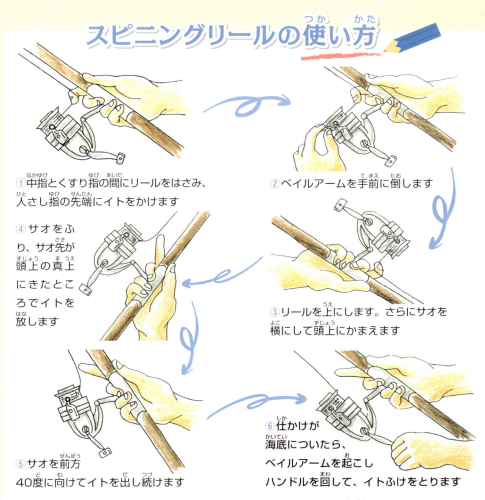

スピニングリールをもっと上手《じょうず》に使《つか》うために

巻《ま》きイト量《りょう》はどのくらいが使《つか》いやすい？

スプールにイトを巻《ま》くときは、第一《だいいち》にあまりにも多《おお》く巻《ま》きすぎないことが大切《たいせつ》です。多《おお》すぎるとスプールの端《はし》からイトがほどけてきて、使《つか》いにくくなります。逆《ぎゃく》に少《すく》なすぎると、イトが出《で》てさらに少《すく》なくなったときにイトがスプールのへりにあたって、飛距離《ひきょり》がのびなくなります。この2つに気《き》をつけて、適切《てきせつ》な量《りょう》を巻《ま》くようにしましょう。

ミチイトの巻《ま》き方《かた》

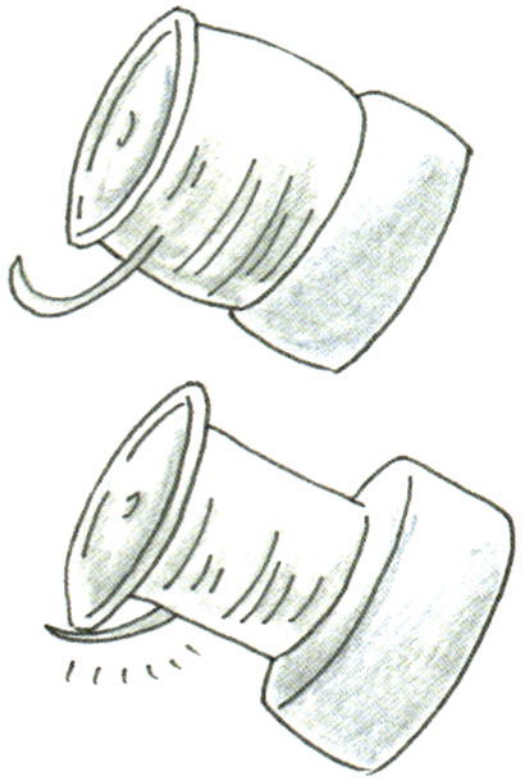

イトの量《りょう》が多《おお》すぎるとスプールからほどけやすい。少《すく》ないとスプールのへりが抵抗《ていこう》になり、スムーズな遠投《えんとう》ができない

リールのメンテナンスのポイント

スピニングリールのメンテナンスは1カ月《げつ》に1度《ど》くらいを目安《めやす》にしましょう。方法《ほうほう》は次《つぎ》の順序《じゅんじょ》です。①スプールをはずし、砂《すな》、ホコリを拭《ふ》き取《と》りましょう。海《うみ》で使《つか》った場合《ばあい》は事《じ》前《ぜん》に洗《あら》っておきましょう。②内部《ないぶ》の水《みず》は乾《かわ》いた布《ぬの》でよくふき、スプール内部《ないぶ》の回転軸《かいてんじく》まわりに潤滑《じゅんかつ》油《ゆ》をさします。③各部《かくぶ》のネジを締《し》め直《なお》します。また高級《こうきゅう》モデルには、メンテナンスが不要《ふよう》の商品《しょうひん》も多《おお》いので説明書《せつめいしょ》をよく読《よ》みましょう。

ワンポイント情報《じょうほう》

スピニングリール
ビギナーの最初《さいしょ》の1台《だい》は？

リール価格《かかく》はおよそ性能《せいのう》に比例《ひれい》しますが、初心者《しょしんしゃ》や子《こ》どもが使《つか》う場合《ばあい》、どのくらいの価格《かかく》のものがいいのでしょうか。3,000～5,000円《えん》の間《あいだ》で、重《おも》さが220～300ｇの軽《かる》いものを目安《めやす》にして選《えら》べばよいでしょう。場合《ばあい》によって1,500円《えん》くらいの普及《ふきゅう》価格《かかく》のものもあるので参考《さんこう》にしましょう。

両軸受《りょうじくう》けリール

両軸受《りょうじくう》けリールの機能《きのう》

両軸受《りょうじくう》けリールはスプールを両方《りょうほう》の軸《じく》で受《う》けていますので、巻《ま》き上《あ》げの力《ちから》が強《つよ》く、しかもコンパクトです。このリールには、手巻《てま》きと電動《でんどう》があります。

電動《でんどう》リールは、海《うみ》の深場《ふかば》のような巻《ま》き上《あ》げに時間《じかん》と体力《たいりょく》がかかる釣《つ》りに使《つか》われますが、最近《さいきん》は小型《こがた》のものでも電動化《でんどうか》されてきています。

手巻《てま》きの両軸受《りょうじくう》けリールには、ルアーなどに使《つか》われるベイトキャスティングリール、船《ふね》の中《なか》や小物《こもの》に使《つか》われる胴《どう》つきリールなどがあります。

両軸受《りょうじくう》けリールで気《き》をつけたいことは、バックラッシュ（スプール内《ない》で芯側《しんがわ》のラインがゆるみ、絡《から》まってしまうトラブル）。これはラインが引《ひ》き出《だ》されるスピードよりスプールの回転《かいてん》が速《はや》くなるために起《お》こります。これを防《ふせ》ぐためには、親指《おやゆび》でスプールを押《お》さえるサミングやリールのブレーキを使《つか》う技術《ぎじゅつ》が大切《たいせつ》になります。

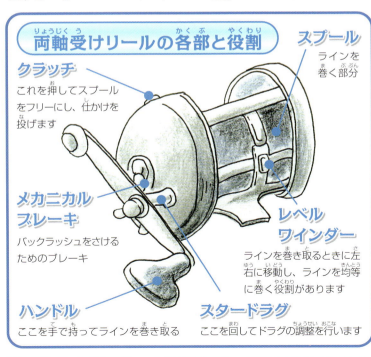

両軸受《りょうじくう》けリールの各部《かくぶ》と役割《やくわり》

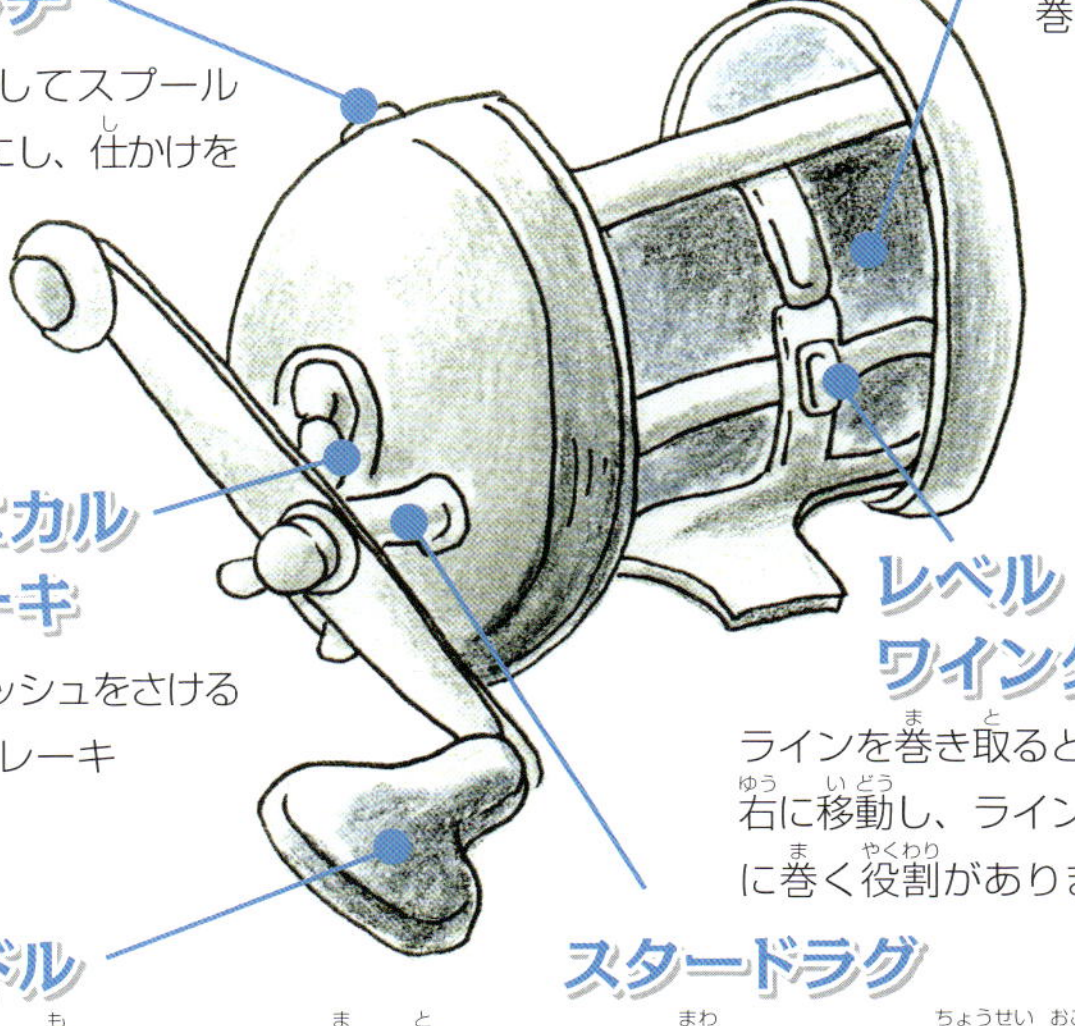

仕《し》かけづくりの基《き》本《ほん》

川《かわ》と海《うみ》の典型的《てんけいてき》な仕《し》かけで各《かく》部《ぶ》を見《み》てみましょう

釣《つ》りの仕《し》かけは、イトやハリ、オモリ、ウキ、各種接続用《かくしゅせつぞくよう》の金具《かなぐ》などからできています。それぞれの名称《めいしょう》と役割《やくわり》について簡単《かんたん》に紹介《しょうかい》します。

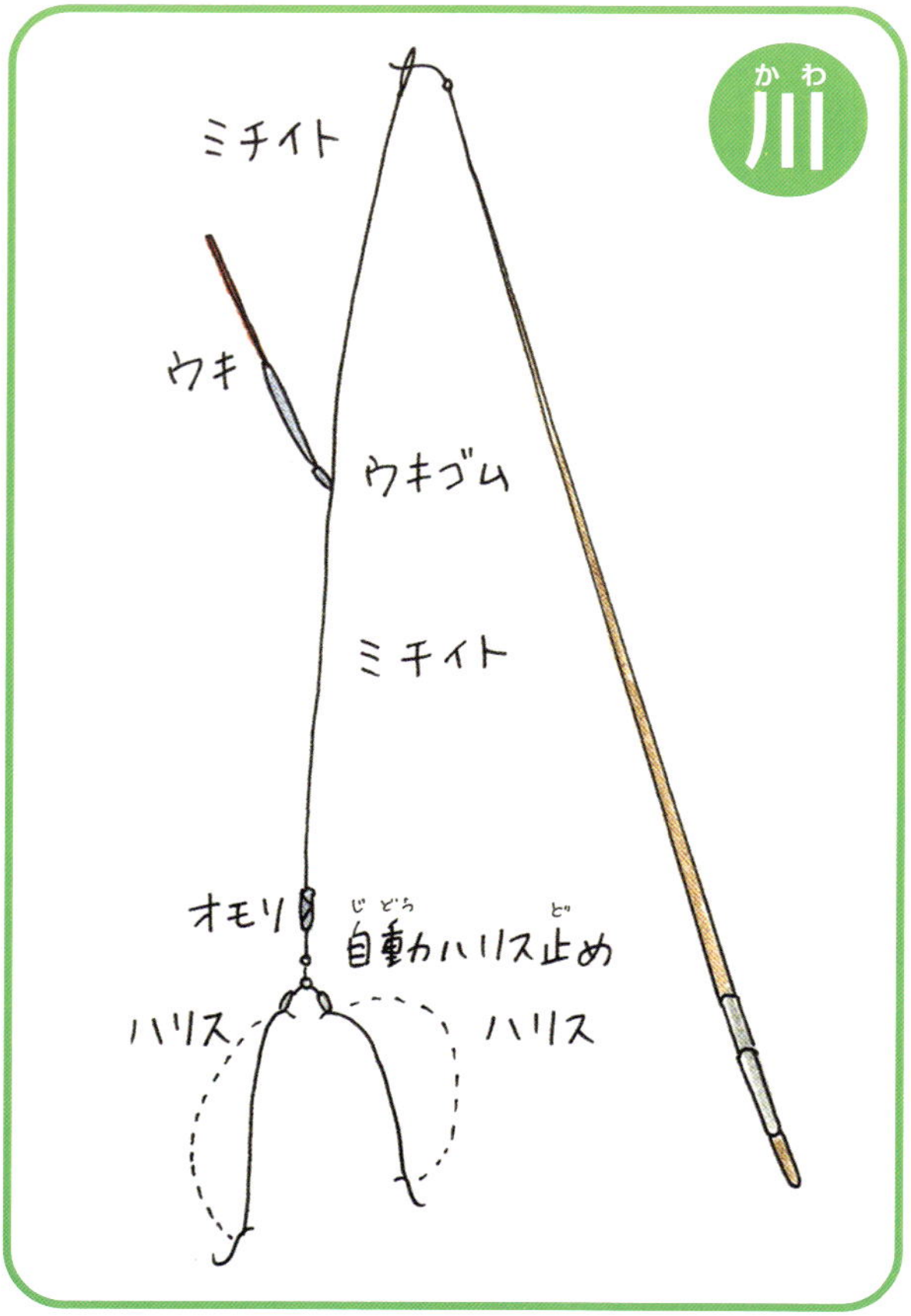

ミチイト

イトとしては最《もっと》も長《なが》い部分《ぶぶん》になります。海《うみ》では主《おも》にリールなどに巻《ま》かれる部分《ぶぶん》になるため、相当《そうとう》な量《りょう》のイトになります。

ハリス

ハリを結《むす》ぶ箇所《かしょ》のイトで短《みじか》くてすみますが、ハリの大《おお》きさや種類《しゅるい》に合《あ》わせて、細《ほそ》くて強度《きょうど》のあるものを厳選《げんせん》します。

ミキイト

海《うみ》の仕《し》かけでは「胴《どう》つき仕《し》かけ」といい、複数《ふくすう》のハリがついたものをいいます。この複数《ふくすう》のハリをつける部分《ぶぶん》をミキイトと呼《よ》びます。胴《どう》つき仕《し》かけは、手《て》づくりしないですむセット品《ひん》も多《おお》くあります。

ステイト

重《おも》いオモリが底《そこ》に引《ひ》っかかってしまった場合《ばあい》、（根《ね》がかりといいます）強《つよ》くイトを引《ひ》っ張《ぱ》ると、仕《し》かけ全部《ぜんぶ》を失《うしな》うことがあります。仕《し》かけを少《すこ》しでも助《たす》けるために、オモリのところだけ少《すこ》し弱《よわ》い、細《ほそ》いイトを使《つか》ってここから切《き》れるようにします。

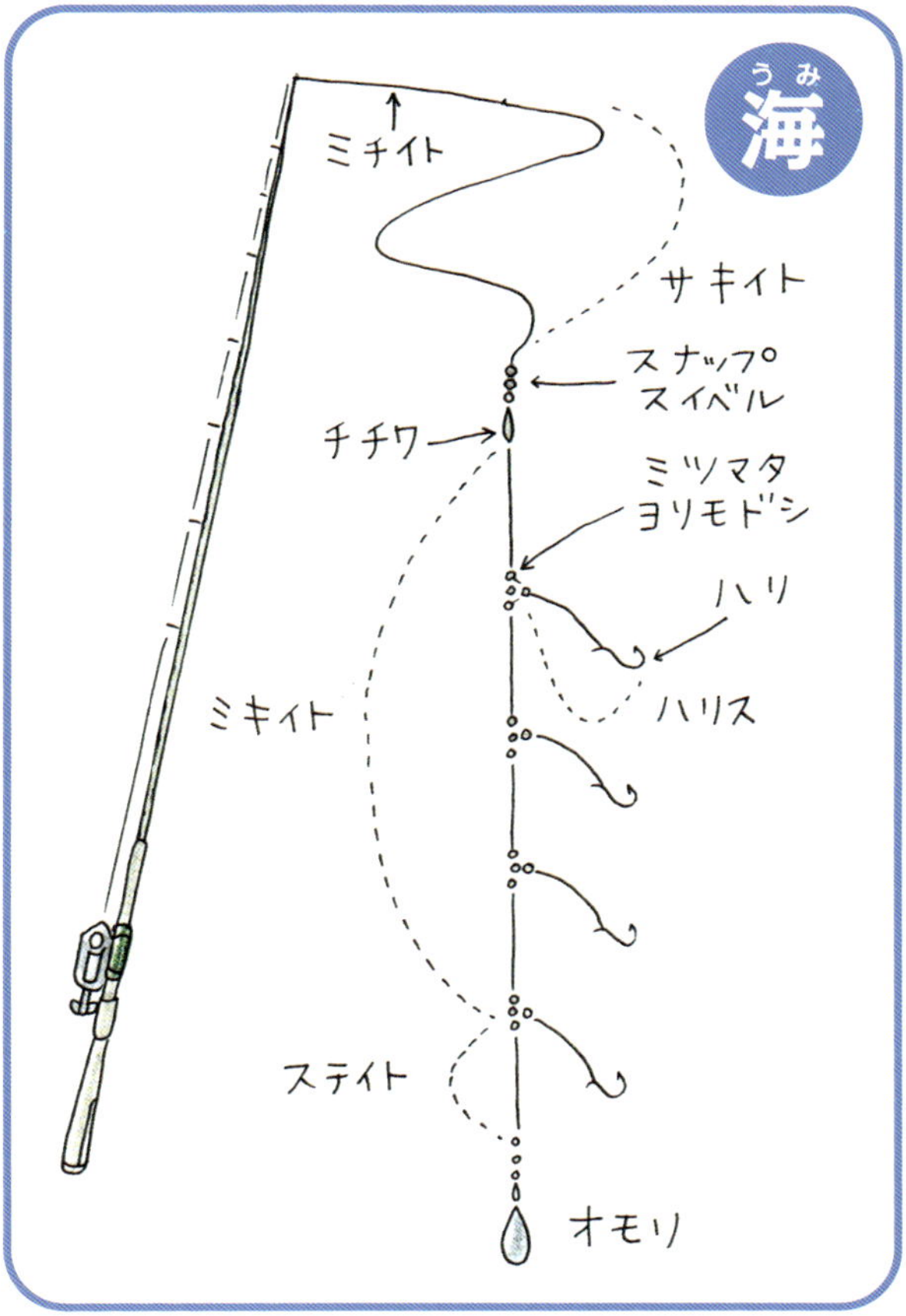

サキイト

ミチイトとハリスの中間《ちゅうかん》にあるイトで、着色《ちゃくしょく》してあるテトロンイト（ミチイト）などを使《つか》った場合《ばあい》、直接《ちょくせつ》ハリスやミキイトに結《むす》ぶと、魚《さかな》に見破《みやぶ》られやすくなるため透明《とうめい》なサキイトを使《つか》います。

仕《し》かけは消耗品《しょうもうひん》と同《おな》じです。根《ね》がかりで切《き》れたり、こわれたりすることを計算《けいさん》に入《い》れて、1セットだけでなく予備《よび》の仕《し》かけを数《すう》セット以上《いじょう》用意《ようい》しましょう。

イト（ライン）

英語《えいご》ではイトのことをＬＩＮＥ（ライン）と言《い》います。そのため、釣《つ》りではイトと言《い》ったり、ラインと言《い》ったりします。

釣《つ》りイトは、ナイロンが中心《ちゅうしん》です。ナイロン以外《いがい》にもフロロカーボンやＰＥなど異《こと》なった素材《そざい》のものもあり、釣《つ》り場《ば》や釣《つ》り方《かた》によってイトを選《えら》ぶこともあります。

ナイロン

ナイロンとひと口《くち》に言《い》っても、種類《しゅるい》が多《おお》くあります。高品質《こうひんしつ》で高価格《こうかかく》なものから安価《あんか》なものまであるので、使《つか》い分《わ》けが必要《ひつよう》です。

フロロカーボン

ナイロンに比《くら》べると硬《かた》くて腰《こし》があります。その特性《とくせい》を利用《りよう》して海《うみ》の磯釣《いそづ》りや船釣《ふなづ》りのときのハリスとして使《つか》われる場合《ばあい》が多《おお》くあります。光《ひかり》の屈折率《くっせつりつ》の関係《かんけい》で魚《さかな》に見破《みやぶ》られにくいという長所《ちょうしょ》もあります。

ＰＥ（新素材《しんそざい》）

ポリエチレン系《けい》の素材《そざい》で作《つく》られた新素材《しんそざい》のイトです。伸《の》びがなく吸水性《きゅうすいせい》もほとんどないのが特長《とくちょう》で、強度《きょうど》はナイロンの3倍《ばい》ほどあると言《い》われています。

このほかにも、強《つよ》く伸《の》びの少《すく》ない「テトロン」やアユ用《よう》として使《つか》われる極細《ごくぼそ》の「金属《きんぞく》イト」などがあります。

ナイロン

フロロカーボン

PE

ラインのラベル表示《ひょうじ》の見方《みかた》を知《し》っておこう

巻《ま》いてあるラインの長《なが》さ
ヤード表示《ひょうじ》の場合《ばあい》もあります。1ヤードは約《やく》91㎝

素材名《そざいめい》
写真《しゃしん》はナイロン（NYLON）です

ラインの強度《きょうど》
エサ釣《づ》りなどで使《つか》うイトは号数《ごうすう》で、ルアーフィッシングなどに使《つか》うイトはポンドで表示《ひょうじ》

ラインの太《ふと》さ
ほとんどが㎜〈ミリメートル〉で表示《ひょうじ》されています

ワンポイント情報《じょうほう》

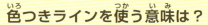

色《いろ》つきラインを使《つか》う意味《いみ》は？

釣具店《つりぐてん》に行《い》くと、カラフルなラインが並《なら》んでいます。この色《いろ》のついたラインを使《つか》う効果《こうか》は

- 暗《くら》い時間帯《じかんたい》に釣《つ》りをしたとき、ラインがよく見《み》えるようにしたい
- ラインの動《うご》きで魚《さかな》のアタリを見《み》きわめたい

この2つの要望《ようぼう》に応《こた》えてくれます。また、10mごとにラインの色《いろ》をかえて、リールの巻《ま》き込《こ》み量《りょう》の目印《めじるし》に使《つか》えるようにしているものもあります。なお、色《いろ》がきれいだと楽《たの》しいという単純《たんじゅん》な気持《きも》ちで使《つか》ってもOKです。

イトの太《ふと》さと強《つよ》さの一覧表《いちらんひょう》

イトの太《ふと》さは、号数《ごうすう》やポンドの数字《すうじ》が大《おお》きくなるほど、太《ふと》くて強《つよ》くなります。10ポンドのイトは、2.5号《ごう》のイトとほぼ同《おな》じで、5kgの強度《きょうど》に耐《た》えられるということです。実際《じっさい》には約《やく》4.8kgの魚《さかな》ならあげられるという計算《けいさん》になりますが、魚《さかな》の種類《しゅるい》によっては、重《おも》さ以上《いじょう》に引《ひ》っ張《ぱ》る力《ちから》が強《つよ》いものもあるので目安《めやす》として考《かんが》えましょう。

号数《ごうすう》	ポンド数《すう》	径《けい》(mm)	強度《きょうど》(kg)
0.4	1	0.104	0.5
0.6	2	0.128	1
0.8	3	0.148	1.5
1	4	0.165	2
1.2	5	0.185	2.5
1.5	6	0.205	3
2	8	0.235	4
2.5	10	0.260	5
3	12	0.285	6
4	16	0.330	8
5	20	0.370	10
6	22	0.405	11
7	25	0.435	12.5
8	30	0.470	15
10	35	0.520	17.5
12	40	0.570	20
14	50	0.620	25
16	55	0.660	27.5
18	60	0.700	30
20	70	0.740	35
22	80	0.780	40
24	90	0.810	45
26	95	0.840	47.5
28	100	0.870	50

＊ポンドに対《たい》する号数《ごうすう》、強度《きょうど》(kg)については「約《やく》」がつくと考《かんが》えて、表《ひょう》をご覧《らん》ください。

オモリ

オモリはエサを魚《さかな》のいるタナまで導《みちび》いてくれる、重要《じゅうよう》な道具《どうぐ》のひとつです。用途《ようと》や仕《し》かけに合《あ》わせて、的確《てきかく》なオモリを選《えら》ぶことが大切《たいせつ》です。ここでは主《おも》なオモリの種類《しゅるい》を紹介《しょうかい》します。

ガン玉《だま》

丸《まる》い玉《たま》の中央《ちゅうおう》にある割《わ》れ目《め》にラインを挟《はさ》んで固定《こてい》する、小型《こがた》のオモリ。

カミツブジ

基本的《きほんてき》にはガン玉《だま》と同《おな》じ用途《ようと》で、形《かたち》がナツメ型《がた》になっています。

ナツメ型《がた》オモリ

オモリの中央《ちゅうおう》にラインを通《とお》す穴《あな》が貫通《かんつう》していて、ここにラインを二重《にじゅう》に通《とお》すなどして固定《こてい》します。

ナス型《がた》オモリ

オモリの上部《じょうぶ》にラインを接続《せつぞく》する金具《かなぐ》がついています。テンビンと組《く》み合《あ》わせて使《つか》うことが多《おお》いです。

この他《ほか》にも、「板《いた》オモリ」「小田原型《おだわらがた》オモリ」「フック付《つ》きのオモリ」、ルアー用《よう》の「バレット型《がた》オモリ」などがあります。

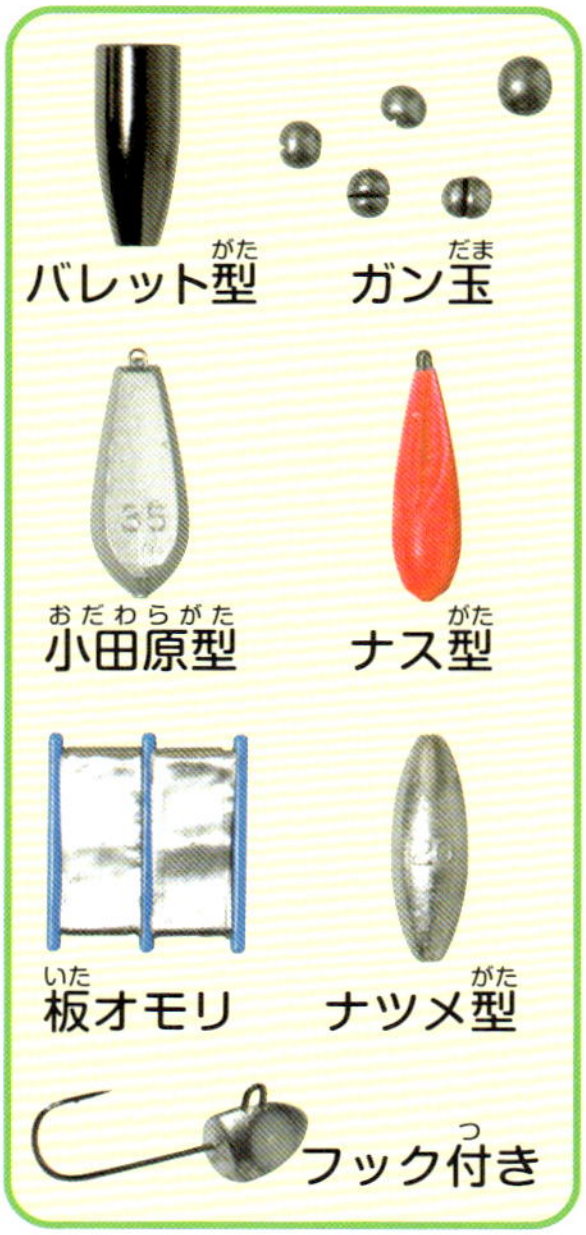

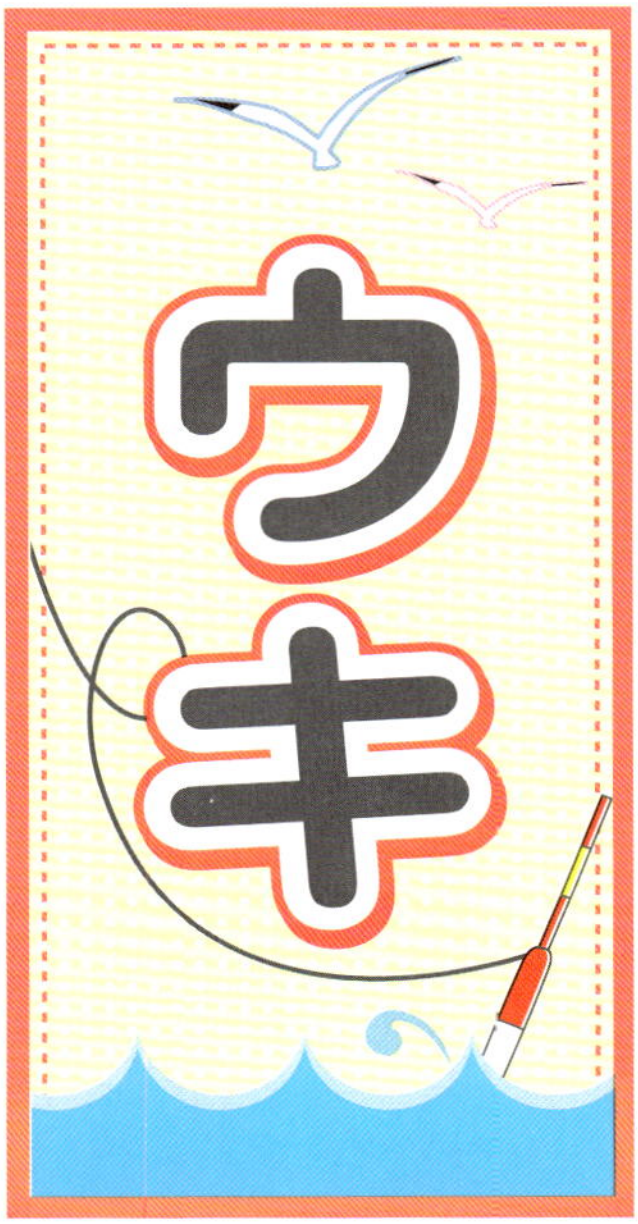

ウキの主《おも》な役割《やくわり》は魚《さかな》がエサを食《た》べたかどうか、つまり「アタリ」を知《し》ることにありますが、このほかにも役割《やくわり》があります。またウキを使《つか》った仕《し》かけには3つのパターンがあります。大《おお》きな釣果《ちょうか》をあげるためには、釣《つ》りの内容《ないよう》に合《あ》わせたウキの種類《しゅるい》と使《つか》い方《かた》を知《し》っておくことが大切《たいせつ》です。

ウキの3つの役割《やくわり》とカタチの大別《たいべつ》

ウキは魚《さかな》のアタリを知《し》らせる役割《やくわり》のほかに、「ポイントの位置確認《いちかくにん》」、「エサを一定《いってい》の深《ふか》さに保《たも》つ」という役割《やくわり》などがあります。

ウキは大《おお》きくわけると、長《なが》い棒状《ぼうじょう》のものと丸《まる》い玉形《たまがた》のものと2つに分《わ》けられます。さらに、両方《りょうほう》とも、そこから発展《はってん》した変形《へんけい》のものが各種《かくしゅ》あり、海用《うみよう》、川用《かわよう》とも非常《ひじょう》に多《おお》くの種類《しゅるい》があります。

ウキを使《つか》った、主《おも》な仕《し》かけは、固定式《こていしき》・移動式《いどうしき》・遊動式《ゆうどうしき》の3パターンです

固定式《こていしき》のウキの仕《し》かけは、ミチイトにウキを固定《こてい》する最《もっと》もポピュラーな方法《ほうほう》です。

ウキがイトに直接固定《ちょくせつこてい》されているので、アタリを伝《つた》える感度《かんど》は一番高《いちばんたか》くなります。浅《あさ》いポイントや魚《さかな》が水面近《すいめんちか》くに浮上《ふじょう》してくる場合《ばあい》に有効《ゆうこう》です。サヨリ、ウミタナゴ、マブナ、コイ、ウグイなどの仕《し》かけでよく使《つか》います。なお、ウキとイトはゴム管《かん》を使《つか》って固定《こてい》したりします。

移動式《いどうしき》のウキの仕《し》かけは、重《おも》めのオモリを使用《しよう》して、魚《さかな》にいるタナまで一気《いっき》に仕《し》かけを沈《しず》めたい場合《ばあい》に使《つか》います。この仕《し》かけはウキ下《した》を長《なが》くとる必要《ひつよう》があるため、ウキは中通《なかどお》しの円錐《えんすい》ウキなどの移動可能《いどうかのう》なウキを使《つか》います。

遊動式《ゆうどうしき》のウキの仕《し》かけは、基本的《きほんてき》には移動式《いどうしき》の

ウキの仕《し》かけの作《つく》りと似《に》てきますが、あらゆるタナを探《さぐ》るためのものなので、オモリは移動式《いどうしき》のときより軽《かる》くします。これにより探《さぐ》りたいタナまで仕《し》かけを巻《ま》き上《あ》げたり、降《お》ろしたり自在《じざい》にできるようにします。

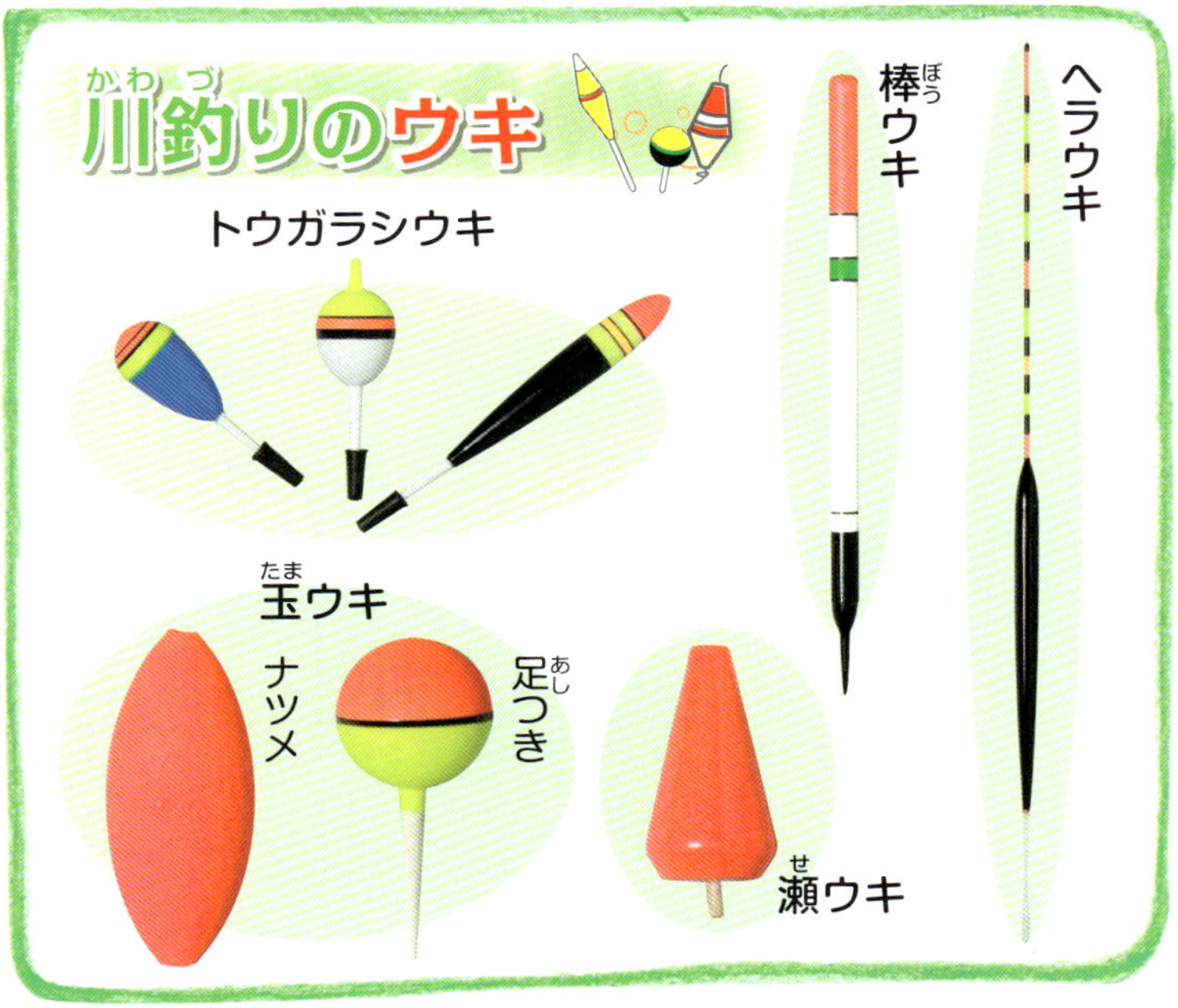

ハリ（ラック）

ハリは釣《つ》る魚《さかな》の口《くち》の形《かたち》や大《おお》きさ、エサの種類《しゅるい》、釣《つ》り方《かた》などによって選《えら》びます。

このハリの選択《せんたく》を間違《まちが》えると、魚《さかな》が喰《く》いついても釣《つ》り上《あ》げることができない、という最悪《さいあく》のことが起《お》きる場合《ばあい》もあります。ハリの種類《しゅるい》はたいへん多《おお》いので基本的《きほんてき》なことだけでもしっかりと知《し》っておきましょう。

釣《つ》りバリの構造《こうぞう》を知《し》ろう

ハリの部分《ぶぶん》には、チモト、軸《じく》、アゴ（カエシ・モドシ）、ハリ先《さき》、フトコロと独特《どくとく》の名称《めいしょう》がついていますので覚《おぼ》えましょう。

なかでも、アゴがついていることで、魚《さかな》の口《くち》にサッとささり、抜《ぬ》こうとしたらなかなか抜《ぬ》けないのです。また、エサもアゴがあることで抜《ぬ》けにくくなります。

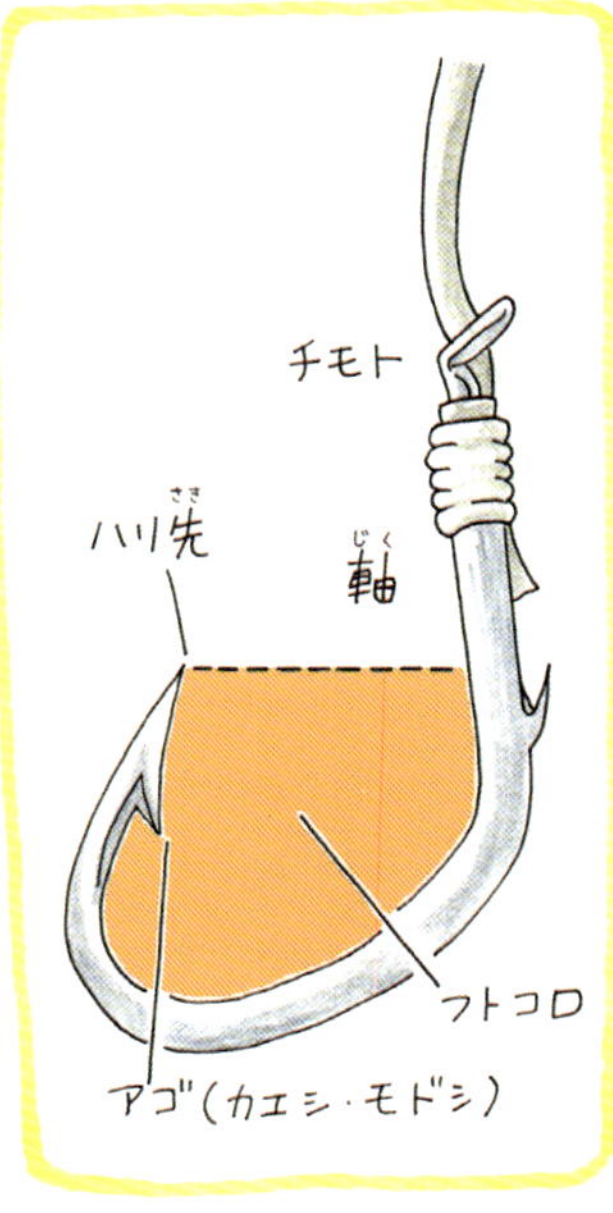

ハリの種類《しゅるい》は3種類《しゅるい》

ハリの種類《しゅるい》は大《おお》きく分《わ》けると、「そで型《がた》」「丸《まる》型《がた》」「角型《かくがた》」の3つになります。「そで型《がた》」はふところが狭《せま》く、着物《きもの》のそでの形《かたち》に似《に》ています。環虫類《かんちゅうるい》（ミミズなど）や冷凍《れいとう》アミなどのエサが付《つ》けやすいです。「丸型《まるがた》」は、ふところが広《ひろ》く、軸《じく》が太《ふと》いのが特徴《とくちょう》です。イシダイ、クエ、ヒラマサなどの専用《せんよう》バリも丸型《まるがた》です。「角型《かくがた》」はふところが角《かく》ばってい

てはずれにくいのが特徴《とくちょう》。セイゴ、イシモチなどの専用《せんよう》バリが一般的《いっぱんてき》です。

なお、ハリの大《おお》きさは号数《ごうすう》で決《き》められていて、数字《すうじ》が大《おお》きくなるほどハリの型《かた》が大《おお》きくなるのが一般的《いっぱんてき》です。

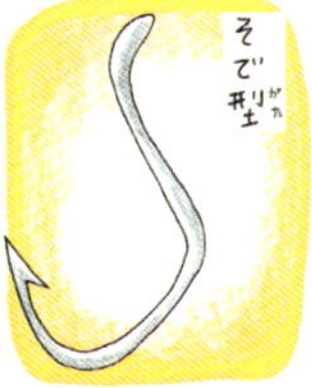

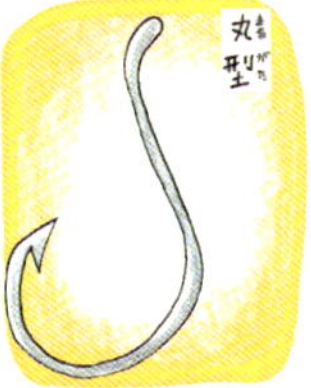

魚《さかな》の名前《なまえ》がついたハリの例《れい》

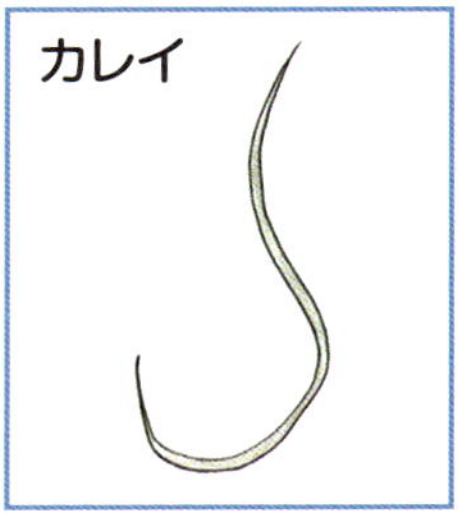

そでバリの発展形《はってんけい》で、軸《じく》が長《なが》い流線形《りゅうせんけい》をしており、長《なが》いエサをかけるのに向《む》いています

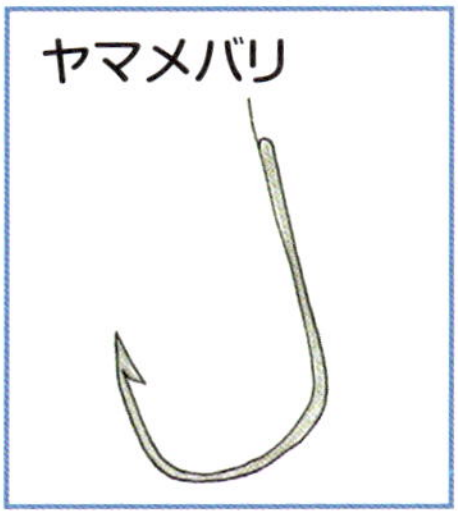

そでバリの発展形《はってんけい》で、ヤマメ、イワナなどの渓流《けいりゅう》釣《づ》りに適《てき》しています

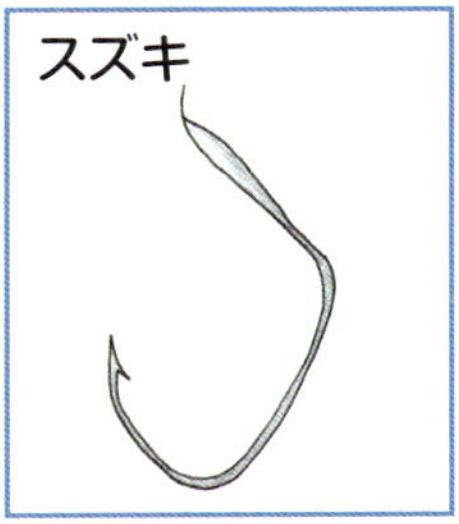

角型《かくがた》の典型的《てんけいてき》なハリ。スズキのように早《はや》アワセが必要《ひつよう》な魚《さかな》に使《つか》います

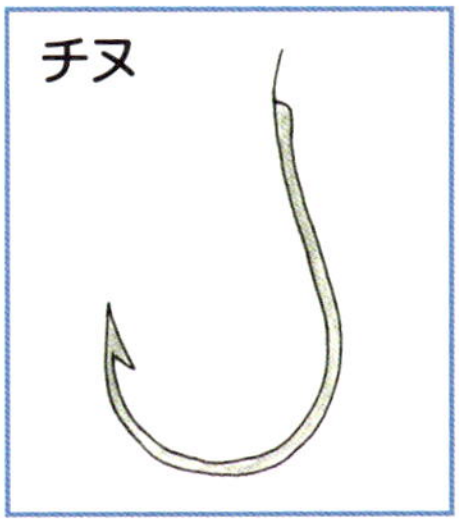

丸型《まるがた》の基本《きほん》スタイル。オキアミやエビエサなどチヌが好《この》むエサが外《はず》れにくいようにハリ先《さき》が内側《うちがわ》に向《む》いています

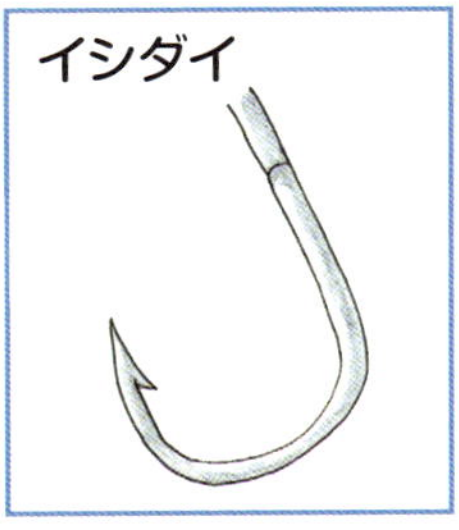

丸型《まるがた》のタイプ。イシダイは特《とく》に軸《じく》が太《ふと》く、頑強《がんきょう》な構造《こうぞう》になっています

ワンポイント情報《じょうほう》

ハリ先《さき》の確認《かくにん》

ハリの命《いのち》はハリ先《さき》、ハリ先《さき》は常《つね》にシャープでなければなりません。それを確《たし》かめるために、ハリ先《さき》を爪《つめ》にあててみて、ツルンとすべるものはダメです。

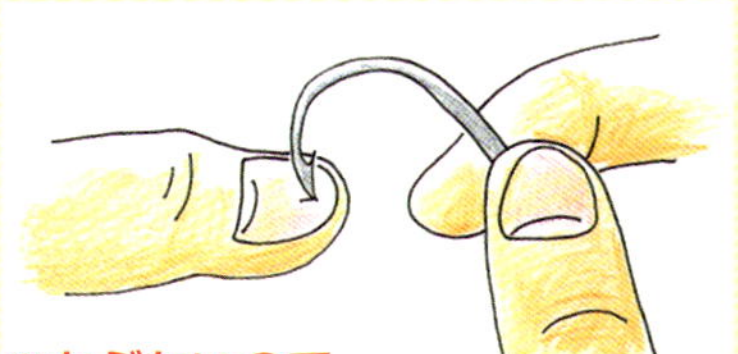

※あぶないので必《かなら》ず大人《おとな》にやってもらいましょう。

イトの結《むす》び方

イトの結《むす》び方《かた》は、非常《ひじょう》にたくさんの方法《ほうほう》があります。初心者《しょしんしゃ》の方《かた》は全部《ぜんぶ》を覚《おぼ》える必要《ひつよう》はありません。どれかひとつの方法《ほうほう》だけをしっかりと覚《おぼ》えるほうがよいでしょう。実際《じっさい》、ベテランの方《かた》でも1～2種類《しゅるい》しか使《つか》わないようです。

ここでは「イト同士《どうし》の結《むす》び方《かた》」「ハリの結《むす》び方《かた》」その他《ほか》に分《わ》けて説明《せつめい》しています。なお、結《むす》び方《かた》は英語《えいご》で「ノット」ともいいます。

イトとイトの結《むす》び方《かた》

ハリスとミチイトなど、太《ふと》さのちがう2種類《しゅるい》のイトを結《むす》びつける方法《ほうほう》は数種類《すうしゅるい》あります。なお、結《むす》び方《かた》については、最初《さいしょ》は簡単《かんたん》な方法《ほうほう》で覚《おぼ》えてから、むずかしい結《むす》び方《かた》を覚《おぼ》えるようにしましょう。

8の字結《じむす》び

2本《ほん》のイトを重《かさ》ねてイラストのように8の字型《じがた》に結《むす》べばいいだけの簡単《かんたん》な方法《ほうほう》です。イトの強度《きょうど》（イトの結《むす》び目《め》の強《つよ》さをいいます）も低《ひく》くはないので、初心者《しょしんしゃ》の方《かた》にはおすすめです。

なお、8の字《じ》の輪《わ》のなかに一度《いちど》に2本《ほん》のイトを通《とお》さなければならないため、ハリスやミチイトが長《なが》い場合《ばあい》は、めんどうな作業《さぎょう》になってしまいます。

チチワの作《つく》り方《かた》

ハリスとミチイトを結《むす》ぶときなど、イト同士《どうし》の結《むす》び方《かた》としてよく使《つか》われるのがチチワです。チチワの作《つく》り方《かた》には2通《とお》りがあります。

固《かた》め止《と》め結《むす》び・普通《ふつう》の結《むす》び方《かた》でチチワを作《つく》る方法《ほうほう》です。**8の字結《じむす》び**・8の字《じ》にしてチチワを作《つく》る方法《ほうほう》で、一度《いちど》ひねりを入《い》れるだけで、簡単《かんたん》に8の字《じ》になります。

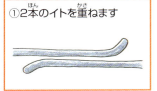

チチワの作《つく》り方《かた》（8の字結《じむす》び）

①必要《ひつよう》な長《なが》さを二《ふた》つ折《お》りにして輪《わ》をつくります

②二《ふた》つ折《お》りの先端《せんたん》を1回《かい》ひねります

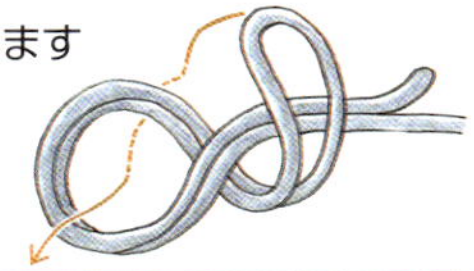

③輪《わ》のなかに二《ふた》つ折《お》りの先端《せんたん》を通《とお》します

④チチワの大《おお》きさを決《き》めて引《ひ》き締《し》めます

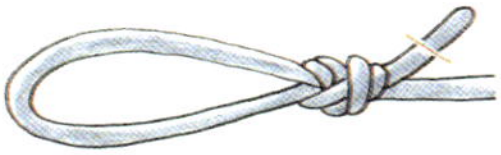

チチワの作《つく》り方《かた》（固《かた》め止《と》め結《むす》び）

①必要《ひつよう》な長《なが》さを二《ふた》つ折《お》りにします

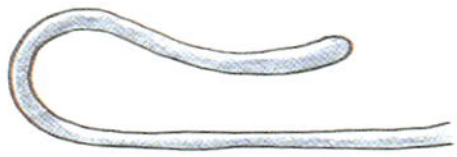

②イトが重《かさ》なった部分《ぶぶん》で輪《わ》をつくります

③輪《わ》のなかに折《お》れ曲《ま》がりの先端《せんたん》を通《とお》します

④チチワの大《おお》きさを決《き》めて引《ひ》き締《し》めます

8の字結《じむす》び

①2本《ほん》のイトを重《かさ》ねます

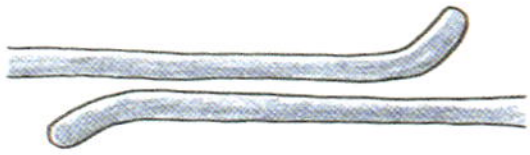

②輪《わ》をつくります

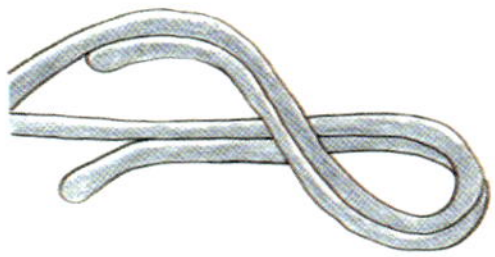

③1回《かい》、ひねります

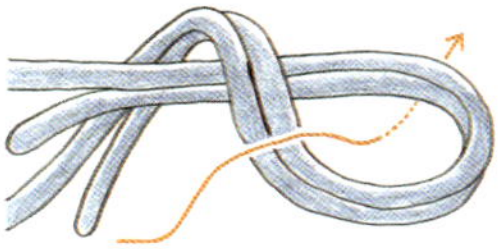

④端《はし》を輪《わ》に通《とお》します

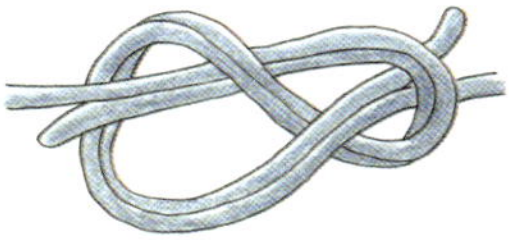

ワンポイント情報《じょうほう》

サオとイトを結《むす》ぶ　チチワ結《むす》び

チチワの先端《せんたん》にもう一《ひと》つのチチワをつくり、親指《おやゆび》と人《ひと》さし指《ゆび》にかけてミチイトを引《ひ》き込《こ》んで輪《わ》をつくり、この輪《わ》のなかに穂先《ほさき》のヘビ口《くち》を入《い》れてイトを引《ひ》きます。外《はず》すときは、先端《せんたん》のチチワを引《ひ》けば簡単《かんたん》に外《はず》れます。

イトとハリの結《むす》び方《かた》

ハリにしっかりとイトを結《むす》ぶことは、大切《たいせつ》なポイントです。なお、前《まえ》の項目《こうもく》で説明《せつめい》したように、ハリは種類《しゅるい》が多《おお》いのが特徴《とくちょう》です。特殊《とくしゅ》なハリを除《のぞ》けば、「内掛《うちが》け結《むす》び」「外掛《そとが》け結《むす》び」「漁師結《りょうしむす》び」の3つの一般的《いっぱんてき》な結《むす》び方《かた》を覚《おぼ》えておけばよいでしょう。

内掛《うちが》け結《むす》び

めんどうな結《むす》び方《かた》ですが、その分《ぶん》、強度《きょうど》も一番《いちばん》低下《ていか》しにくいタイプです。気《き》をつけたいことは、2つに折《お》り返《かえ》したイトの片方《かたほう》を軸《じく》イトに巻《ま》きつけるとき、イトがずれないようにしっかり指《ゆび》で止《と》めておくことです。ここでイトがずれたりすると、結《むす》ぶ目《め》が甘《あま》くなります。

外掛《そとが》け結《むす》び

この結《むす》びも2つに折《お》り返《かえ》したイトの片方《かたほう》を軸《じく》ごと巻《ま》きつけていく方法《ほうほう》です。これも巻《ま》きつけられる側《がわ》のイトがずれないようにしっかり押《お》さえておく必要《ひつよう》があります。そのためには慣《な》れることが一番《いちばん》です。イラスト③のところで、イトを軸《じく》とハリスの間《あいだ》に通《とお》すとチモトとの間《あいだ》に「枕《まくら》」ができてイト切《き》れが防《ふせ》げます。

漁師結《りょうしむす》び

最《もっと》も簡単《かんたん》な結《むす》び方《かた》で、比較的《ひかくてき》に結束度《けっそくど》も低下《ていか》しないタイプです。簡単《かんたん》すぎて不安《ふあん》になることもありますが、現場《げんば》で急《いそ》いでハリを結《むす》ぶときには便利《べんり》です。

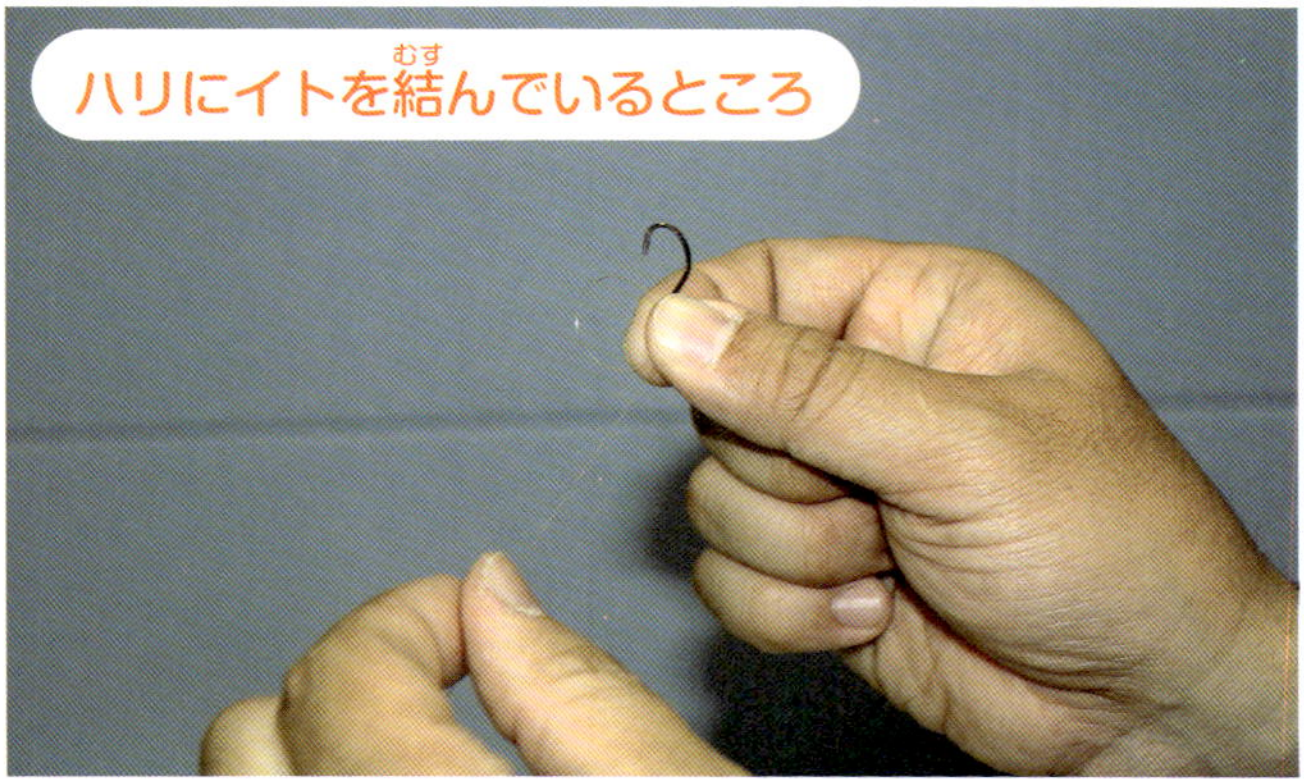

ハリにイトを結《むす》んでいるところ

漁師結《りょうしむす》び

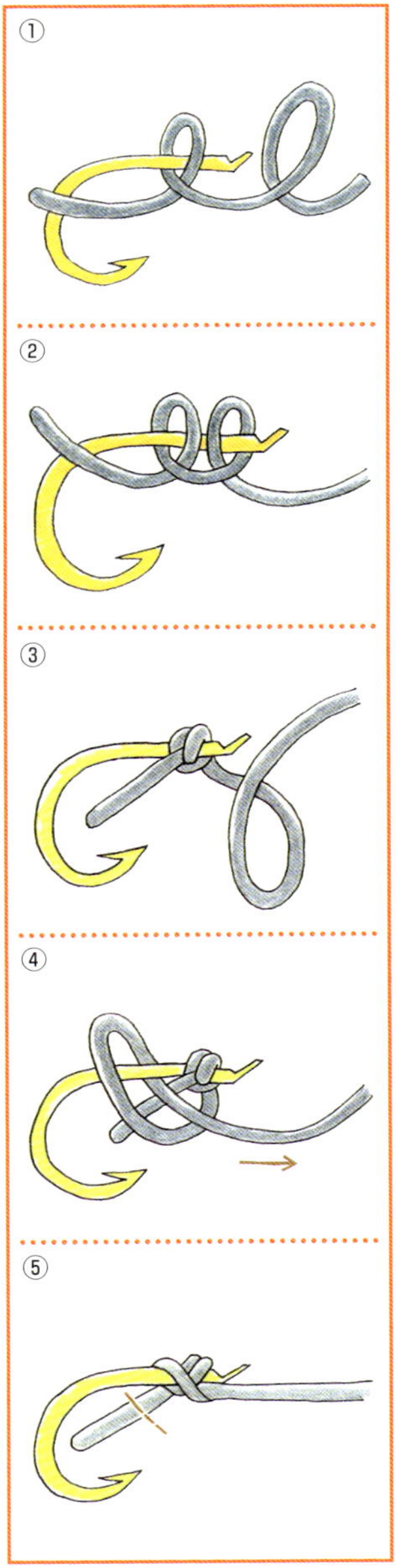

外掛《そとが》け結《むす》び

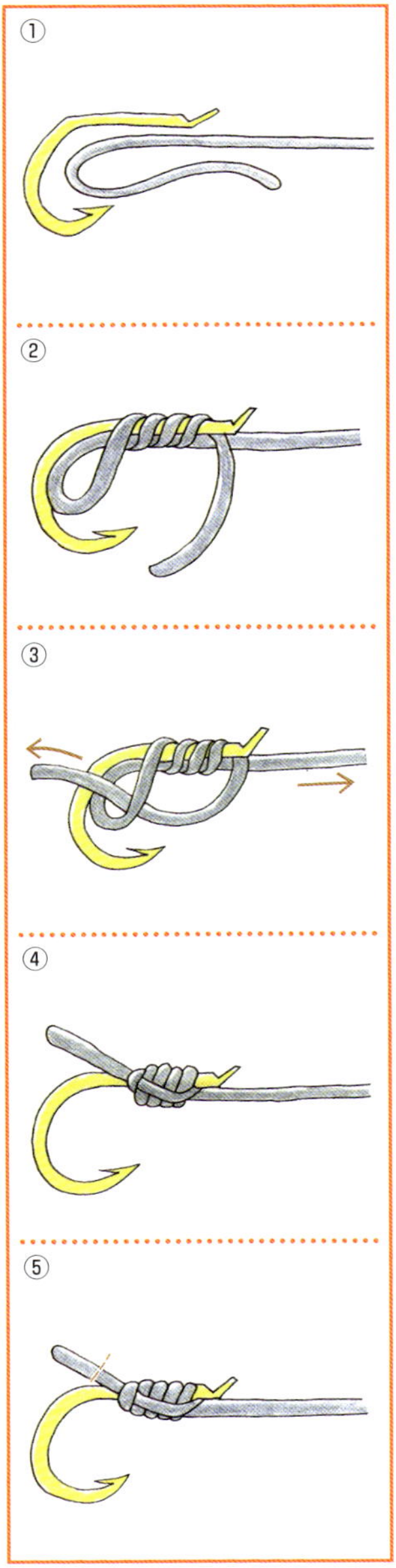

内掛《うちが》け結《むす》び

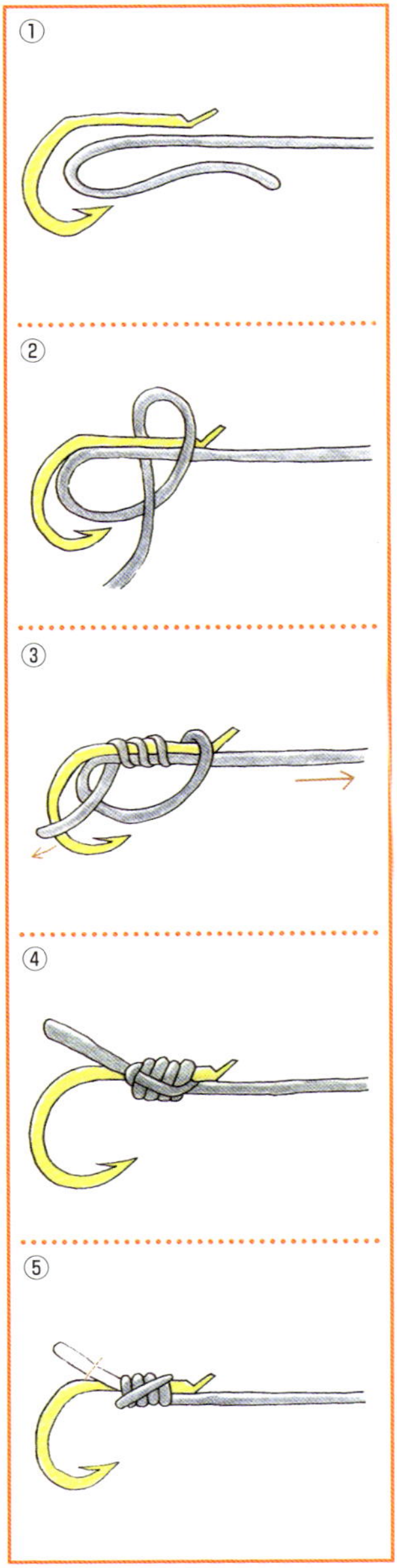

このほかのノット術《じゅつ》 ～イトと接続金具《せつぞくかなぐ》を結《むす》ぶ～

イトと接続金具《せつぞくかなぐ》を結《むす》ぶ方法《ほうほう》は10種類《しゅるい》くらいあると言《い》われています。この中《なか》でも代表的《だいひょうてき》な方法《ほうほう》であるのが、「クリンチノット」と「ユニノット」。なお、ユニノットはイトとイトの結《むす》び方《かた》にも使《つか》えるなど、ノット（結《むす》び方《かた》）術《じゅつ》は応用《おうよう》もできます。

クリンチノット

ヨリモドシやテンビンなどの接続金具《せつぞくかなぐ》の輪《わ》とイトを結《むす》ぶときに使《つか》われます。結《むす》び目《め》が強固《きょうこ》で、いろいろなところで使《つか》える結《むす》び方《かた》です。

ユニノット

イトと接続金具《せつぞくかなぐ》を結《むす》ぶ以外《いがい》にも、ハリスとミチイトを結《むす》ぶなどイトとイトを結《むす》ぶ方法《ほうほう》にも対応《たいおう》できます。

サルカン結《むす》び

クリンチノットやユニノットより、簡単《かんたん》な方法《ほうほう》がサルカン結《むす》び。これはチチワにしたものを金具《かなぐ》の接続穴《せつぞくあな》に通《とお》すだけでOKです。なお、サルカン結《むす》びという結《むす》び方《かた》にはいくつかの種類《しゅるい》があります。

クリンチノット

①イトを金具《かなぐ》の接続穴《せつぞくあな》に通《とお》し、イトをクロスさせます

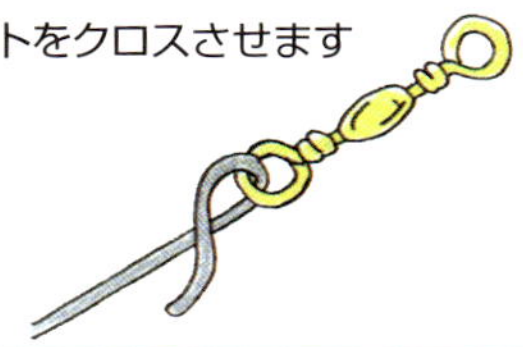

②イトの端《はし》をイトに5～6回巻《かいま》きつけます

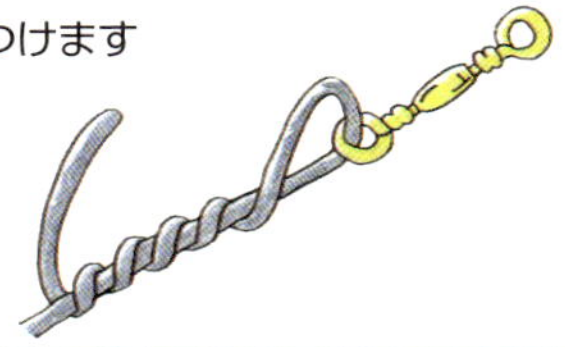

③巻《ま》きつけたイトの端《はし》を最初《さいしょ》の輪《わ》の中《なか》に通《とお》します

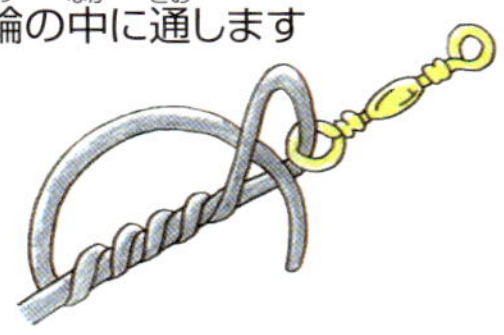

④もうひとつのイトの輪《わ》のなかにイトの端《はし》を通《とお》して締《し》めます

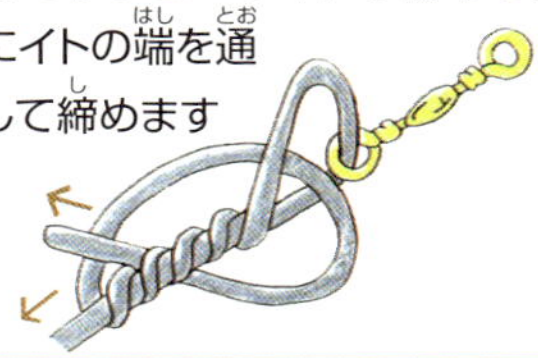

⑤余《あま》ったイトの端《はし》を切《き》って完成《かんせい》です

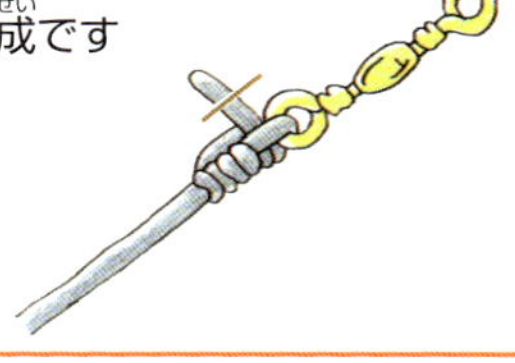

サルカン結《むす》び

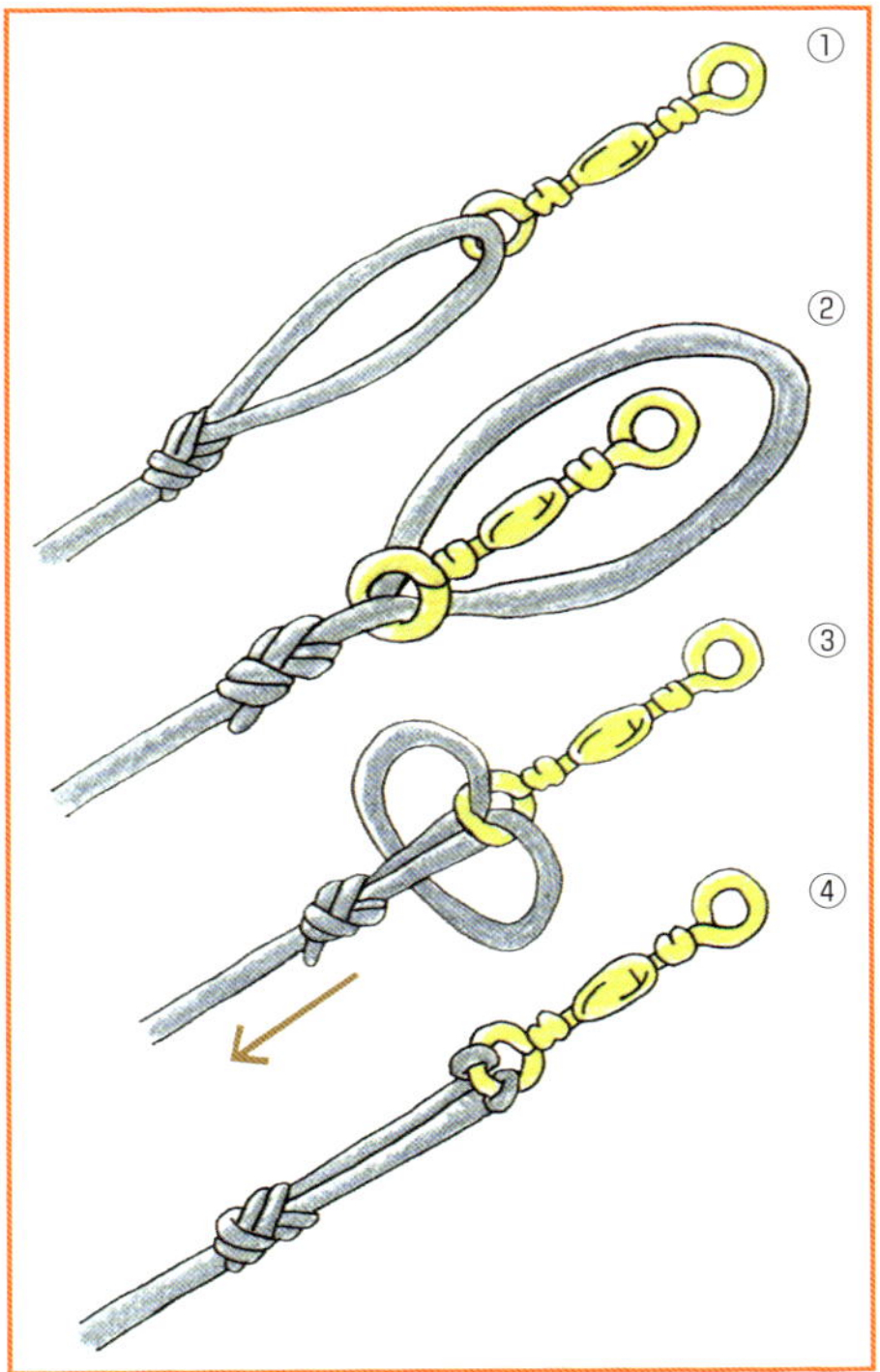

クリンチノットの応用《おうよう》

リールのスプールを接続金具《せつぞくかなぐ》の輪《わ》に見《み》立《た》てれば、リールのスプールにイトを結《むす》ぶ方法《ほうほう》として使《つか》えます。

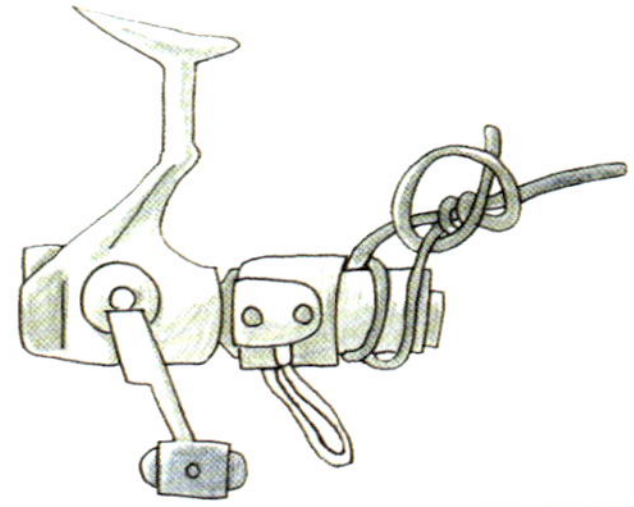

ユニノット

①イトを金具《かなぐ》の接続穴《せつぞくあな》に通《とお》します

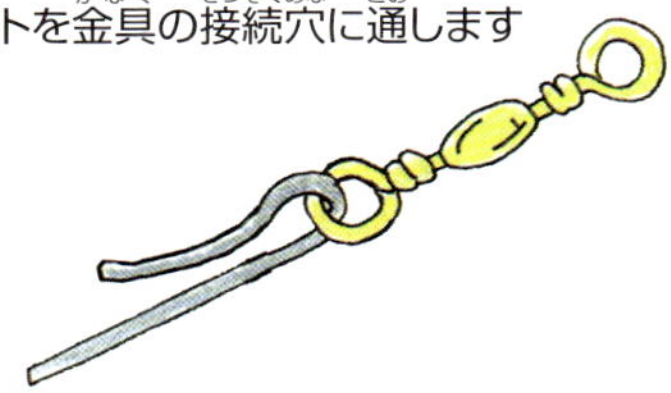

②通《とお》したイトを折《お》り返《かえ》して輪《わ》をつくります

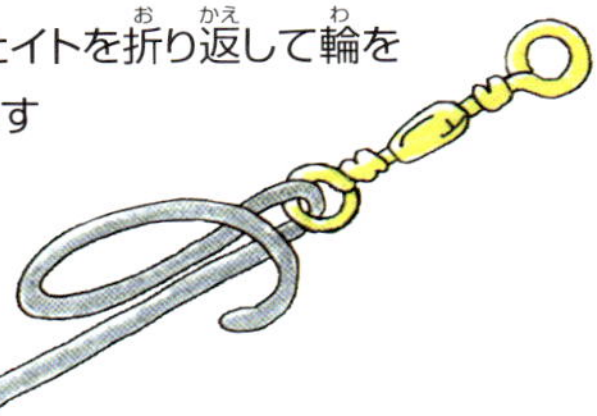

③金具《かなぐ》の輪《わ》から出《で》る2本《ほん》のイトのまわりにイトの先端《せんたん》を5～6回《かい》巻《ま》きつけて、2でつくった輪《わ》のなかに通《とお》します

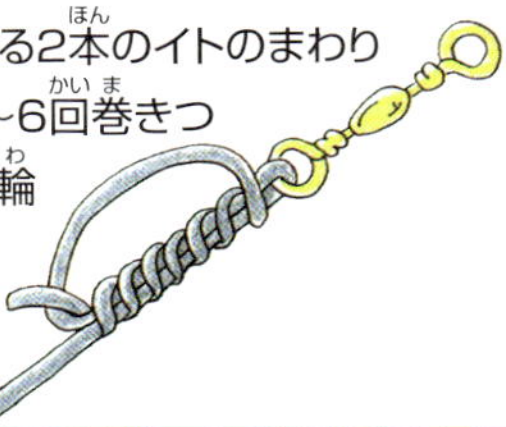

④余《あま》ったイトの端《はし》を切《き》ります

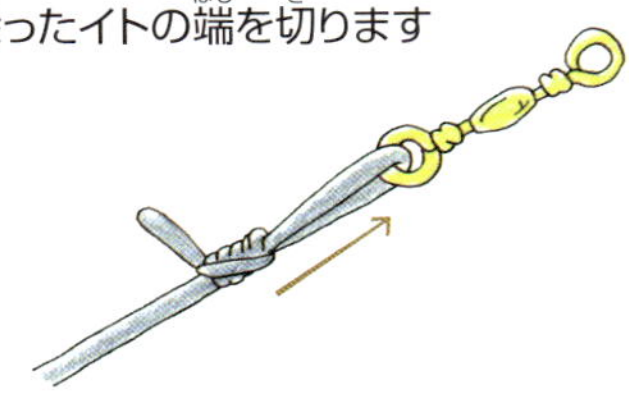

⑤締《し》め込《こ》んだら完成《かんせい》です

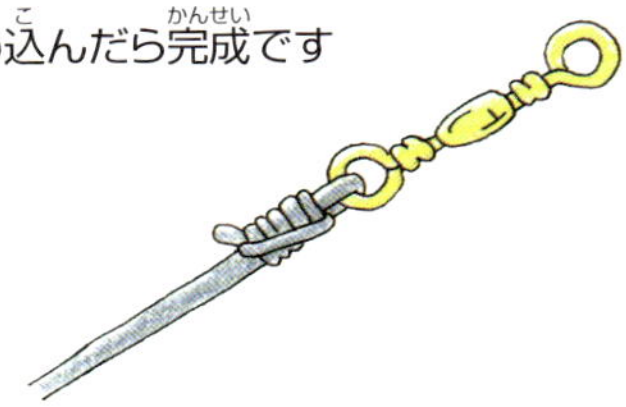

枝《えだ》バリのつけ方《かた》

枝《えだ》バリとは、ミチイトからつながるミキイトから、枝状《えだじょう》に伸《の》びているイト（エダス）につけられたハリのことです。多数《たすう》の枝《えだ》バリを出《だ》すときの仕《し》かけは、接続金具《せつぞくかなぐ》を使《つか》えばOKです。釣《つ》るものによっては、接続金具《せつぞくかなぐ》を使《つか》わない枝《えだ》バリが必要《ひつよう》な場合《ばあい》もありますので、覚《おぼ》えておきましょう。

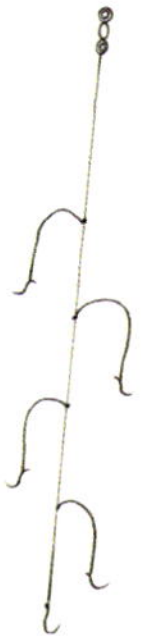

チチワを使《つか》った枝《えだ》バリ

枝《えだ》バリにはミキイトに直接結《ちょくせつむす》ぶやり方とミキイトにチチワをつくってから結《むす》ぶ方法《ほうほう》があります。チチワを使《つか》った枝《えだ》バリは、まずミキイトに枝《えだ》ハリス用《よう》のチチワをつくります。それにハリスを接続《せつぞく》します。接続《せつぞく》の方法《ほうほう》には、図《ず》のようにAとBの2通《とお》りがありますが、Bの方《ほう》が簡単《かんたん》です。

これ以外《いがい》にもミキイトに直接結《ちょくせつむす》ぶ、8の字《じ》プラス電車結《でんしゃむす》びの方法《ほうほう》もあります。

ミキイトに直接結《ちょくせつむす》ぶやり方《かた》

イラストのようにハリスをミキイトに結《むす》びます

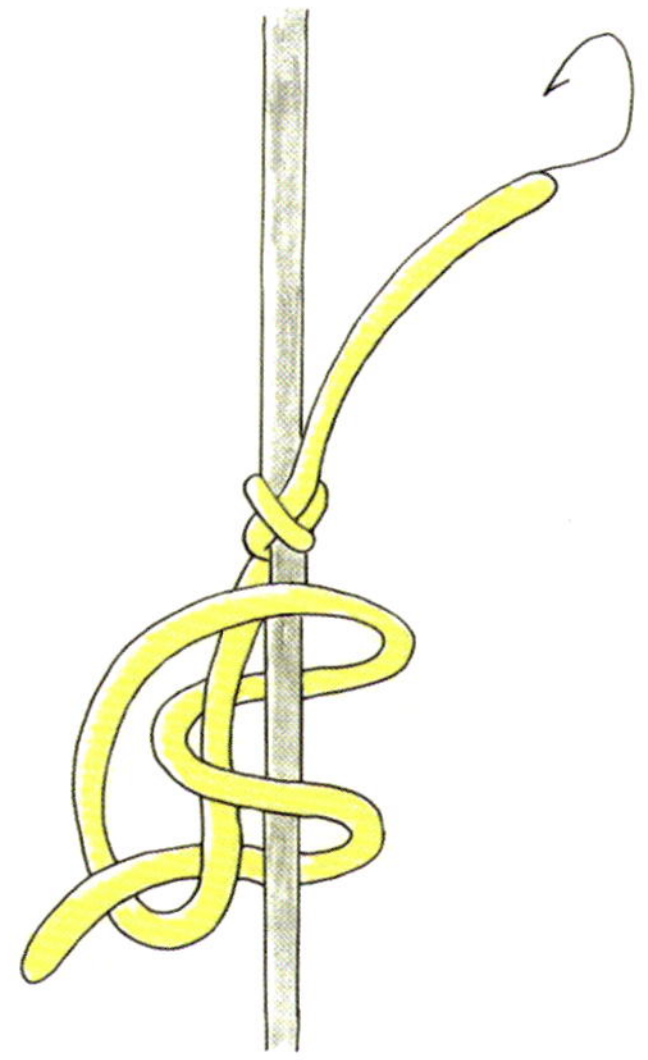

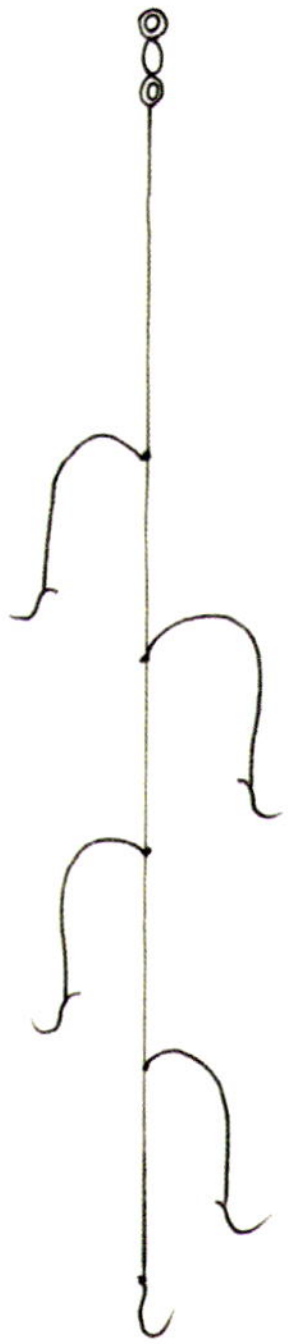

●エダス（ミキイトから枝《えだ》のように出《で》ているハリス）は、胴《どう》つき仕《し》かけや投《な》げ釣《づ》り仕《し》かけでも使《つか》われます。

枝《えだ》ハリス用《よう》のチチワのつくり方《かた》

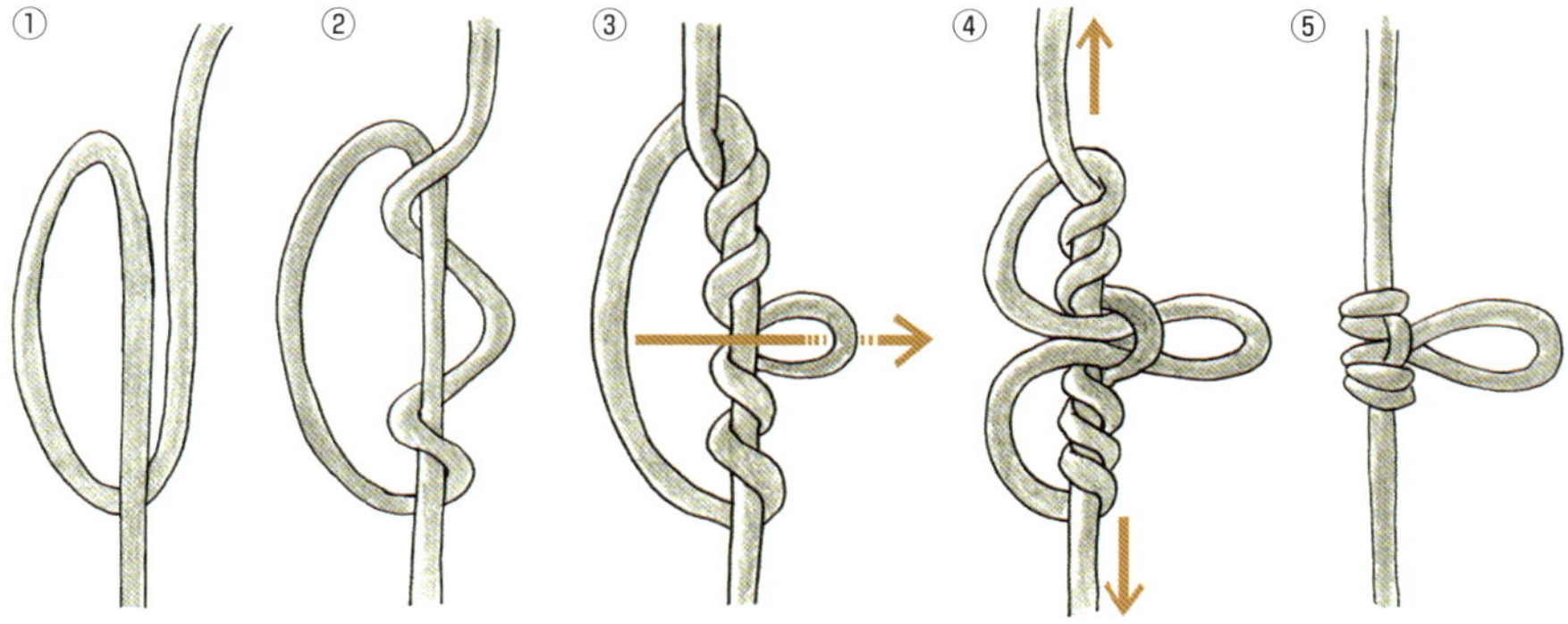

チチワにハリスを結《むす》ぶ A

ハリスに結《むす》びコブをつくり、これを枝《えだ》ハリス用《よう》チチワの輪《わ》のなかにイラストのように通《とお》す方法《ほうほう》です

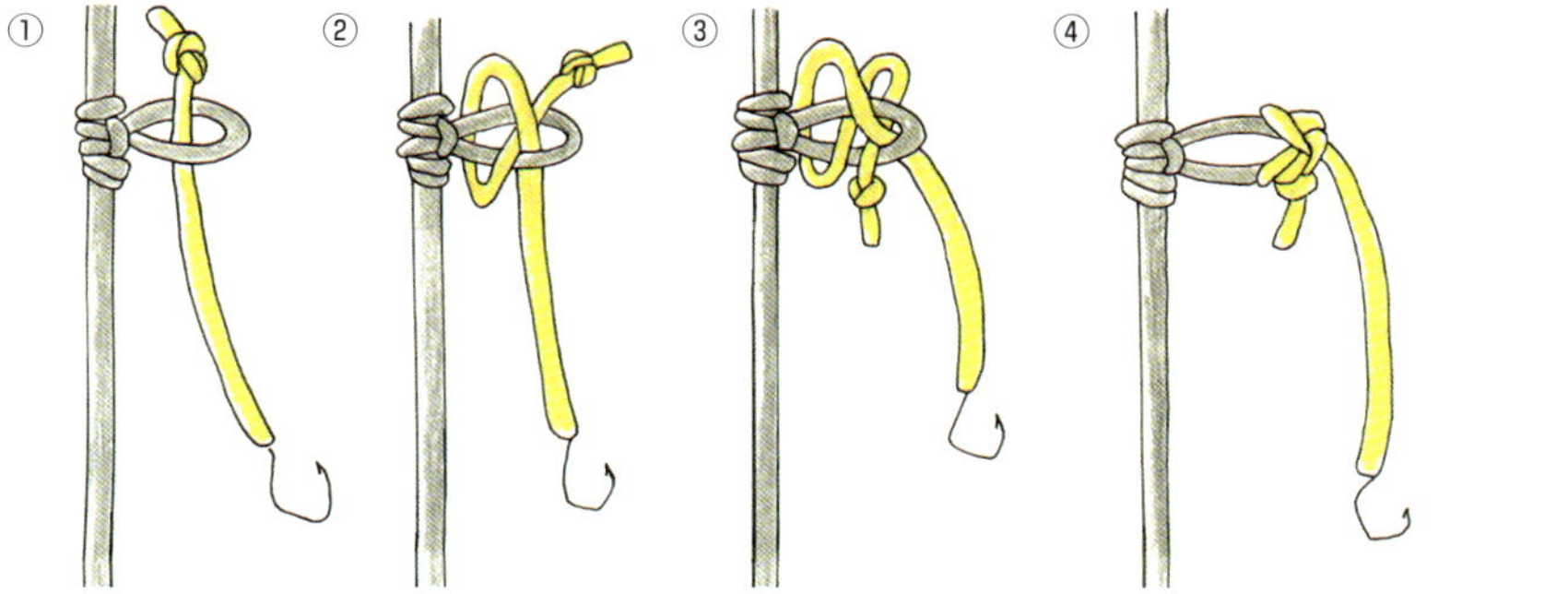

チチワにハリスを結《むす》ぶ B

ハリスにチチワをつくり、それを枝《えだ》ハリス用《よう》チチワの輪《わ》のなかに通《とお》す方法《ほうほう》です

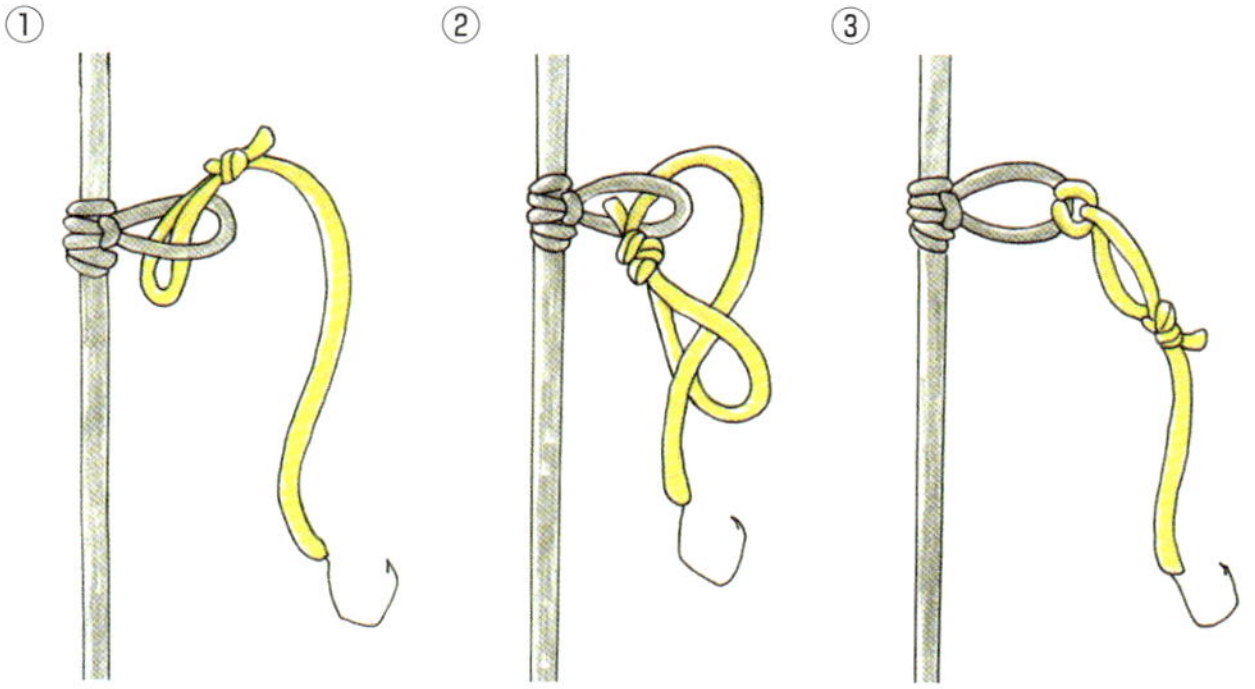

エサ

魚《さかな》はふだん自然《しぜん》のなかの生物《せいぶつ》をつかまえて食《た》べています。それと同《おな》じものや似《に》たものが釣《つ》りのエサになります。とはいえ、魚《さかな》の種類《しゅるい》によって好物《こうぶつ》が違《ちが》ったり、季節《きせつ》や場所《ばしょ》などで好《この》みのエサが変《か》わる魚《さかな》もいます。だから、釣《つ》りたい魚《さかな》に合《あ》わせたエサ選《えら》びが大切《たいせつ》になります。ここでは、川《かわ》・湖用《みずうみよう》、海用《うみよう》に分《わ》けて主《おも》なエサを紹介《しょうかい》します。

なお、自然《しぜん》のエサのほかに、食品《しょくひん》を含《ふく》めて人《ひと》が作《つく》る人工《じんこう》エサもあります。ルアーやフライなどで使《つか》うギジエも一種《いっしゅ》の人工《じんこう》エサです。

川《かわ》・湖沼《こしょう》釣《づ》りのエサ

ミミズ

キジと呼《よ》ばれる淡水魚全般《たんすいぎょぜんぱん》に使《つか》えるエサです。養殖《ようしょく》されたミミズが市販《しはん》されています。

川虫《かわむし》

川《かわ》に棲《す》む昆虫《こんちゅう》の幼虫《ようちゅう》です。川《かわ》の中《なか》に入《はい》ってつかまえるエサとしては、カゲロウの幼虫《ようちゅう》・チョロ虫《むし》、トビゲラの幼虫《ようちゅう》・クロカワ虫《むし》などが代表的《だいひょうてき》で、ヤマメやイワナ、マスなどが日常的《にちじょうてき》に食《た》べています。アカムシと呼《よ》ばれるユスリカの幼虫《ようちゅう》は、フナやコイなどのエサになります。

陸上《りくじょう》の虫《むし》

「サシ」と呼《よ》ぶサバエの幼虫《ようちゅう》（ウジ）は、ワカサギ釣《つ》りなどのエサに使《つか》われます。このほかにもエゴノキの実《み》のなかにいるエゴヒゲナガゾウムシの幼虫《ようちゅう》・チシャ虫《むし》、カワラニンジンなど菊科《きくか》の植物《しょくぶつ》に

寄生《きせい》する黄虫《きむし》、ヨモギの茎《くき》のなかにいるヨモギ虫《むし》などは、ハヤ、ヤマベ、ヤマメ、イワナなどの釣《つ》りに使《つか》われます。

昆虫《こんちゅう》

チョウ・ガ、トンボ、イナゴ、バッタなどの昆虫《こんちゅう》は、ヤマメ、イワナなどの釣《つ》りに使《つか》われます。

川《かわ》・湖沼《こしょう》釣《づ》りのエサ

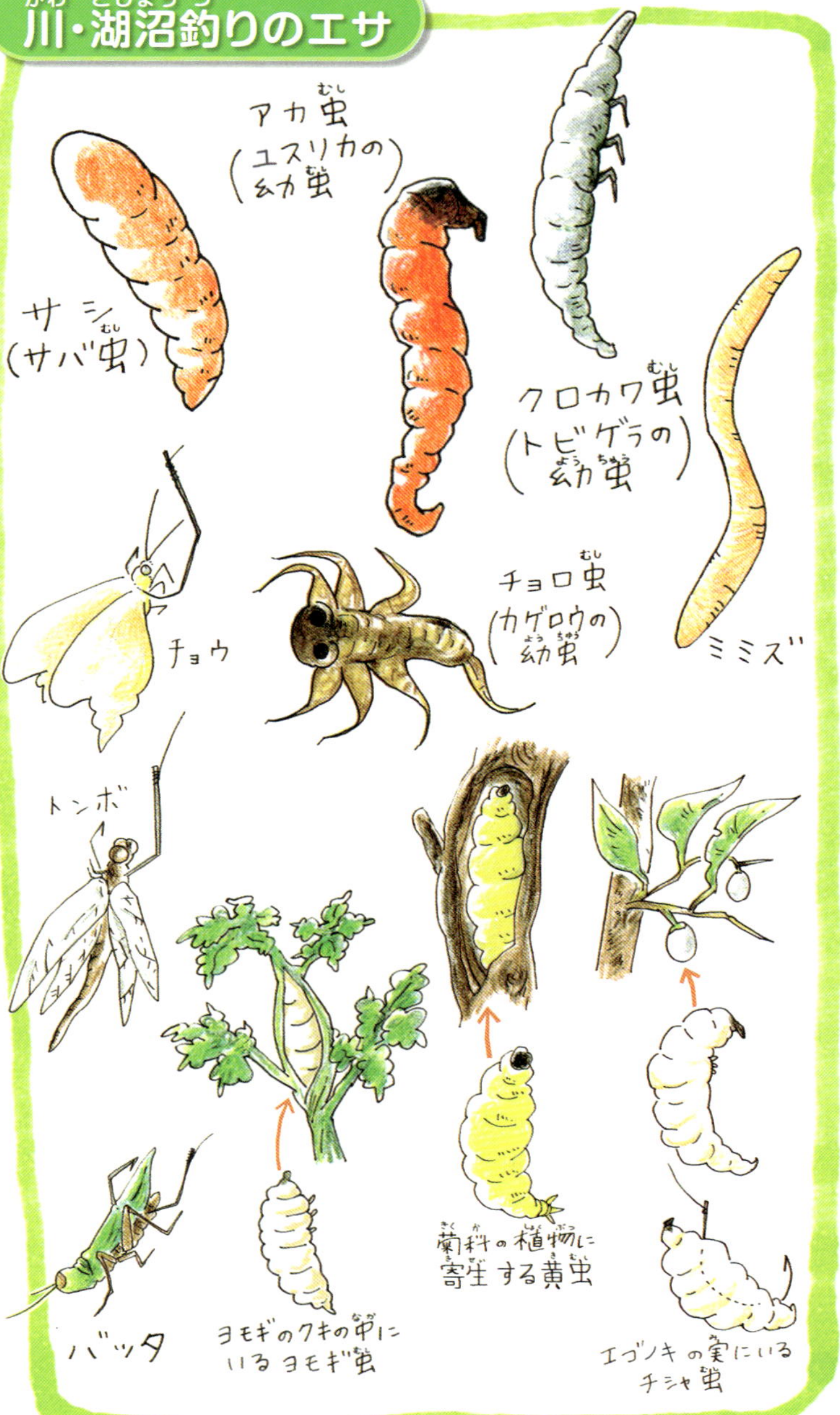

海釣《うみづ》りのエサ

海釣《うみづ》りは、対象《たいしょう》となる魚《さかな》が多《おお》いのでエサもバラエティに富《と》んでいます。

環虫類《かんちゅうるい》

海中《かいちゅう》の砂地《すなじ》や岩場《いわば》に棲《す》む、ゴカイ、アオイソメ、イワイソメ（イワムシ）、フクロイソメ、ジャリメなどは岸釣《きしづ》りで最《もっと》も多《おお》く使《つか》われるエサです。なお、イワイソメは西日本《にしにほん》ではマムシやホンムシとも呼《よ》ばれています。北海道《ほっかいどう》や東北《とうほく》ではカレイやアイナメなどのエサとしてエラコが使《つか》われます。

エビやカニ類《るい》

エビやカニは、イシダイやクロダイなど多《おお》くの磯《いそ》の魚《さかな》が好《この》むエサです。エビは種類《しゅるい》も多《おお》く、呼《よ》び方《かた》もさまざまです。スジエビ（モエビ）は磯釣《いそづ》りや防波堤《ぼうはてい》での中小物《ちゅうこもの》に使《つか》われます。アミエビはコマセ釣《つ》りの万能《ばんのう》エサになります。オキアミは、アミエビに比《くら》べて大型《おおがた》でクロダイやメジナ、イサキ釣《つ》りには欠《か》かせないエサです。

貝類《かいるい》

サザエやトコブシはイシダイ、コブダイ、マダイ釣《つ》りなどに使《つか》われます。アサリのむき身《み》はカワハギの好物《こうぶつ》で、ほかの魚《さかな》のエサにもなります。また、ウニやヤドカリがエサとして使《つか》われます。

魚類《ぎょるい》

魚類《ぎょるい》の生《い》きエサの代表《だいひょう》はマイワシです。カツオやブリ、ヒラマサなどの回遊魚《かいゆうぎょ》をはじめ、ヒラメやムツの底魚《そこざかな》、深場《ふかば》の魚《さかな》まで幅広《はばひろ》く使《つか》われます。イワシ類《るい》やマアジ、サバの切《き》り身《み》は、タチウオ、カマス、根魚全般《ねざかなぜんぱん》のエサになります。

人工《じんこう》エサ

サツマイモや食《しょく》パンなどの食品《しょくひん》もエサとして使《つか》われます。練《ね》りエサとなる袋詰《ふくろづ》めの配合《はいごう》エサもよく使《つか》われます。コマセ専用《せんよう》の粉末《ふんまつ》エサも数多《かずおお》くあります。

サツマイモ

配合剤《はいごうざい》

海《うみ》釣《づ》りのエサ

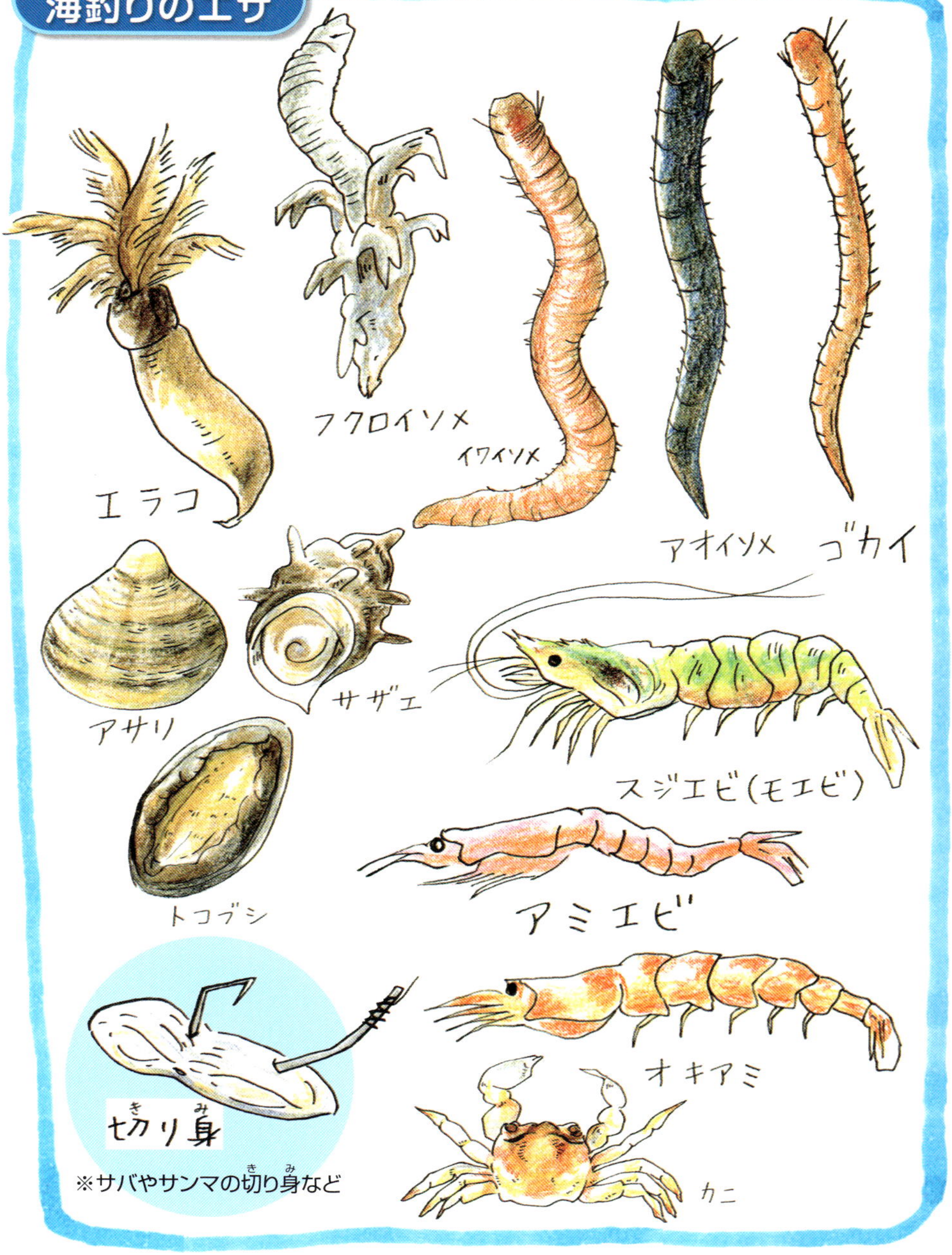
エラコ
フクロイソメ
イワイソメ
アオイソメ
ゴカイ
アサリ
サザエ
スジエビ(モエビ)
トコブシ
アミエビ
オキアミ
切《き》り身《み》
※サバやサンマの切《き》り身《み》など
カニ

釣《つ》りに必要《ひつよう》な補助道具《ほじょどうぐ》

イトやハリ、その結《むす》び方《かた》のマスターのほかに接続用《せつぞくよう》金具《かなぐ》が必要《ひつよう》です。また補助道具《ほじょどうぐ》としては、玉網《たまあみ》、「たも網《あみ》」ともいいますが、釣《つ》り上《あ》げた魚《さかな》をすくう網《あみ》が必要《ひつよう》な場合《ばあい》もあります。釣《つ》るものによっては、長靴《ながぐつ》や手袋《てぶくろ》などウェア関係《かんけい》にも必需品《ひつじゅひん》がでてきます。ここでは、接続用金具《せつぞくようかなぐ》を取《と》り上《あ》げて紹介《しょうかい》します。

接続用金具《せつぞくようかなぐ》

接続用金具《せつぞくようかなぐ》はミチイトとハリスを結《むす》ぶ、ライン同士《どうし》を結《むす》ぶ、仕《し》かけとオモリを結《むす》ぶときなどに使《つか》われる金具《かなぐ》のことです。金属《きんぞく》でできたものには、ヨリモドシ、丸《まる》カン、自動《じどう》ハリス止《ど》めなどがあります。

また、金属《きんぞく》ではありませんが、ゴム管《かん》、ウキ止《ど》めゴム、クッションゴムなども接続用《せつぞくよう》に使《つか》われる道具《どうぐ》です。

ヨリモドシ

かかった魚《さかな》があばれても、ヨリモドシが回転《かいてん》することでラインがヨレたり、絡《から》んだりすることを防《ふせ》ぎます。また、仕《し》かけはヨリモドシから先《さき》の部分《ぶぶん》を失《うしな》うことが多《おお》く、仕《し》かけの交換《こうかん》や補修《ほしゅう》がすぐにできるメリットもあります。

なお、ヨリモドシは「サルカン」とか「スイベル」(英語《えいご》)と呼《こ》ばれることもあります。

ヨリモドシの役割《やくわり》

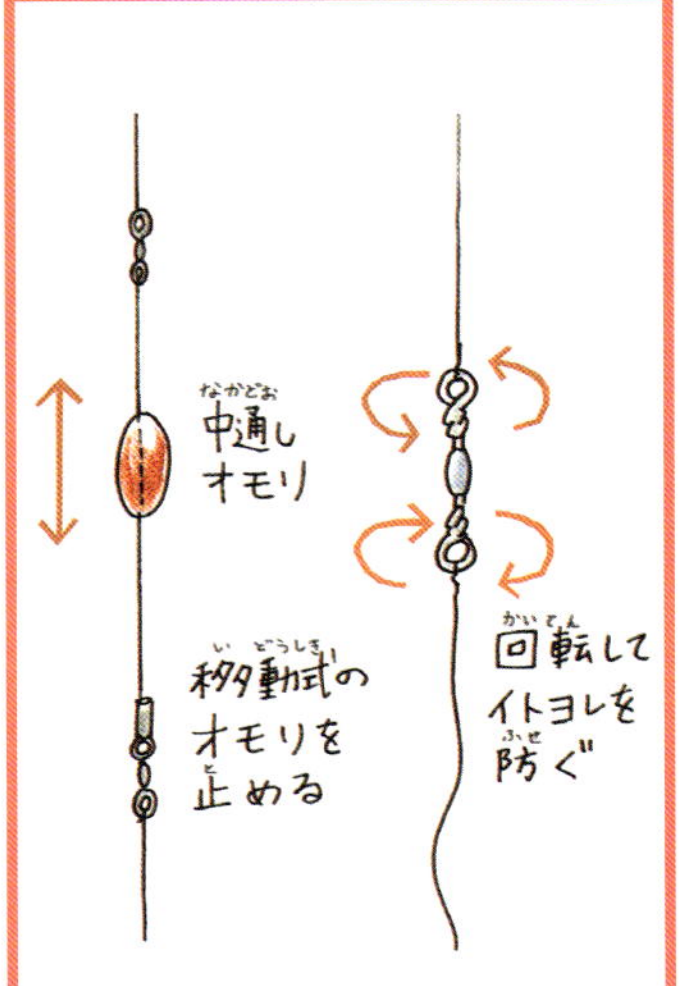

ヨリモドシの主《おも》な種類《しゅるい》

ベアリング入《い》りヨリモドシ

回転部《かいてんぶ》にベアリングが搭載《とうさい》されている、高級《こうきゅう》タイプのヨリモドシ。

スナップ付《つ》きヨリモドシ

安全《あんぜん》ピンと同《おな》じ型《かた》なので着《つ》けたり、はずしたりがラクにできます。ルアーやカンつきウキを付《つ》ける場合《ばあい》に便利《べんり》です。

タル型《がた》ヨリモドシ

最《もっと》も一般的《いっぱんてき》な形《かたち》のもので、ヨリモドシ、サルカンといえばこれを指《さ》すことが多《おお》い。もちろんミチイトがヨレないように回転式《かいてんしき》になっています。

自動《じどう》ハリス止《ど》め

はさむだけで簡単《かんたん》にハリスが交換《こうかん》できる、金具《かなぐ》です。ヨリモドシの持《も》っている回転機能《かいてんきのう》もあります。

丸《まる》カン

ヨリモドシのような回転機能《かいてんきのう》はありませんが、ハリスに輪《わ》をつくり丸《まる》カンに通《とお》して仕《し》かけをつくれば、ハリスの交換《こうかん》が楽《らく》にできます。

ワンポイント情報《じょうほう》

テンビン

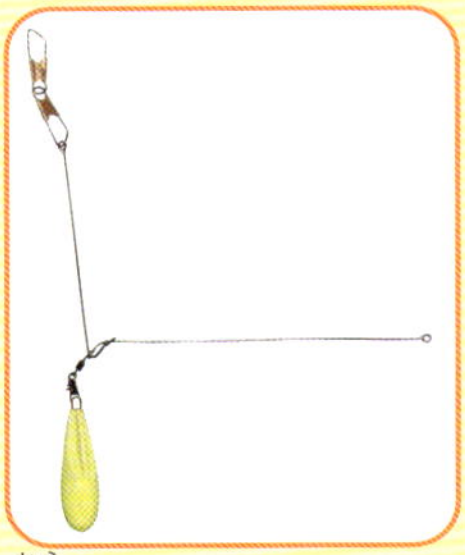

キスやカレイなどの投《な》げ釣《つ》りに必要《ひつよう》な補助道具《ほじょどうぐ》が「テンビン」。オモリとヨリモドシが一体《いったい》になったもので、海藻《かいそう》テンビンとジェットテンビンのふたつがよく使《つか》われます。仕《し》かけを投《な》げるときにミチイトと仕《し》かけが絡《から》みにくくなり、アタリの反動《はんどう》が大《おお》きく伝《つた》わる効果《こうか》もあります。

釣《つ》り具《ぐ》のトラブルと対処法《たいしょほう》

釣《つ》りはさまざまな道具《どうぐ》を使《つか》うため、ふとした瞬間《しゅんかん》にトラブルが起《お》きることもあります。お気《き》に入《い》りの釣《つ》り道具《どうぐ》と長《なが》く釣《つ》りを楽《たの》しむため、トラブルの対処法《たいしょほう》と簡単《かんたん》なメンテナンス方法《ほうほう》を紹介《しょうかい》します。

ロッドのトラブル

ツーピースロッドが抜《ぬ》けなくなったら、膝《ひざ》の後《うし》ろで継《つ》ぎ目《め》が真《ま》ん中《なか》にくるように持《も》ち、膝《ひざ》を広《ひろ》げるようにすると抜《ぬ》けます。これは腕《うで》の力《ちから》より足《あし》の力《ちから》が強《つよ》いためで、ほとんどはこれで抜《ぬ》けます。

ハリのトラブル

釣《つ》り針《ばり》が指《ゆび》や体《からだ》に刺《さ》さってしまった時《とき》は無理矢理《むりやり》引《ひ》き抜《ぬ》こうとせず、イラストのようにハリ先《さき》を指《ゆび》の外《そと》に出《だ》しましょう。そしてカエシ部分《ぶぶん》をプライヤーやニッパーの元《もと》のカッター部分《ぶぶん》で切断《せつだん》し、カエシが切《き》れたら軸側《じくがわ》へ引《ひ》き抜《ぬ》きましょう。傷口《きずぐち》が大《おお》きい場合《ばあい》や、抜《ぬ》けない場所《ばしょ》に刺《さ》さったらすぐ病院《びょういん》へ。

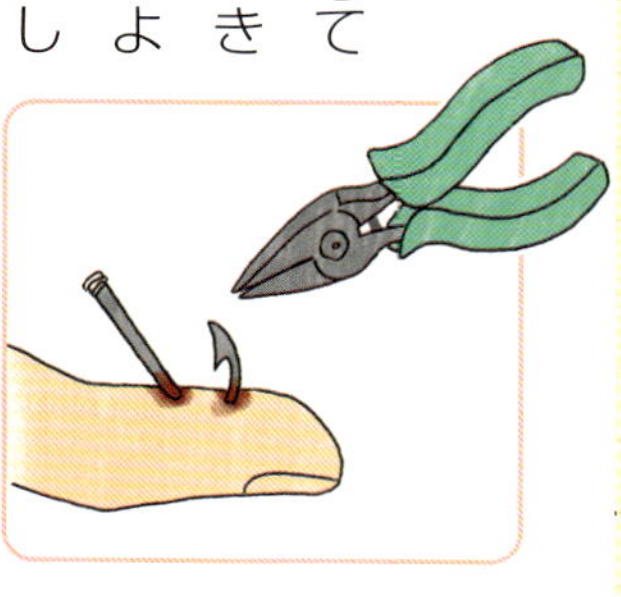

イトのトラブル

船釣《ふなづ》り人同士《びとどうし》の仕掛《しか》けが絡《から》む「オマツリ」。まずは気《き》づいた時点《じてん》で相手《あいて》にオマツリが起《お》きたことを伝《つた》え、釣《つ》り糸《いと》を手繰《たぐ》り寄《よ》せ絡《から》まっている部分《ぶぶん》を探《さが》しましょう。解《ほど》けそうならとってもいいですが、難《むずか》しそうならイトを切《き》ることも考《かんが》えましょう。

簡単《かんたん》なメンテナンスを

海水《かいすい》には塩分《えんぶん》が含《ふく》まれますが、これが道具《どうぐ》のサビに繋《つな》がります。サオの手入《てい》れはもちろん（→p21）、リールや仕掛《しか》けにも気《き》をつかいましょう。

仕掛《しか》けのメンテナンス

ルアーや再利用《さいりよう》が可能《かのう》な仕掛《しか》けなども洗浄《せんじょう》しましょう。基本的《きほんてき》に海水《かいすい》に浸《つか》かっているもので、水《みず》でさっと洗《あら》ってから少《すこ》しの間《あいだ》水道水《すいどうすい》に浸《つ》けておきましょう。海水《かいすい》の塩分《えんぶん》が取《と》り除《のぞ》けたら、水気《みずけ》をはらって乾燥《かんそう》させましょう。

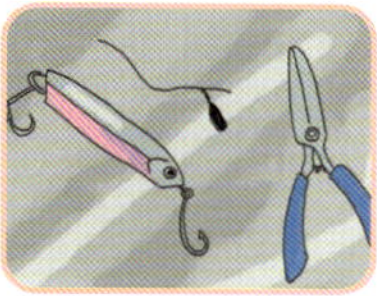

リールのメンテナンス

リールは洗浄《せんじょう》が必須《ひっす》な道具《どうぐ》。初心者《しょしんしゃ》がよく使《つか》うスピニングリールの場合《ばあい》は、内部《ないぶ》に水《みず》が入《はい》らないようドラグを締《し》めたあとにスプールを上《うえ》にして水《みず》をかけて洗浄《せんじょう》しましょう。その際《さい》に歯《は》ブラシなどでラインローラーやベイルアームのネジ、ハンドルの回転部《かいてんぶ》などを軽《かる》くこすりましょう。その後《あと》はタオルで水気《みずけ》をふき取《と》り、スプールを外《はず》して日陰《ひかげ》で乾燥《かんそう》させれば完了《かんりょう》です。このときお湯《ゆ》や洗剤《せんざい》はNGです。

注油《ちゅうゆ》する

リールの可動部《かどうぶ》やハサミ、プライヤーの接合部《せつごうぶ》などは定期的《ていきてき》に注油《ちゅうゆ》もしましょう。特《とく》にリールは精密機械《せいみつきかい》なので、ラインが絡《から》まる、動《うご》きが悪《わる》くなるなどの違和感《いわかん》が生《しょう》じます。リールメーカー純正《じゅんせい》のオイルやグリスを使《つか》い、説明書《せつめいしょ》をよく読《よ》んで指定箇所《していかしょ》に使《つか》いましょう。

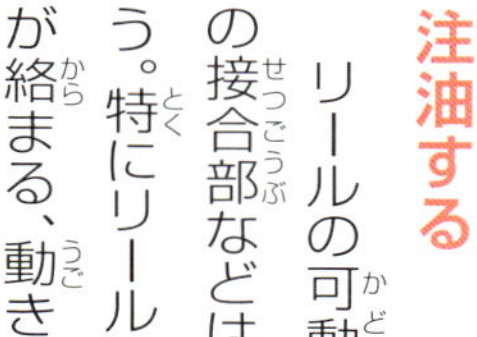

ワンポイント情報《じょうほう》

魚《さかな》をおいしく持《も》ち帰《かえ》るには

釣《つ》った魚《さかな》は扱《あつか》い方《かた》や持《も》ち帰《かえ》り方《かた》が悪《わる》いと、鮮度《せんど》が極端《きょくたん》に落《お》ちてしまいます。釣《つ》り場《ば》に着《つ》いたら凍《こお》ったペットボトルや板氷《いたごおり》が入《はい》ったクーラーボックスに海水《かいすい》を汲《く》んで淹《い》れ、キンキンの「潮氷《しおこおり》」を作《つく》りましょう。このとき、氷《こおり》と海水《かいすい》が混《ま》ざらないよう、氷《こおり》は袋《ふくろ》やペットボトルのまま海水《かいすい》を淹《い》れます。そして魚《さかな》が釣《つ》れたらすぐにクーラーに入《い》れることを意識《いしき》しましょう。

フィッシング・豆知識《まめちしき》 vol.2

クーラーの役割《やくわり》

毒《どく》のある魚《さかな》やおいしくない魚《さかな》は別《べつ》として、釣《つ》った魚《さかな》はおいしく食《た》べてあげることが、釣《つ》り人《びと》のマナーともいえます。たとえ、自分《じぶん》で釣《つ》った魚《さかな》は食《た》べないという主義《しゅぎ》があっても、家族《かぞく》や知人《ちじん》に食《た》べてもらうことはできます。

いずれにしても、釣《つ》った魚《さかな》をおいしく食《た》べるには「鮮度《せんど》」を保《たも》つことが大切《たいせつ》です。釣《つ》った直後《ちょくご》の新鮮《しんせん》さを持続《じぞく》するには「クーラー」が必要《ひつよう》です。

クーラーの大《おお》きさは、もちろん釣《つ》ろうと考《かんが》えている魚《さかな》の大《おお》きさに比例《ひれい》してきます。海《うみ》で大型《おおがた》の魚《さかな》を釣《つ》るときのクーラーは、川釣《かわづ》りのときに使《つか》うクーラーより大《おお》きくなるということです。

クーラーの中《なか》には氷《こおり》をたっぷり入《い》れておき、魚《さかな》が釣《つ》れたらすぐに入《い》れることが大事《だいじ》です。時間《じかん》があけば、その分《ふん》だけ鮮度《せんど》を落《お》とすことになります。もし炎天下《えんてんか》であれば、鮮度《せんど》の落《お》ちるスピードも速《はや》くなります。

また、釣《つ》った魚《さかな》を「お刺身《さしみ》」で食《た》べる場合《ばあい》には、その場《ば》で血抜《ちぬ》きをしてからクーラーに保存《ほぞん》すれば、よりおいしくお刺身《さしみ》として楽《たの》しむことができます。

第《だい》2章《しょう》

海《うみ》釣《づ》り 防波堤《ぼうはてい》での釣《つ》り

防波堤《ぼうはてい》で釣《つ》れる魚《さかな》と領域《りょういき》を見《み》ておこう！

防波堤《ぼうはてい》では、小物《こもの》から大物《おおもの》まで顔《かお》ぶれが豊富《ほうふ》な釣《つ》りが楽《たの》しめます。それは、防波堤《ぼうはてい》のまわりに環境《かんきょう》の違《ちが》ういろいろな魚《さかな》の棲《す》みかがあるからです。海藻《かいそう》の多《おお》いところ、水中《すいちゅう》の根《ね》（根《ね》とは海底《かいてい》にある小《ちい》さな岩《いわ》が集《あつ》まったところで魚《さかな》が集《あつ》まりやすい場所《ばしょ》）、テトラポットを積《つ》んだところ、自然《しぜん》の石《いし》の多《おお》いところ、河口《かこう》にあたる部分《ぶぶん》など、たくさんの種類《しゅるい》の魚《さかな》が釣《つ》れる条件《じょうけん》が揃《そろ》っています。

ただし、防波堤《ぼうはてい》からの釣《つ》りは陸《りく》から釣《つ》るために、仕《し》かけが届《とど》く範囲《はんい》に限度《げんど》があることは覚《おぼ》えておきましょう。

※このイラストの釣《つ》れる魚《さかな》は、あくまで主《おも》なものにすぎません。日本《にほん》は南北《なんぼく》に長《なが》く、海流《かいりゅう》も水温《すいおん》も地域《ちいき》によって違《ちが》いますので、北《きた》で釣《つ》れても南《みなみ》にはいない魚《さかな》など、さまざまな場合《ばあい》があります。

釣《つ》り方《かた》で分《わ》けて見《み》る、防波堤《ぼうはてい》での釣《つ》り

ウキ釣《づ》り

言葉《ことば》のとおりウキを使《つか》った釣《つ》りで、防波堤《ぼうはてい》の近場《ちかば》に仕《し》かけを入《い》れるものやコマセを使《つか》い、沖《おき》にいる魚《さかな》を引《ひ》き寄《よ》せて釣《つ》ることもあります。

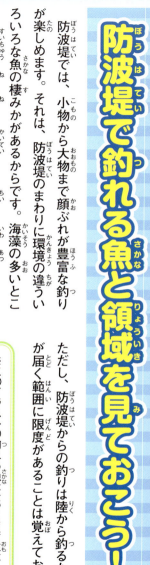

防波堤《ぼうはてい》の釣《つ》りのいろいろ

防波堤《ぼうはてい》でも外海《そとうみ》に面《めん》した場所《ばしょ》と内海《うちうみ》に面《めん》した場所《ばしょ》では、魚《さかな》の種類《しゅるい》が違《ちが》ってきます。外海《そとうみ》にイトを出《だ》せば、磯《いそ》釣《づ》りと同《おな》じ魚《さかな》を釣《つ》ることが可能《かのう》です。なお、堤防《ていぼう》の壁《かべ》に潮《しお》があたる場所《ばしょ》、つまり足元《あしもと》の壁《かべ》のところに集《あつ》まる魚《さかな》を狙《ねら》う釣《つ》りを「ヘチ釣《づ》り」といいますので覚《おぼ》えておきましょう。

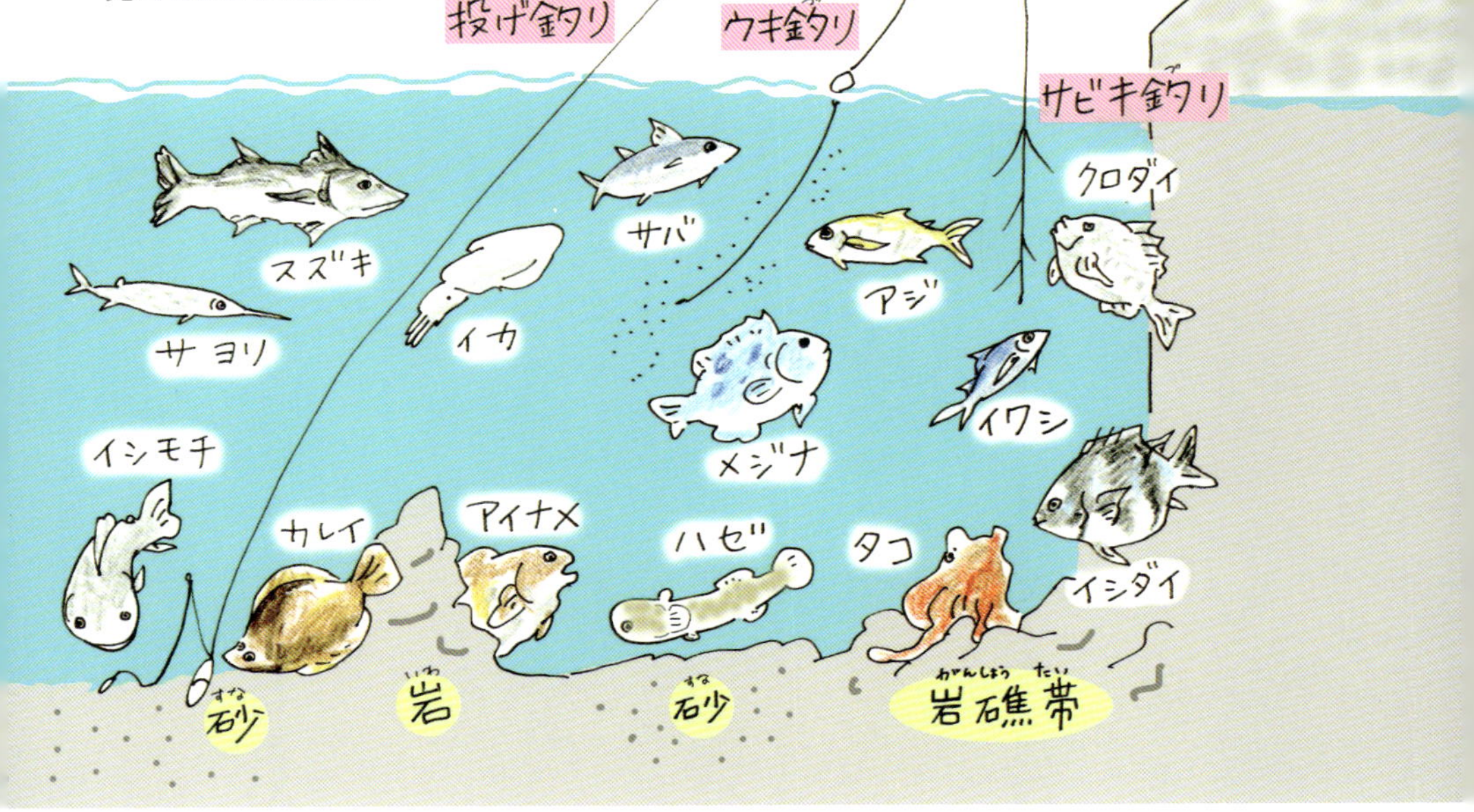

サビキ釣《づ》り

ギジエとコマセを使《つか》い、アジ、イワシ、サバなどの回遊《かいゆう》魚《ぎょ》を狙《ねら》う釣《つ》りです。

フカセ釣《づ》り

ウキを使《つか》わずに、足元《あしもと》に仕《し》かけを沈《しず》めて釣《つ》る方法《ほうほう》です。ミャク釣《づ》りともいわれています。

投《な》げ釣《づ》り

沖《おき》に仕《し》かけを投《な》げて釣《つ》る方法《ほうほう》ですが、200mを超《こ》えて投《な》げた場合《ばあい》と50m以下《いか》（5m、10mという場合《ばあい》もあり）の場合《ばあい》では、狙《ねら》える魚《さかな》が違《ちが》ってくることもあります。全国的《ぜんこくてき》にはカレイ、アイナメが中心《ちゅうしん》になるでしょう。

防波堤《ぼうはてい》のいろいろ

防波堤《ぼうはてい》のひとつ、「沖堤防《おきていぼう》」

沖堤防《おきていぼう》は略《りゃく》して「沖堤《おきてい》」といわれます。防波堤《ぼうはてい》の大半《たいはん》は陸続《りくつづ》きで簡単《かんたん》に行《い》けるのが魅力《みりょく》ですが、その分釣《ぶんつ》り人《びと》も多《おお》くなり場荒《ばあ》れ（魚《さかな》が減《へ》ったり、ごみが多《おお》くなったりすること）が起《お》きやすくなります。

　沖堤《おきてい》は、沖《おき》のなかにある防波堤《ぼうはてい》です。本来《ほんらい》は港湾施設《こうわんしせつ》で釣《つ》りをするためのものではありませんが、水深《すいしん》があって潮《しお》の通《とお》しもよい場所《ばしょ》にあることが多《おお》く、さらに防波堤自体《ぼうはていじたい》が魚《さかな》の棲《す》みかとして最適《さいてき》であるため、よい釣《つ》り場《ば》となります。

▲沖堤防《おきていぼう》

　釣《つ》り場《ば》として有名《ゆうめい》な沖堤《おきてい》には、渡《わた》し船《ぶね》の業者《ぎょうしゃ》がいます。渡《わた》ってから天気《てんき》が悪《わる》くなったり、波《なみ》が高《たか》くなったりし、孤立《こりつ》した状態《じょうたい》になることもあるので気《き》をつけましょう。

魚《さかな》に合《あ》わせてウキも変《か》える
ウキ釣《づ》り

防波堤《ぼうはてい》にはアジ、サバの稚魚《ちぎょ》、サヨリ、タカベ、イワシなど比較的《ひかくてき》に水面近《すいめんちか》くを泳《およ》いでいる魚《さかな》がいます。これらの魚《さかな》には「玉《たま》ウキ」という小《ちい》さくて感度《かんど》のいいウキが最適《さいてき》です。メジナには玉《たま》ウキや円錐《えんすい》ウキ、クロダイにはクロダイ用《よう》の立《た》ちウキがあります。

釣《つ》り方《かた》

コマセを使《つか》います。コマセは冷凍《れいとう》アミを海水《かいすい》で溶《と》かして作《つく》ります。このような釣《つ》りにコマセは欠《か》かせないもので、このまき方《かた》もポイントになります。基本的《きほんてき》には、コマセの煙幕《えんまく》のなかに、エサのついた仕《し》かけを入《い》れて釣《つ》ります。魚種《ぎょしゅ》によってタナが微妙《びみょう》に違《ちが》うことも頭《あたま》の中《なか》に入《い》れておきましょう。

イラストは、アジ、サバ、そのほかの小物《こもの》のための仕《し》かけの例《れい》です。

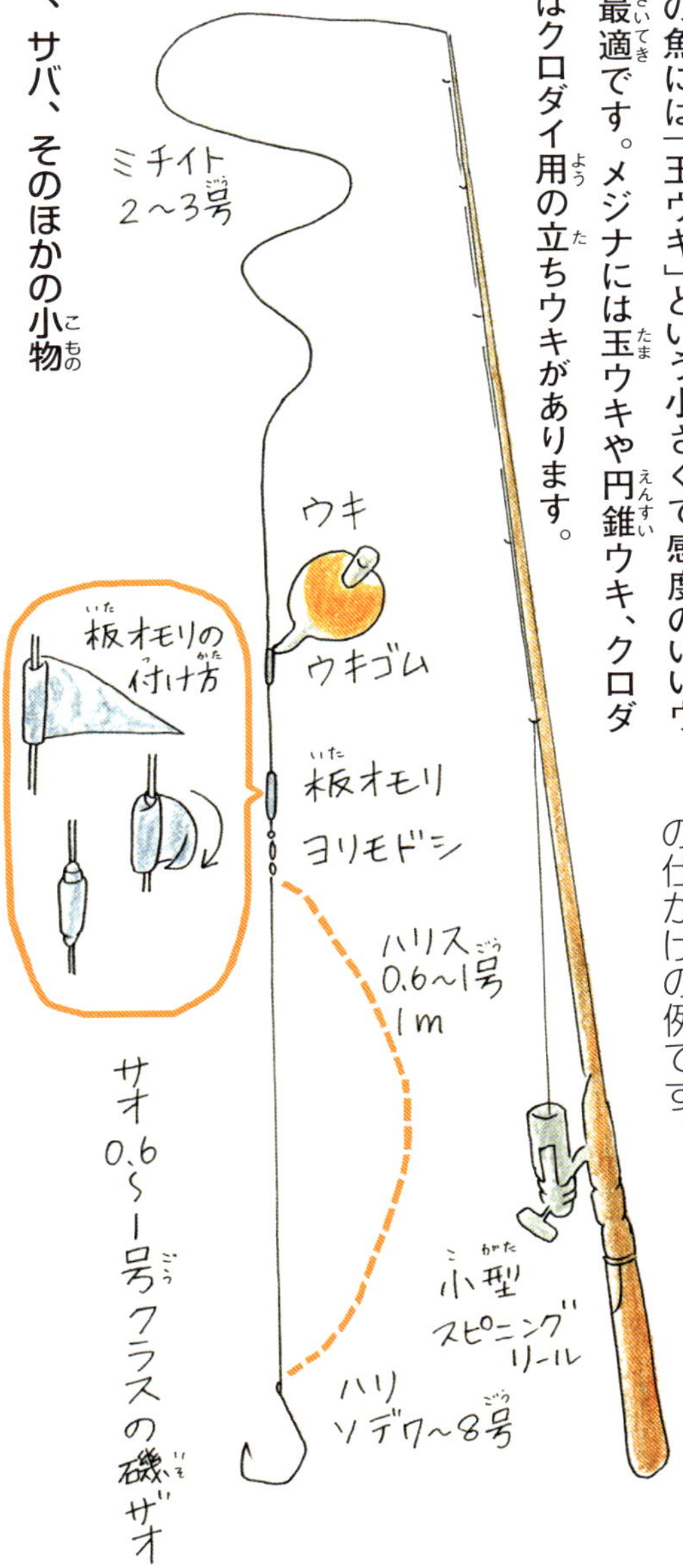

アジ、サバ、そのほかの小物《こもの》

メジナ

メジナは磯《いそ》でも最《もっと》も人気《にんき》のある魚《さかな》です。引《ひ》きが強《つよ》く、食《た》べておいしく、釣《つ》り方《かた》も比較的簡単《ひかくてきかんたん》だからです。なお、防波堤《ぼうはてい》にいるメジナは磯《いそ》にいるほどの大型《おおがた》は少《すく》ないようです。

分布《ぶんぷ》

北海道以南《ほっかいどういなん》の日本各地《にほんかくち》に分布《ぶんぷ》します。潮《しお》の流《なが》れの激《はげ》しい、沿岸《えんがん》の岩礁域《がんしょういき》にいます。関西《かんさい》・四国《しこく》ではグレと呼《よ》ばれ、クロコやクシロと呼《よ》ばれることもあります。

特徴《とくちょう》

体《からだ》つきはクロダイに似《に》ていますが、やや丸《まる》みがあります。日本《にほん》には、クチブト、オナガ、オキナの3種類《しゅるい》がいます。

道具《どうぐ》と仕《し》かけ

ミチイトやハリスは細《ほそ》い方《ほう》がよいのですが、大型《おおがた》がきた時《とき》には切《き》られてしまうおそれがあります。ミチイトは2～3号《ごう》、ハリスは0・8～1号《ごう》（大型《おおがた》が期待《きたい》できる防波堤《ぼうはてい》であれば2号《ごう》クラスでもOK）、グレバリの3～8号《ごう》が適当《てきとう》でしょう。

サオは4・5～5・5mのイソザオにスピニングリールを使《つか》います。ウキは円錐《えんすい》ウキまたは玉《たま》ウキを使《つか》います。

エサ

オキアミが最《もっと》も効果的《こうかてき》な付《つ》けエサとされています。コマセも使《つか》います。コマセは同《おな》じオキアミでOKですが、ヨセエサ用《よう》の配合《はいごう》エサを混《ま》ぜると使《つか》いやすくなります。なお、付《つ》け

オキアミ　尾羽根《おばね》をとってつけます

エサのオキアミは冷凍《れいとう》のブロックを解凍《かいとう》して、ザルに入《い》れ水分《すいぶん》を取《と》ってから使《つか》いましょう。

メジナの釣《つ》り方《かた》

足元《あしもと》からコマセをまき、仕《し》かけをコマセの進《すす》む同《おな》じ方向《ほうこう》に流《なが》してゆく感覚《かんかく》です。

アタリはウキをチョンチョンとたたいたり、ウキが止《と》まったり、いきなり引《ひ》きずりこむなどいろいろです。

ポイント

潮通《しおとおし》のよい場所《ばしょ》であることが最大《さいだい》の条件《じょうけん》です。防波堤《ぼうはてい》の外海《そとうみ》に面《めん》した所《ところ》で実績《じっせき》のある場所《ばしょ》がネライ目《め》です。

メジナ釣《つ》りは潮《しお》の流《なが》れを読《よ》んで、それに合《あ》わせてコマセをまいていくことがポイントになります。潮《しお》が通《とお》っているところにコマセをまくと、コマセは次第《しだい》に沈《しず》みながら沖《おき》へ流《なが》れていきます。この流《なが》れにそって仕《し》かけを入《い》れ、付《つ》けエサがコマセのラインの中《なか》にあるような状態《じょうたい》をつくりましょう。

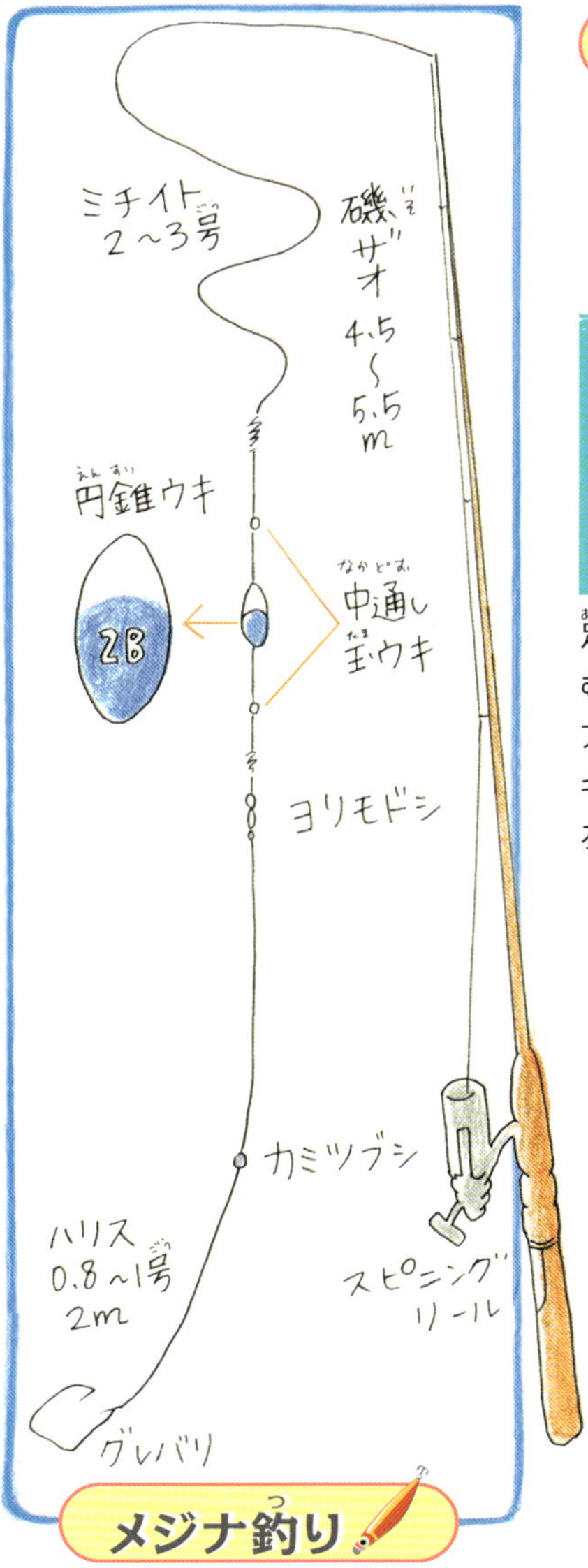

メジナ釣《つ》り

クロダイ

分布《ぶんぷ》

北海道以南《ほっかいどういなん》の日本各地《にほんかくち》に分布《ぶんぷ》します。チヌとも呼《よ》ばれます。タイの仲間《なかま》の大型魚《おおがたぎょ》としては珍《めずら》しく、水深《すいしん》50m以下《いか》の浅《あさ》い沿岸《えんがん》に生息《せいそく》します。

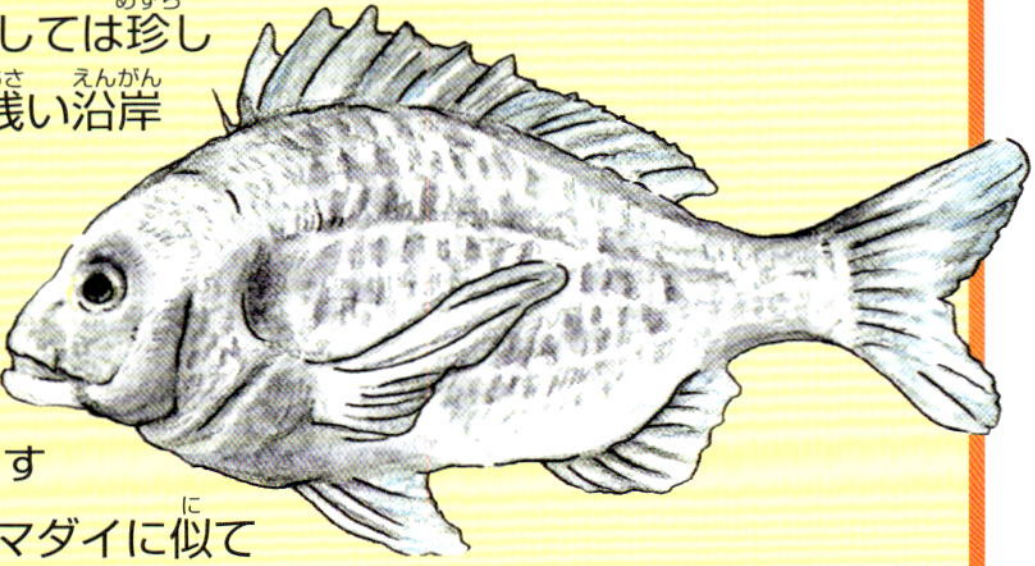

特徴《とくちょう》

稚魚《ちぎょ》は汽水域《きすいいき》にもきますが、成長《せいちょう》すると海《うみ》へ。マダイに似《に》ていますが、色《いろ》は黒《くろ》っぽい銀色《ぎんいろ》。神経質《しんけいしつ》で警戒心《けいかいしん》の強《つよ》い魚《さかな》で、海草《かいそう》やスイカなどなんでも食《た》べます。

釣《つ》って楽《たの》しい魚《さかな》として人気《にんき》。釣《つ》り方《かた》は、ダンゴをエサにしたウキ釣《つ》り、カニや貝《かい》をエサにした落《お》とし釣《つ》り、果物《くだもの》のスイカもエサにできます。ここでは、一般的《いっぱんてき》なウキ釣《つ》りを紹介《しょうかい》します。

※フカセ釣《づ》り（P68）もできます。

道具《どうぐ》と仕《し》かけ

やや深《ふか》い場所《ばしょ》を探《さぐ》るのでウキは浮力《ふりょく》のある立《た》ちウキを使《つか》うのが普通《ふつう》です。サオはメインに1号前後《ごうぜんご》の磯《いそ》ザオ1本《ぽん》、予備《よび》に号数《ごうすう》の違《ちが》うサオを持《も》てばベストでしょう。中型《ちゅうがた》のスピニングリールに2～5号《ごう》のラインを150mくらい巻《ま》きます。

エサ

サナギ、イソメなどのエサも使《つか》いますが、最近《さいきん》はオキアミが全盛《ぜんせい》です。さらにコマセも使《つか》います。まきエサは底《そこ》の方《ほう》に沈《しず》んでいくように比重《ひじゅう》の重《おも》いものをつくりましょう。

ポイント

クロダイはメジナより一般的《いっぱんてき》にタナが深《ふか》いので、ウキ下《した》を長《なが》くし、オキアミが底《そこ》の方《ほう》に沈《しず》んでいくようにします。クロダイは目《め》のいい魚《さかな》とされているので、朝夕《あさゆう》の光線《こうせん》の弱《よわ》いときほど釣《つ》りやす

くなります。そのため、夜釣《よづ》りでクロダイ釣《つ》りを楽《たの》しむ人《ひと》もいます。

クロダイ釣《つ》り

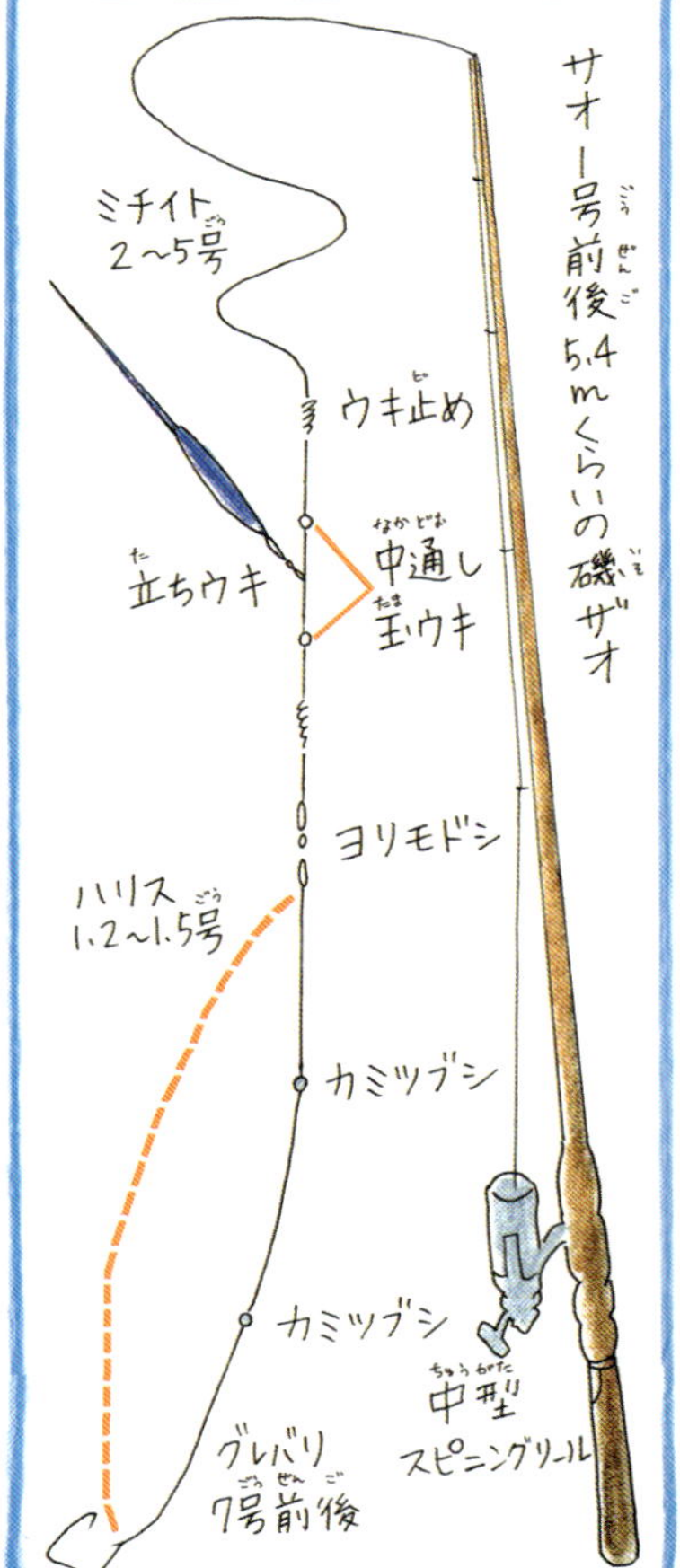

ワンポイント情報《じょうほう》

コマセの作《つく》り方《かた》

比重《ひじゅう》の重《おも》い配合《はいごう》エサをオキアミに混《ま》ぜ、海水《かいすい》を加《くわ》えます。

悪食家《あくじきか》・クロダイ

魚《さかな》の場合《ばあい》、悪食《あくじき》とは動植物《どうしょくぶつ》なんでもをエサにするものをいいます。クロダイのエサとして堤防《ていぼう》でよく見《み》る「カラス貝《かい》」も使《つか》えます。スイカを使《つか》う場合《ばあい》は、スイカが海中《かいちゅう》に沈《しず》むようにするため、砂糖《さとう》で締《し》めることが必要《ひつよう》です。そのままだと、水面《すいめん》に浮《う》かんでしまいます。

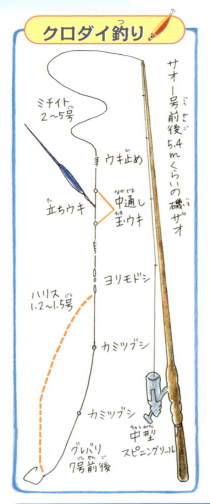

ギジエのついた針《はり》を使《つか》う
サビキ釣《づ》り

防波堤《ぼうはてい》のまわりやその近《ちか》くで狙《ねら》う釣《つ》りなので、アジ、イワシ、サバのように群《む》れで行動《こうどう》する魚《さかな》には最適《さいてき》な釣《つ》り方《かた》です。

仕《し》かけ

サビキとは、小《ちい》さなギジエのついたハリを引《ひ》くことです。図《ず》のようにたくさんのハリのついたサビキ仕《し》かけと、上《うえ》や下《した》につけたコマセカゴとの組《く》み合《あ》わせでできています。

カゴに詰《つ》めるコマセはかなりの重《おも》さになるのでサオは磯《いそ》ザオで4～5mくらいの長《なが》さがあったほうがよいでしょう。

釣《つ》り方《かた》

釣《つ》り方《かた》は簡単《かんたん》です。釣《つ》りのポイントを決《き》めたら、コマセを巻《ま》いてあらかじめ魚《さかな》を寄《よ》せておきます。魚《さかな》が寄《よ》ったところでコマセカゴを降《お》ろしていきます。所定《しょてい》のタナについたら、サオの先《さき》を大《おお》きく上下《じょうげ》させてカゴからコマセをまきます。

魚《さかな》はハリのついたギジエをエサと間違《まちが》えて喰《く》いつきます。サビキ釣《づ》りでは1ぴきハリにかかるとすぐに続《つづ》けて魚《さかな》がかかりやすいので、すぐにサオを上《あ》げないで、ひと呼吸置《こきゅうお》いて別《べつ》な魚《さかな》がかかるのを待《ま》つのもよいでしょう。

サビキの仕《し》かけ

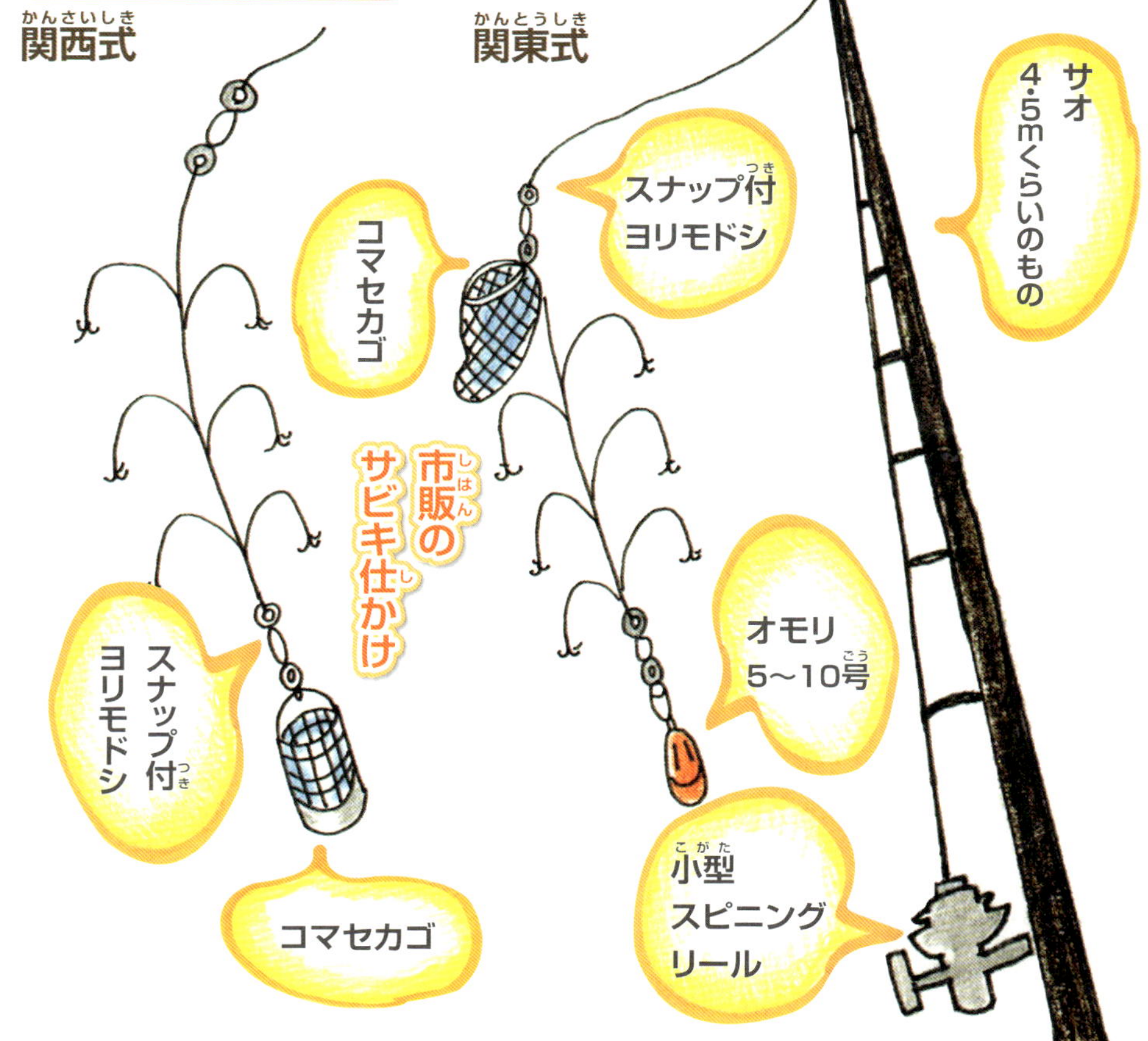

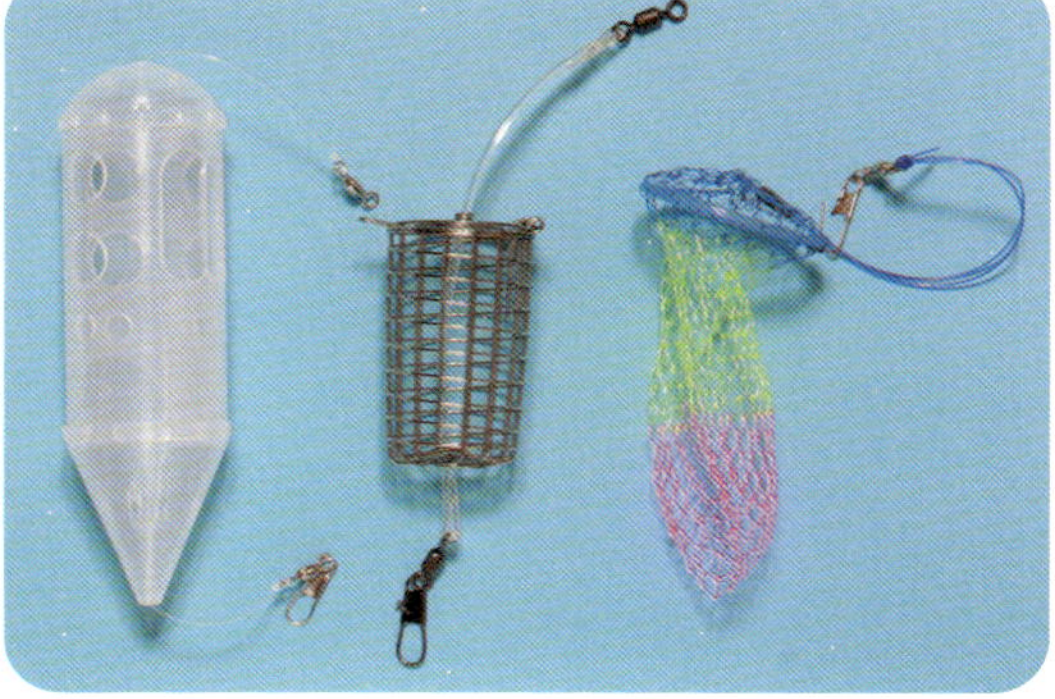

コマセカゴの種類《しゅるい》

一般的《いっぱんてき》には小《ちい》さな網状《あみじょう》の袋《ふくろ》を使《つか》いますが、最近《さいきん》はプラスチック製《せい》のカゴが人気《にんき》になっています。コマセの詰《つ》め替《か》えがワンタッチでできるシャベル式《しき》のカゴもあります。コマセカゴは、釣《つ》ろうとする魚《さかな》によって、いくつものタイプがあるので注意《ちゅうい》しましょう。

コマセが垂直《すいちょく》にこぼれていくようにサオを上下《じょうげ》に動《うご》かしましょう。

コマセで煙幕《えんまく》をつくり、その中で仕《し》かけを上下《じょうげ》させる

サビキの仕《し》かけのいろいろ

「ハゲ皮《かわ》サビキ」は、魚《さかな》の皮《かわ》を付《つ》けたものです

サビキに使《つか》われる色《いろ》や形《かたち》はさまざま。魚別《さかなべつ》に専用《せんよう》のサビキ仕《し》かけも用意《ようい》されています

ワンポイント情報《じょうほう》

サビキ釣《づ》りは事前情報《じぜんじょうほう》が必須《ひっす》

アジやイワシ釣《つ》りに出《で》かけるときは、前日《ぜんじつ》に釣具店《つりぐてん》などから情報《じょうほう》を仕《し》入《い》れておきましょう。最近《さいきん》までよくても、群《む》れがいなくなってしまうことがあるからです。群《む》れが入《はい》っている場所《ばしょ》に行《い》かないと、釣《つ》れないことを十分《じゅうぶん》に知《し》っておきましょう。

アジ

分布《ぶんぷ》

北海道以南《ほっかいどういなん》の沿岸全域《えんがんぜんいき》に生息《せいそく》します。沖合《おきあ》いを回遊《かいゆう》するものは体長《たいちょう》40㎝前後《ぜんご》になりますが、防波堤《ぼうはてい》から釣《つ》れるものは小《ちい》さくなります。

特徴《とくちょう》

アジという名前通《なまえどお》りにおいしく、古《ふる》くから親《した》しまれています。背《せ》は青《あお》みがかった緑色《みどりいろ》で、腹《はら》は銀色《ぎんいろ》です。

アジ釣《つ》りの取《と》り込《こ》みは、ゆっくりとサオを立《た》てリールを巻《ま》くことです。アジの口《くち》は薄《うす》いので、勢《いきお》いよく取《と》り込《こ》むと、口《くち》がさけてバラしてしまうので注意《ちゅうい》しましょう。

道具《どうぐ》と仕《し》かけ

サオは振《ふ》り出《だ》し磯《いそ》ザオ。釣《つ》れるアジの大《おお》きさによって、約《やく》4号《ごう》～7号《ごう》の間《あいだ》でハリのサイズを変《か》えましょう。

ギジエは各種《かくしゅ》ありますが、晴《は》れて海《うみ》の透明度《とうめいど》がよければ地味《じみ》なもの、曇《くも》り空《ぞら》や海《うみ》の透明度《とうめいど》が低《ひく》いときは派手《はで》なものを選《えら》ぶとよいでしょう。

エサ

冷凍《れいとう》されたアミエビが主流《しゅりゅう》です。最近《さいきん》は、解凍《かいとう》の必要《ひつよう》がない生《なま》タイプもあります。

ポイント

アジが泳《およ》いでいる層《そう》は、基本的《きほんてき》には底《そこ》から30㎝ほどの深《ふか》さとされています。仕掛《しか》けを底《そこ》につけて少《すこ》し持《も》ち上《あ》げ、上下《じょうげ》に揺《ゆ》らせば釣《つ》れます。なお、水温《すいおん》が高《たか》くなると、水面《すいめん》よりやや下《した》の方《ほう》に上《あ》がってくることもあります。

ウキが付《つ》いていない仕《し》かけ フカセ釣《づ》り

フカセ釣《づ》りとウキ釣《づ》りの違《ちが》いは、ウキがついているかいないかの違《ちが》いでしかありません。防波堤《ぼうはてい》などで足元《あしもと》に仕《し》かけを沈《しず》めて釣《つ》る方法《ほうほう》です。なお、フカセとは、イトをたるませた状態《じょうたい》のことをいいます。また、小《ちい》さなウキをプラスしたものを「ウキフカセ釣《づ》り」といいます。

仕《し》かけ

簡単《かんたん》にいえば、ウキ釣《づ》りの仕《し》かけからウキをとったら、そのままフカセ釣《づ》りの仕《し》かけになります。フカセ釣《づ》りは、潮《しお》に仕《し》かけを乗《の》せたり、沖《おき》まで仕《し》かけを投《な》げたりするのではなく、あくまで足元《あしもと》が中心《ちゅうしん》の釣《つ》りです。

フカセ釣《づ》りの仕《し》かけには、リールザオとノベザオのものがあります。リールザオの場合《ばあい》は、水深《すいしん》が深《ふか》い場所《ばしょ》でもイトを繰《く》り出《だ》すことができます。ノベザオは、清流《せいりゅう》ザオや渓流《けいりゅう》ザオにイト、オモリ、ハリを結《むす》んだもので、操作性《そうさせい》の良《よ》さと狭《せま》いポイントにも対応《たいおう》できることが特徴《とくちょう》です。

対象魚《たいしょうぎょ》には、メジナ、ウミタナゴ、クロダイ、シマアジ、メバルなどがいます。

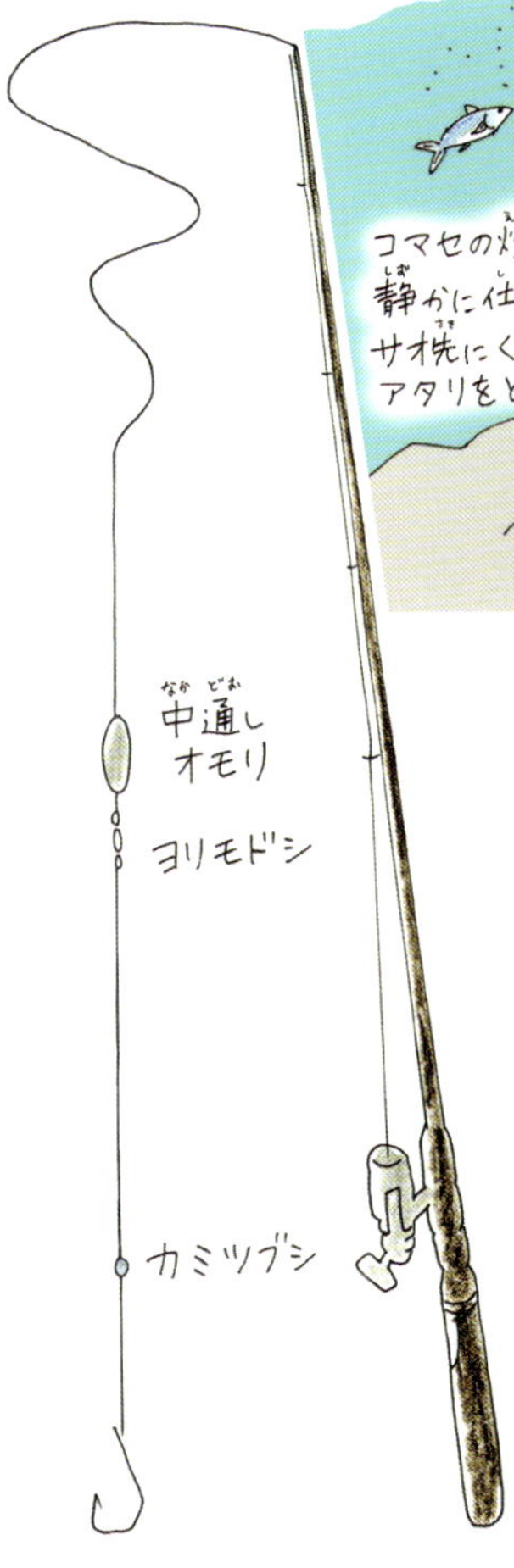

釣《つ》り方《かた》

フカセ釣《づ》りは、仕《し》かけがたるみながら沈《しず》んでいく途中《とちゅう》でエサを喰《く》わせる釣《つ》りです。ここでも、コマセを使《つか》います。ここでハリのついたエサが、コマセの沈《しず》んでゆく速度《そくど》より、速《はや》かったり遅《おそ》かったりすると魚《さかな》が警戒《けいかい》します。エサの動《うご》きがコマセの動《うご》きと連動《れんどう》することで、魚《さかな》が惑《まど》わされてハリにかかるという仕組《しく》みになります。

メバル

分布《ぶんぷ》

北海道南部《ほっかいどうなんぶ》から九州《きゅうしゅう》まで分布《ぶんぷ》します。変化《へんか》に富《と》んだ岩礁地帯《がんしょうちたい》を好《この》んで生息《せいそく》。1年中《ねんじゅう》釣《つ》れますが、「春告魚《はるつげうお》」と書《か》いてメバルと読《よ》むように春《はる》はベストシーズンのひとつ。

特徴《とくちょう》

カサゴの仲間《なかま》で目《め》と口《くち》が大《おお》きいのが特徴《とくちょう》です。最近《さいきん》のＤＮＡ分析《ぶんせき》で、メバルはクロメバル、アカメバル、シロメバルの3種類《しゅるい》に分《わ》かれると発表《はっぴょう》されました。

防波堤《ぼうはてい》や磯《いそ》などで釣《つ》れるメバルは、クロメバル。よく見《み》かける大《おお》きさは20㎝ほどまでです。メバルは目《め》のいい魚《さかな》ですので、イトが太《ふと》いとかかりません。ハリスは昼間《ひるま》なら0・8号以下《ごういか》がよいでしょう。

道具《どうぐ》と仕《し》かけ

渓流《けいりゅう》ザオに小型《こがた》のヨリモドシをつけた、簡単《かんたん》な仕《し》かけを使います。素早《すばや》くサオを動《うご》かせる渓流《けいりゅう》ザオで、水深《すいしん》のある足元《あしもと》をねらうのが基本《きほん》です。やや沖目《おきめ》のポイントをねらうときは、ウキをつけてもOKです。

エサ

生《い》きた小《ちい》さなエビを付《つ》けエサにし、コマセも使《つか》います。エビは小《こ》エビ類《るい》だけでも1600種《しゅ》あるといわれています。メバルにはよく使《つか》われるのはモエビですが、シラサエビ、ブツエビなどもあります。また、メバル用《よう》エビエサと名《な》づけたものも販売《はんばい》されているようです。

メバルの釣果《ちょうか》はコマセの使《つか》い方《かた》次第《しだい》といわれます。冷凍《れいとう》エビのコマセと生《い》きたエビをポイントで少《すこ》しずつコマセるなどの方法《ほうほう》によって、メバルを寄《よ》せつけることが大事《だいじ》です。なお、イソメ類《るい》もエサとして使《つか》われます。

メバルのフカセ釣《つ》り

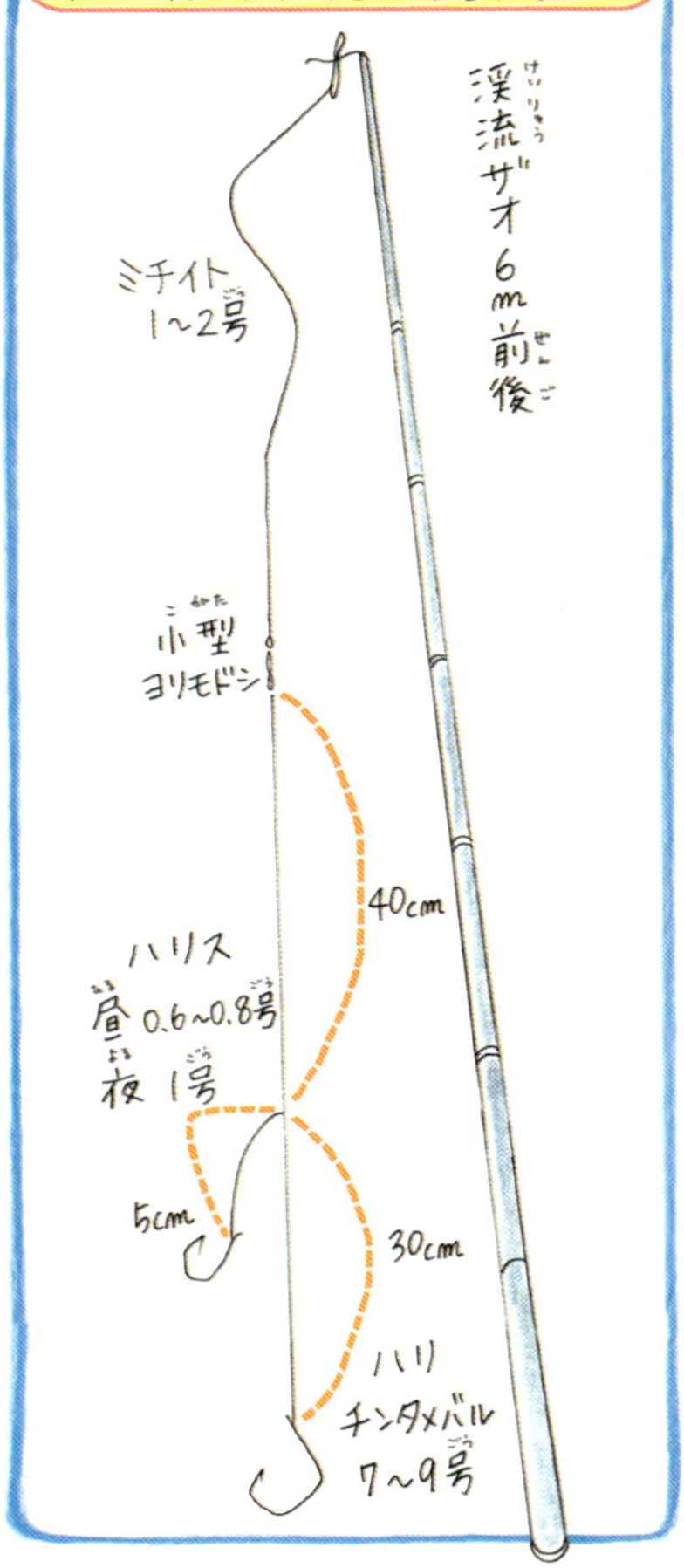

メバルの釣《つ》り方《かた》

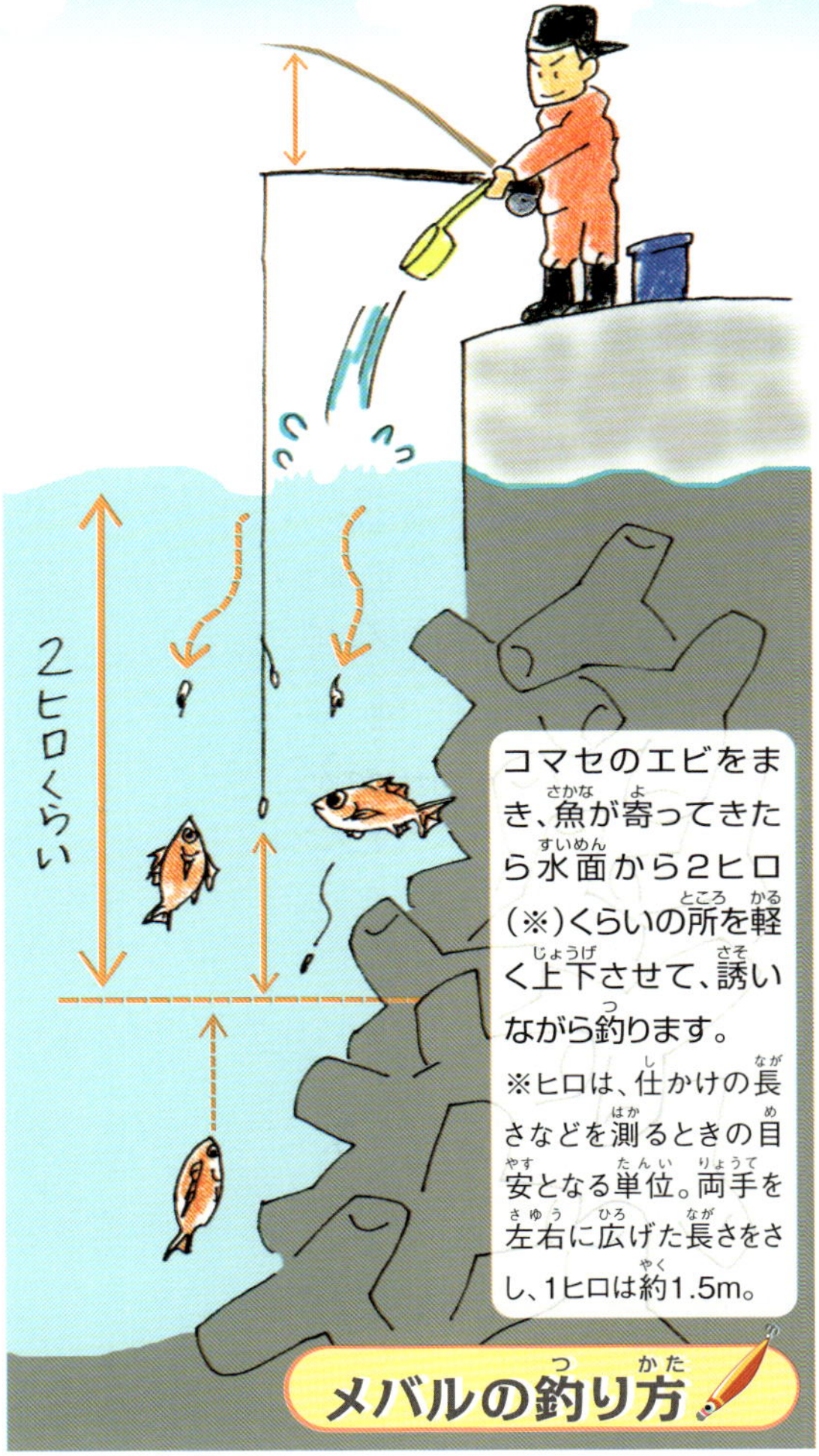

ポイント

メバルは防波堤《ぼうはてい》のテトラや石積《いしづ》みの間《あいだ》に入《はい》っていることが多《おお》いです。メバルは、テトラの間《あいだ》から上向《うえむ》きになってエサが落《お》ちてくるのを待《ま》っています。つまり、メバルは上側《うえがわ》にあるエサに敏感《びんかん》に反応《はんのう》します。潮《しお》は一般的《いっぱんてき》には上《あ》げ潮《しお》がよいとされています。

エサで説明《せつめい》したように、メバルが寄《よ》ったことを確認《かくにん》してから、その中《なか》に生《なま》エサの付《つ》いた仕《し》かけを沈《しず》めます。メバルは群《む》れていますので1カ所《しょ》で数尾《すうび》は釣《つ》れるはずです。

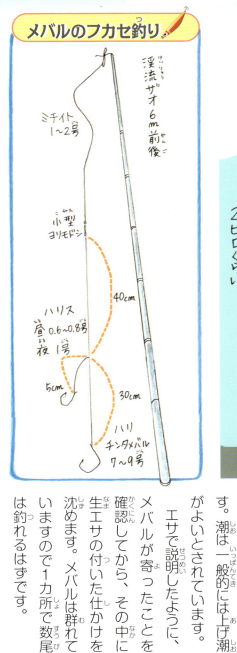

「ちょい投《な》げ釣《づ》り」からスタート

投《な》げ釣《づ》り

「投《な》げ釣《づ》り」は、遠《とお》くに仕《し》かけを投《な》げてアタリを待《ま》つ釣《つ》りです。投《な》げ釣《づ》りの場合《ばあい》、どのような場所《ばしょ》からどのくらい遠《とお》くに投《な》げるかで、釣《つ》り内容《ないよう》が変《か》わってくることを知《し》っておきましょう。（投《な》げ釣《づ》りの章《しょう》はP76から）防波堤《ぼうはてい》からの「投《な》げ釣《づ》り」は、場所《ばしょ》が狭《せま》く人《ひと》が多《おお》いため、遠《とお》くに飛《と》ばす（たとえば100m以上《いじょう》）ことができないため、防《ぼう》波堤《はてい》からの「ちょい投《な》げ釣《づ》り」という言《い》い方《かた》をします。

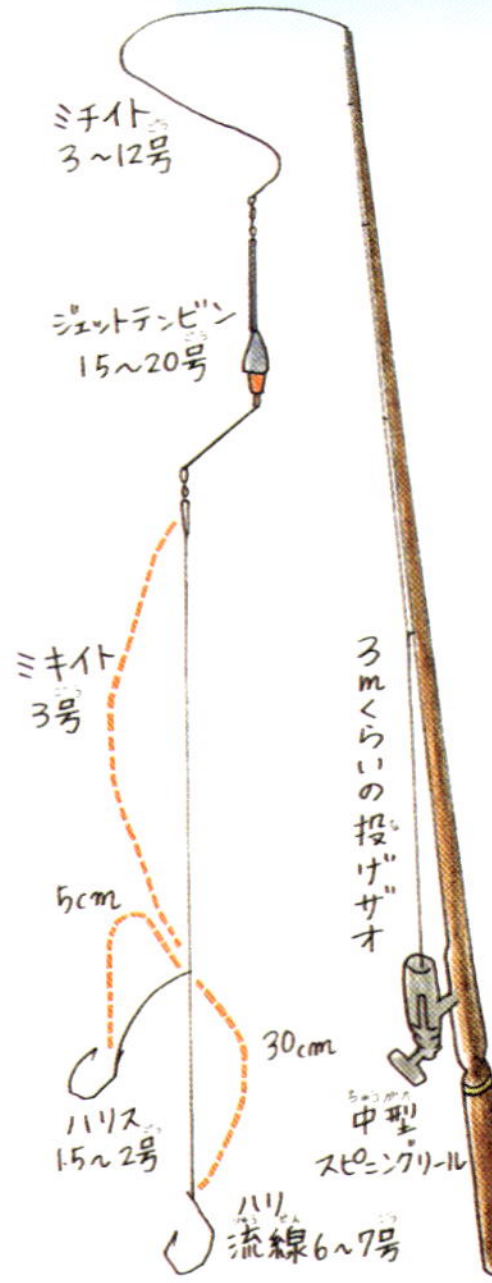

ちょい投《な》げ釣《づ》り〈小物用《こものよう》投《な》げ仕《し》かけ〉

仕《し》かけ

サオは3m前後《ぜんご》で十分《じゅうぶん》でしょう、長《なが》くても4mくらいまで。仕《し》かけのハリは1本《ぽん》バリでも3本《ぼん》バリでもOKです。

ちょい投《な》げとはいえ、防波堤《ぼうはてい》から沖《おき》へ60mくらいまで飛《と》ばそうと思《おも》う場合《ばあい》はキャスティング技術《ぎじゅつ》が必要《ひつよう》になります。また、釣《つ》りのポイントを自由《じゆう》に移動《いどう》できない防波堤《ぼうはてい》では、ちょい投《な》げ釣《づ》りはたいへん有効《ゆうこう》な手段《しゅだん》になります。対象《たいしょう》の魚《さかな》は、キス、カレイ、アイナメ、カサゴ、ハゼなどの海底《かいてい》に生息《せいそく》する魚《さかな》からイシダイ、スズキ、マダイなどが釣《つ》れます。

釣《つ》り方《かた》

ポイントまで仕《し》かけを投《な》げたあとのアタリの待《ま》ち方《かた》には、2つのやり方《かた》があります。キャストしたあとその場《ば》でアタリを待《ま》つ「置《お》きザオ」と少《すこ》しずつ仕《し》かけを手前《てまえ》に引《ひ》いてきて探《さぐ》りながらアタリを待《ま》つ「探《さぐ》り釣《づ》り」です。

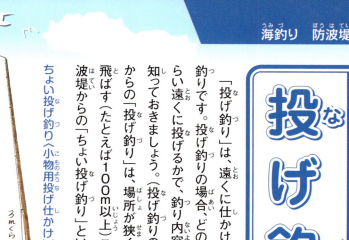

キャスティング法《ほう》〈オーバースロー〉

❶目標方向《もくひょうほうこう》45度《ど》の角度《かくど》を見《み》ます。タラシが絡《から》んでいないかを後《うしろ》を向《む》いて確認《かくにん》しておきます。ここで左足《ひだりあし》を少《すこ》し前《まえ》に出《だ》します。

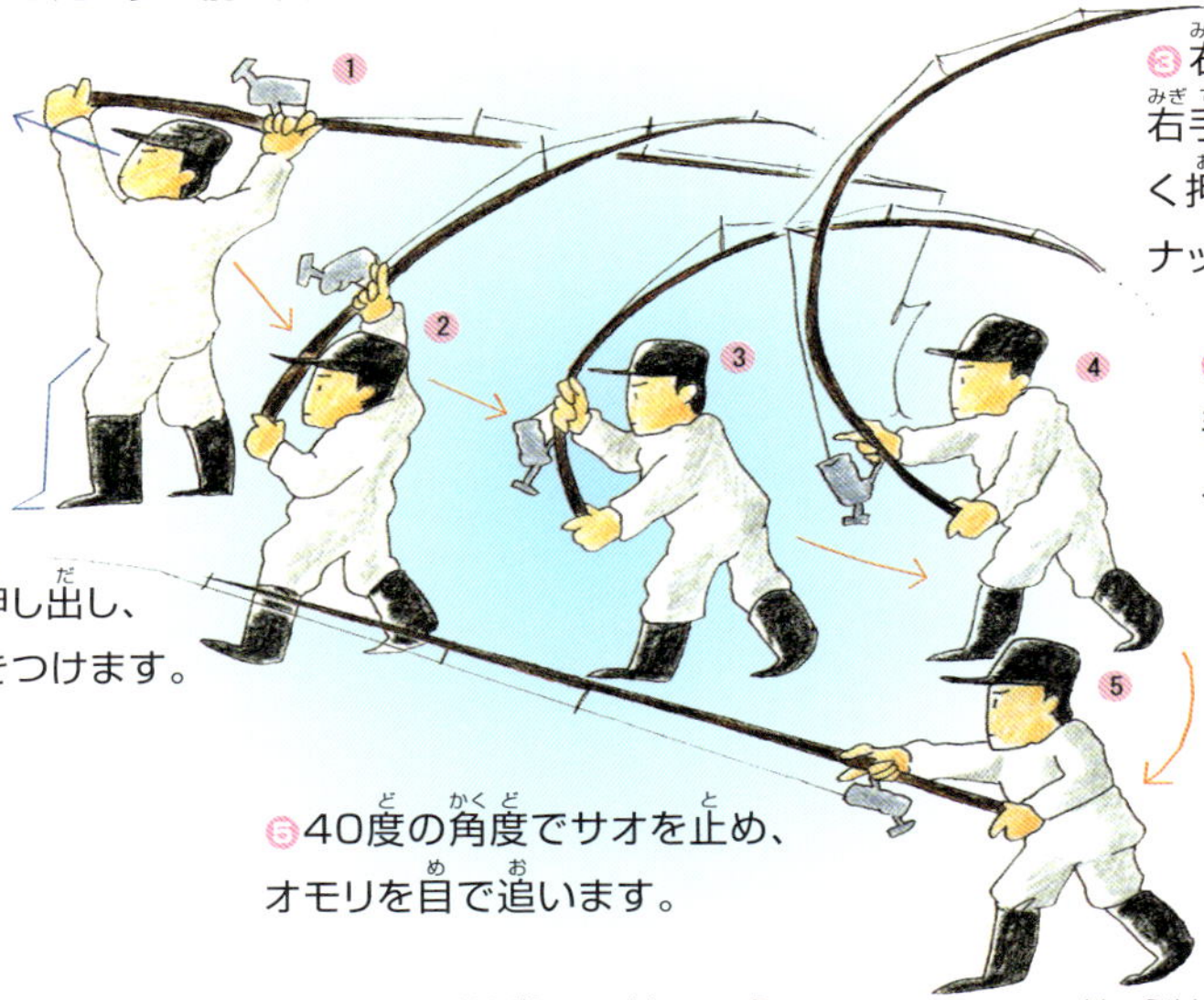

❷右腕《みぎうで》を押《お》し出《だ》し、左腕《ひだりうで》を引《ひ》きつけます。

❸右足《みぎあし》をけりながら、右手《みぎて》でサオをさらに強《つよ》く押《お》すようにして、スナップをきかせます。

❹左手《ひだりて》でサオ尻《じり》を手前《てまえ》に強《つよ》く引《ひ》いて、イトを放《はな》します。

❺40度《ど》の角度《かくど》でサオを止《と》め、オモリを目《め》で追《お》います。

このオーバースローキャストは、剣道《けんどう》の「面《めん》」を打《う》つようにサオを真正面《ましょうめん》に振《ふ》る方法《ほうほう》です。キャスティングは、方向性《ほうこうせい》と飛距離《ひきょうり》の両方《りょうほう》が組《く》み合《あ》わさったものですが、方向《ほうこう》がコントロールしやすいオーバースローからマスターしましょう。

※キャスト…英語《えいご》でCAST《キャスト》は「投げる、ぶつける」という意味《いみ》です。釣りの用語《ようご》としては「仕《し》かけを投げること」を言《い》います。

探《さぐ》り釣《づ》り

仕《し》かけが底《そこ》に着《つ》いたら、かなりゆっくりとしたスピードで仕《し》かけを引《ひ》き、その間《あいだ》にアタリを取《と》ります。

置《お》きザオ

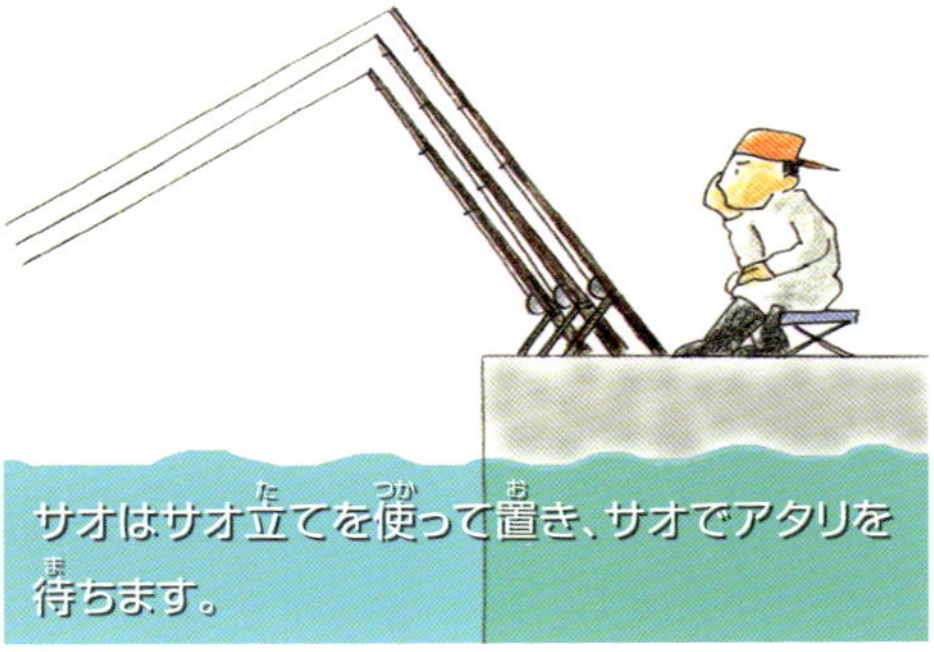

サオはサオ立《た》てを使《つか》って置《お》き、サオでアタリを待《ま》ちます。

キャスティングのいろいろ

〈スタートは海《うみ》に背《せ》を向《む》けた状態《じょうたい》にあります〉

スイング投法《とうほう》

❶長《なが》い仕《し》かけを体《からだ》の前《まえ》で2・3回《かい》ぶらぶらさせて、反動《はんどう》をつけます。

❷思《おも》い切《き》り後方《こうほう》に仕《し》かけを振《ふ》り、さらに反動《はんどう》をつけます。

❸体《からだ》をひねって、体《からだ》とサオを回転《かいてん》させる準備《じゅんび》をします。

❹左足《ひだりあし》に重心《じゅうしん》をのせ、サオを横《よこ》に振《ふ》り出《だ》します。

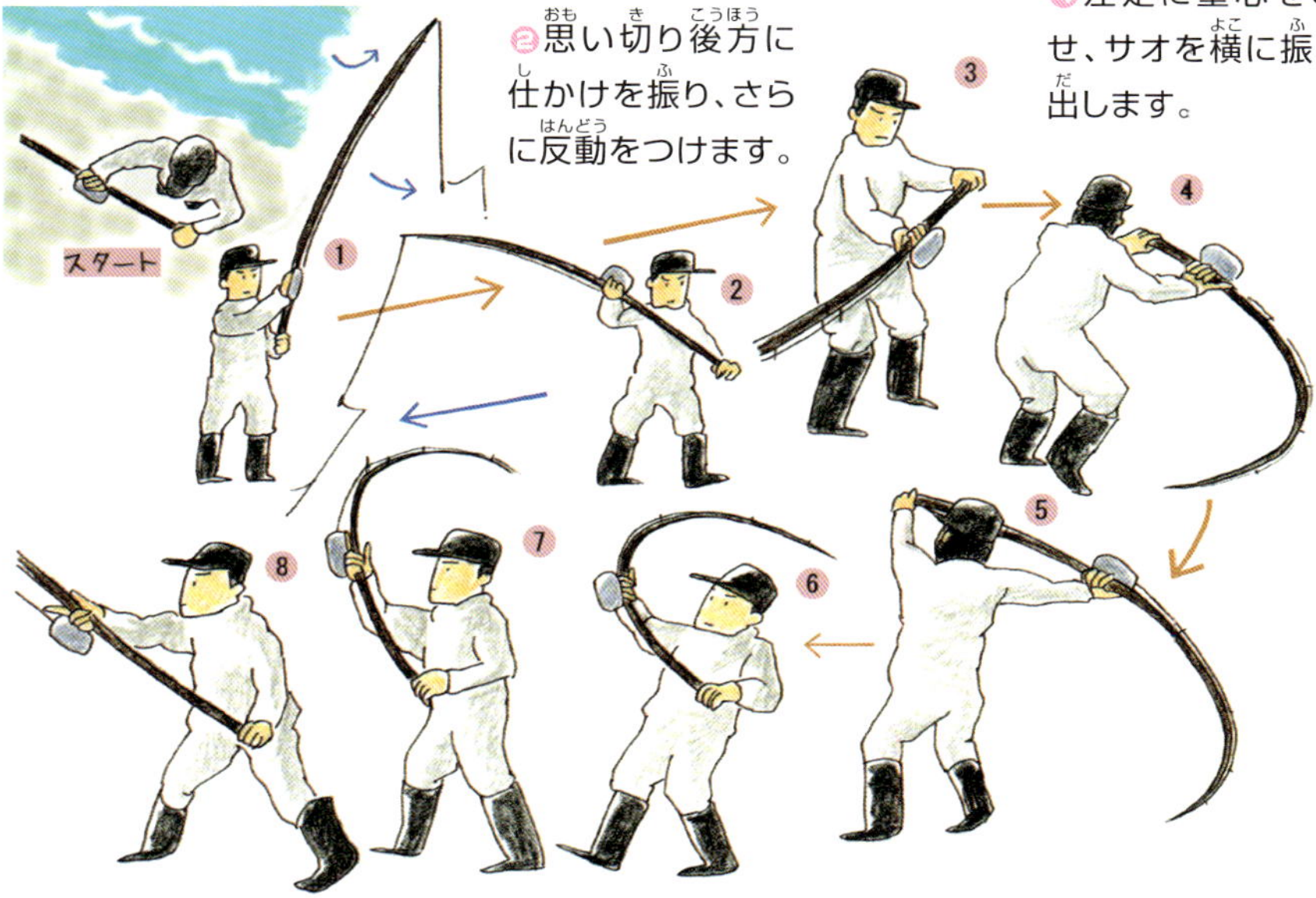

❽オモリを目《め》で追《お》います。

❼40度《ど》の角度《かくど》でサオを止《と》めます。

❻最《もっと》もスピードがのった瞬《しゅん》間《かん》を見《み》はからいながら、方《ほう》向《こう》を定《さだ》めてイトを放《はな》します。

❺体《からだ》の向《む》きをぐるっと海側《うみがわ》に変《か》えながら、サオを思《おも》い切《き》り振《ふ》ります。

投《な》げの基本《きほん》

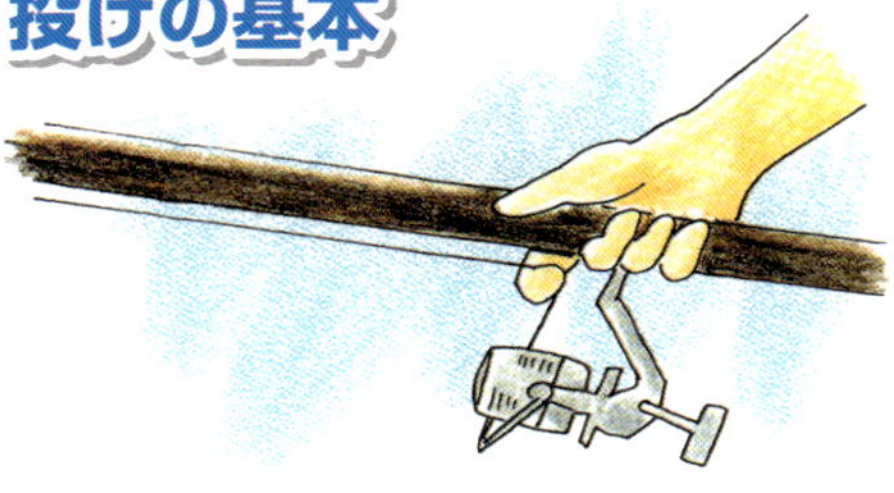

リールの握《にぎ》り方《かた》は、リールの足《あし》を中指《なかゆび》と薬指《くすりゆび》ではさむのが普通《ふつう》です。イトは人差《ひとさ》し指《ゆび》の第一関《だいいちかん》節《せつ》と指先《ゆびさき》の中間《ちゅうかん》の位置《いち》くらいに軽《かる》くかけます。

※グリップは左手《ひだりて》で根元《ねもと》いっぱいに握《にぎ》ります。

スリークォーター

オーバースローキャストとは、サオを振《ふ》る角度《かくど》が違《ちが》うだけでキャスティングのやり方《かた》は同《おな》じです。

第《だい》3章《しょう》

投《な》げ釣《づ》りと磯《いそ》釣《づ》り

投《な》げ釣《づ》りの釣《つ》り場《ば》と釣《つ》れる魚《さかな》を見《み》ておこう！

投《な》げ釣《づ》りの場合《ばあい》、投《な》げ釣《づ》りができるところは、すべて釣《つ》り場《ば》であるともいえます。基本的《きほんてき》には、防波堤《ぼうはてい》、砂浜《すなはま》、磯《いそ》、河口《かこう》からの投《な》げ釣《づ》りが多《おお》いはずです。

釣《つ》り場《ば》が異《こと》なれば、釣《つ》れる魚《さかな》も変《か》わってきます。

仕《し》かけを遠《とお》くまで投《な》げて魚《さかな》を釣《つ》りますので、サオも「投《な》げザオ」というその機能《きのう》を果《は》たせるものを使《つか》います。これに、スピニングリールの組《く》み合《あ》わせが必要《ひつよう》です。また、投《な》げ釣《づ》りならではの道具《どうぐ》も理解《りかい》しておきましょう。

投《な》げ釣《づ》りの仕《し》かけ・基本形《きほんけい》

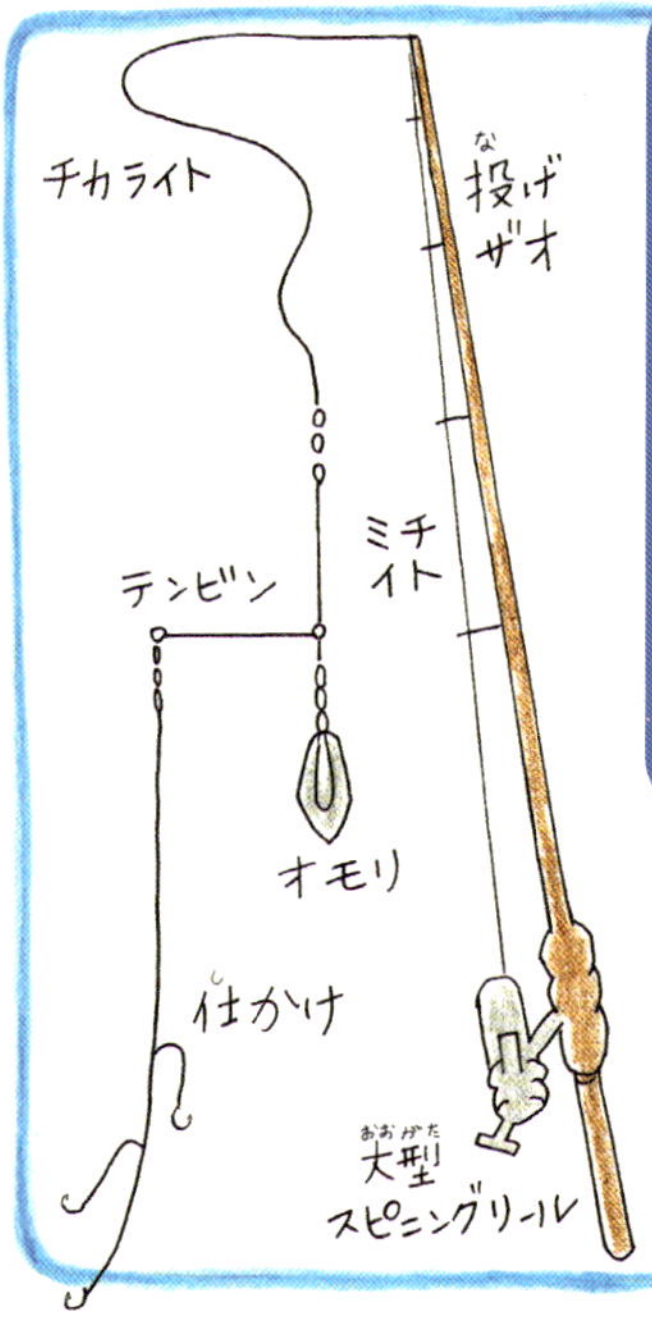

投《な》げザオとオモリ

投《な》げザオは3〜4ｍ前後《ぜんご》を使《つか》いますが、かなり重《おも》いオモリをフルスイングして投《な》げるため、それに耐《た》えうる強《つよ》さが必要《ひつよう》になります。

オモリは1号《ごう》を1匁《もんめ》（もんめ）、約《やく》3.75ｇとして35〜40号《ごう》くらいまであります。また、オモリとサオの関係《かんけい》も覚《おぼ》えておきましょう。たとえば、サオには20－400などの数字《すうじ》が書《か》かれています。この場合《ばあい》は20号《ごう》のオモリを振《ふ》るのに最適《さいてき》な4ｍのサオという意味《いみ》になります。

チカライト（テーパーライン）

ミチイトは飛距離《ひきょり》を出《だ》すために極力細《きょくりょくほそ》いものを使《つか》います。細《ほそ》いイトで20号前後《ごうぜんご》のオモリを振《ふ》ったらイトは切《き》れてしまうため、そこで細《ほそ》いミチイトの先《さき》に、先端《せんたん》のほうが段々太《だんだんふと》くなった「チカライト」という特殊《とくしゅ》なサキイトを結《むす》んでおきます。

テンビン

テンビンは「天秤《てんびん》」と書《か》きます。やじろべえのような格好《かっこう》をした、投《な》げ釣《づ》りには欠《か》かせない道具《どうぐ》で、「針金《はりがね》つきのオモリ」になっています。

これは投《な》げ釣《づ》りで一番《いちばん》多《おお》い、仕《し》かけ絡《がら》み（イト絡《がら》み）を防《ふせ》いでくれるものです。テンビンには、いろいろとタイプがあるので使《つか》い分《わ》けてみるのもいいでしょう。

釣《つ》り場《ば》と対象魚《たいしょうぎょ》

※このイラストの対象魚《たいしょうぎょ》はひとつの例《れい》であって、地域《ちいき》や季節《きせつ》によって変《か》わります。

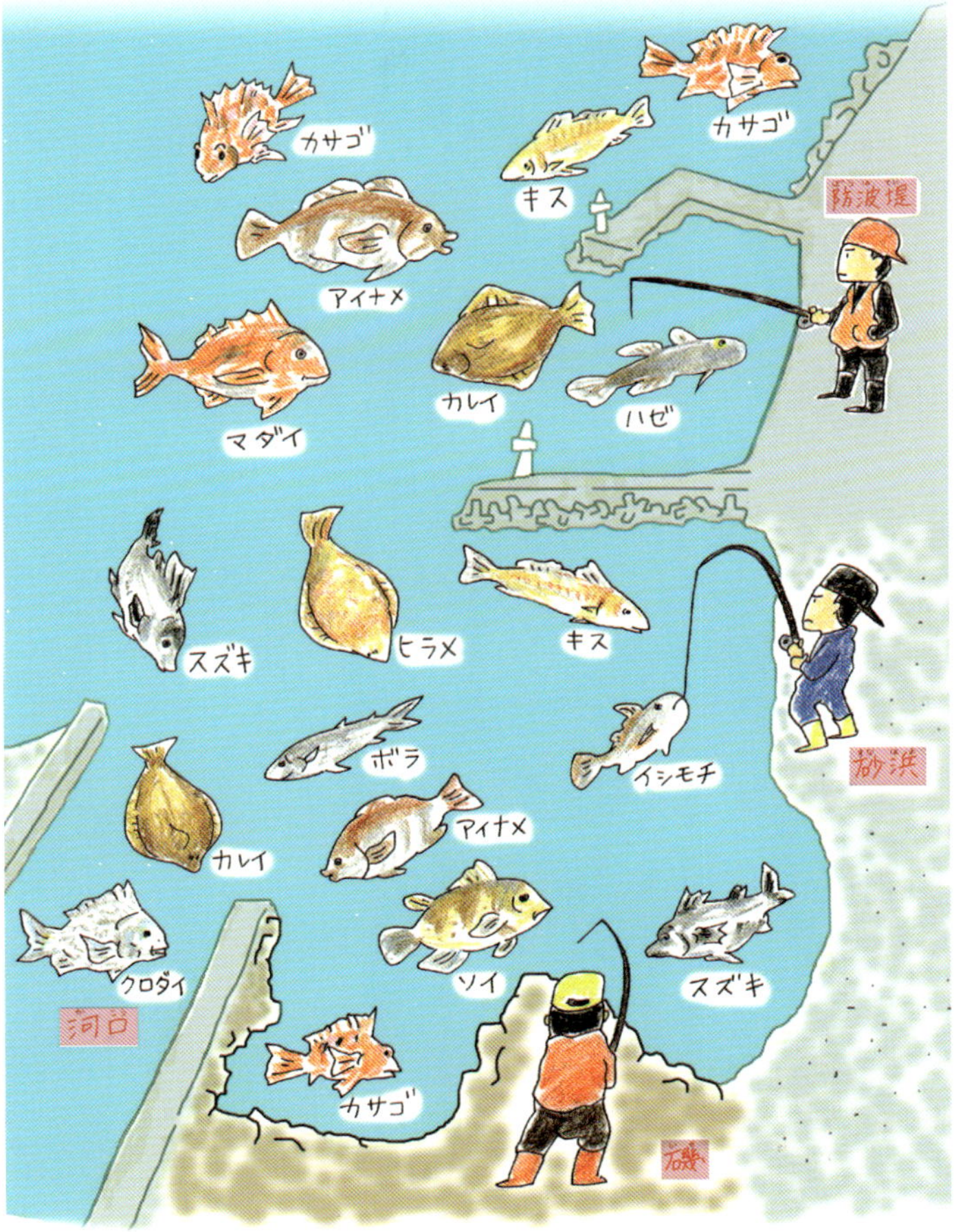

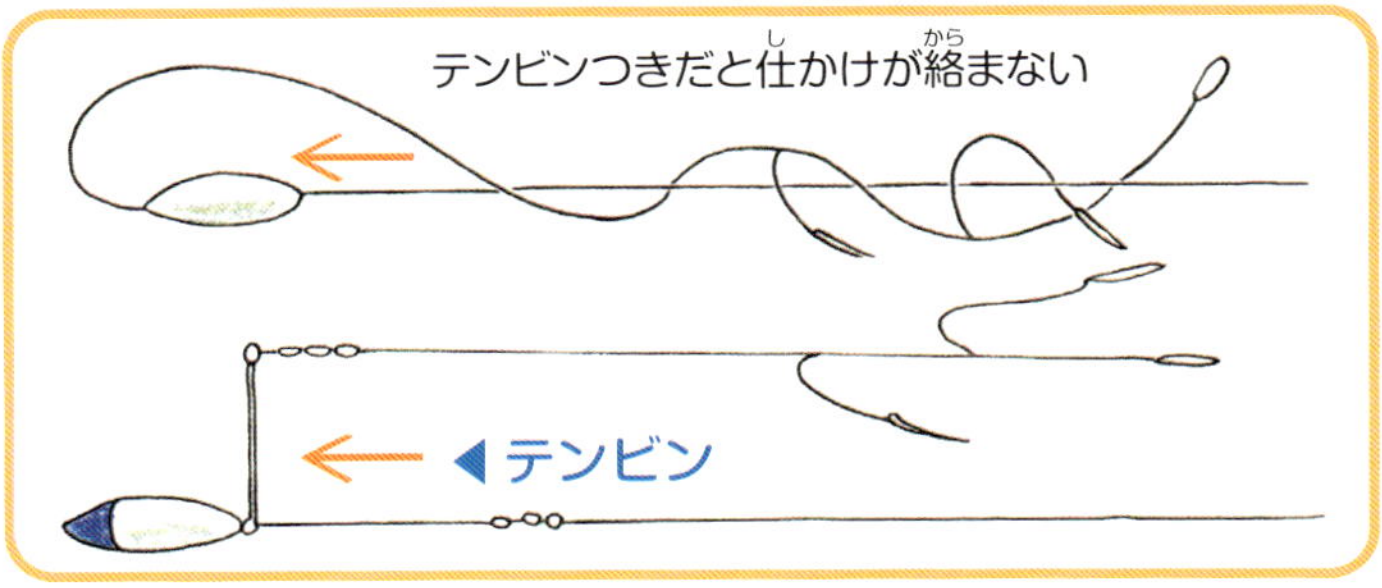

シロギス（キス）

分布《ぶんぷ》

北海道南部以南《ほっかいどうなんぶいなん》の日本各地《にほんかくち》に分布《ぶんぷ》します。水深《すいしん》30m以内《いない》の砂地《すなち》の底《そこ》に生息《せいそく》。冬《ふゆ》は水温《すいおん》の関係《かんけい》で深《ふか》い場所《ばしょ》にいますが、春《はる》から秋《あき》までは、岸近《きしちか》くにやってきます。

特徴《とくちょう》

細長《ほそなが》く、透《す》きとおるような美《うつく》しい体《からだ》で、最《もっと》も大《おお》きいものでも体長《たいちょう》は30㎝くらいです。静《しず》かな内湾《うちわん》の砂泥地帯《さでいちたい》を好《この》みます。

北海道《ほっかいどう》の大部分《だいぶぶん》は別《べつ》として全国《ぜんこく》の砂浜《すなはま》で釣《つ》ることが可能《かのう》なシロギス。シーズンも冬《ふゆ》を除《のぞ》けばいつでもOK。投《な》げ釣《づ》りで釣《つ》る筆頭《ひっとう》の魚《さかな》としてあげられる理由《りゆう》には、細《ほそ》い魚体《ぎょたい》には似合《にあ》わない強《つよ》いアタリと食《た》べておいしいということもあります。

道具《どうぐ》と仕《し》かけ

オモリに合《あ》わせた投《な》げザオに投《な》げ専用《せんよう》のスピニングリールを組《く》み合《あ》わせ、ミチイトにはチカライト（テーパーライン）をつけます。ハリは3本《ぼん》バリが普通《ふつう》です。3本《ぼん》あることで、アタリがくる可能性《かのうせい》を高《たか》くしてくれます。このキス仕《し》かけは作《つく》ることはできますが、完成品《かんせいひん》を購入《こうにゅう》してもいいでしょう。

エサ

エサは一般的《いっぱんてき》に「ジャリメ」と「アオイソメ」と呼《よ》ばれるイソメ類《るい》が定番《ていばん》です。エサをハリに刺《さ》すときは、どのくらい遠投《えんとう》するかで刺《さ》し方《かた》も変《か》わってきます。あまり大《おお》きなエサをつけると、キャスティングのときにちぎれてしまう恐《おそ》れがあるからです。

遠投《えんとう》しないときや喰《く》いの悪《わる》いときは1匹《ぴき》づけ

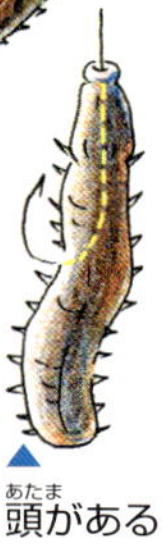

▲頭《あたま》があるときのつけ方《かた》

◀頭《あたま》がないときのつけ方《かた》

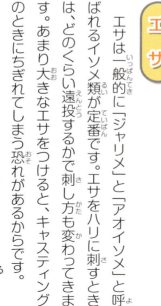

釣《つ》り方《かた》

海底《かいてい》に仕《し》かけが着《つ》いたら、ゆっくりとした速度《そくど》でサビく（引《ひ》く）という動作《どうさ》を休《やす》まず続《つづ》けます。なお、キスは「置《お》きザオ」で釣《つ》ることもできます。

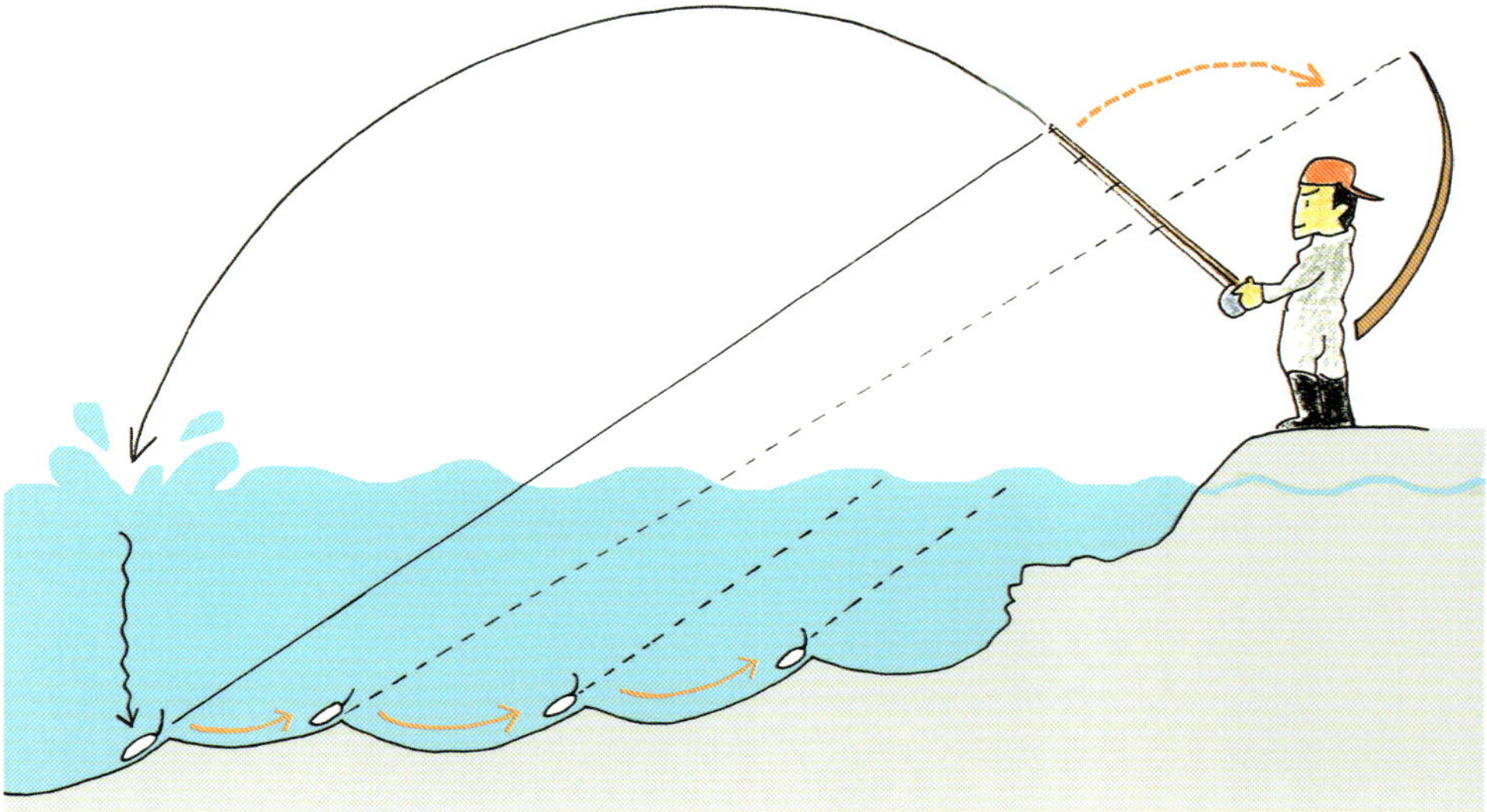

ポイント

釣《つ》り場《ば》として夏《なつ》に海水浴場《かいすいよくじょう》になるような砂浜《すなはま》がいいとされています。理由《りゆう》は、海底《かいてい》が砂《すな》になっていて、やや遠浅《とおあさ》になっているからです。

キスは海底《かいてい》がでこぼこした部分《ぶぶん》に群《む》れでいます。キャストしたあと、ゆっくり仕《し》かけを引《ひ》きますが、この凸部分《とつぶぶん》にくると抵抗《ていこう》で重《おも》くなります。そこでアタリがくることが多《おお》いことを頭《あたま》に入《い》れておきましょう。

キスの投《な》げ釣《つ》り

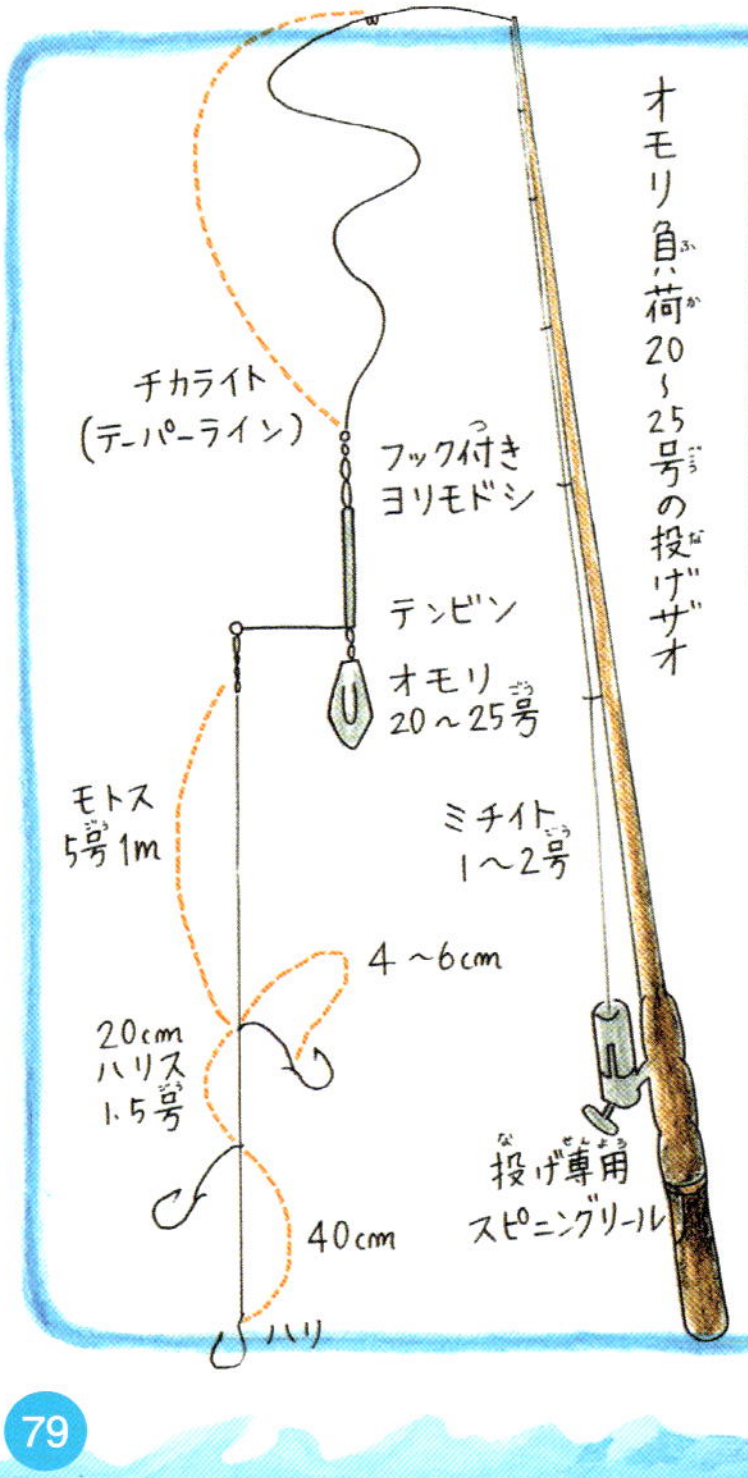

カレイ

分布《ぶんぷ》 日本近海《にほんきんかい》には数十種《すうじゅっしゅ》のカレイがいますが、どちらかといえば北国《きたぐに》の魚《さかな》です。投《な》げ釣《づ》りの対象魚《たいしょうぎょ》となるのは、一般的《いっぱんてき》にイシガレイとマコガレイです。

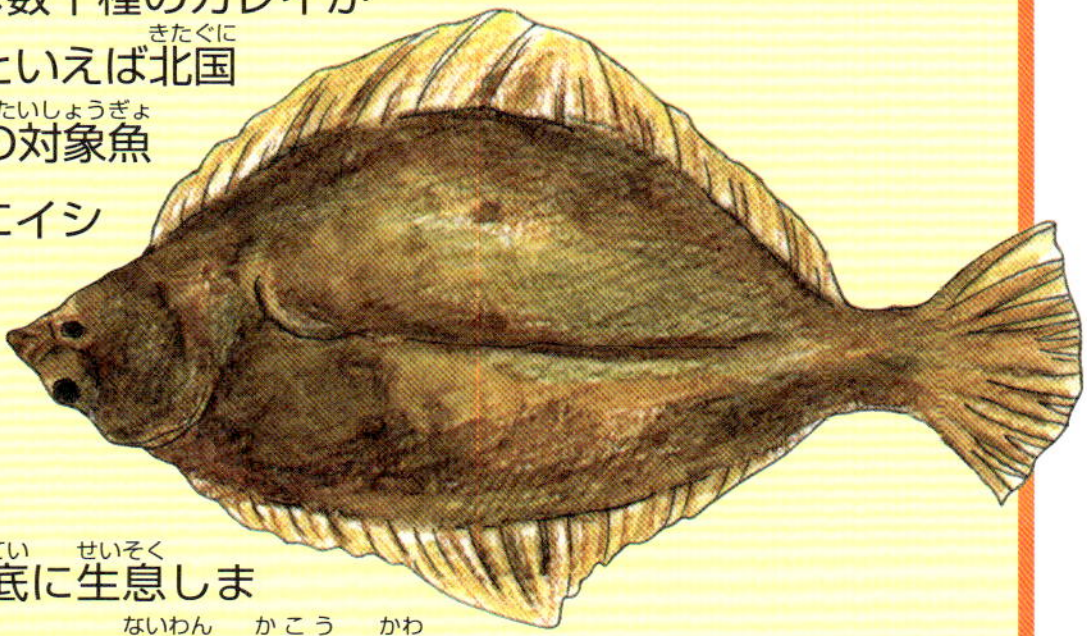

特徴《とくちょう》

カレイは砂《すな》や泥《どろ》の海底《かいてい》に生息《せいそく》します。塩分濃度《えんぶんのうど》の関係《かんけい》なのか、内湾《ないわん》や河口《かこう》、川《かわ》で釣《つ》れることもあります。食材《しょくざい》として刺身《さしみ》から揚物《あげもの》まで幅広《はばひろ》く用《もち》いられています。

食《た》べておいしく、釣《つ》って楽《たの》しい魚《さかな》として人気《にんき》があります。特《とく》に北海道《ほっかいどう》では、最大《さいだい》50㎝以上《いじょう》になる「クロガシラ」（クロガレイと同様《どうよう》に扱《あつか》っています）が人気《にんき》。また大分県《おおいたけん》にはマコガレイのブランド魚《ぎょ》がいます。

道具《どうぐ》と仕《し》かけ

基本的《きほんてき》にはキスの仕《し》かけとあまり変《か》わりません。ただ、キスほど遠投《えんとう》する必要《ひつよう》がなくなることが多《おお》いのでやや太《ふと》いイトを使《つか》うなど釣《つ》りやすさを優先《ゆうせん》した仕《し》かけになっています。なお、遠投《えんとう》しない場合《ばあい》はチカライトは特《とく》に必要《ひつよう》ありません。テンビンは海草《かいそう》テンビンのほかにジェットテンビンを使《つか》ってもOKです。

エサ

イソメ類《るい》、ゴカイ、エラコ（北《きた》国用《ぐにょう》）などが一般的《いっぱんてき》です。大物《おおもの》を狙《ねら》うにはイワイソメがよいとされています。あまり強《つよ》くサオを振《ふ》るとちぎれてしまうエサなので、状況《じょうきょう》や狙《ねら》いによってエサのつけ方《かた》も変《か》わります。また、柔《やわ》らかなゴカイは喰《く》いつきがいいので、近距離《きんきょり》の投《な》げ釣《づ》りに

イワイソメ

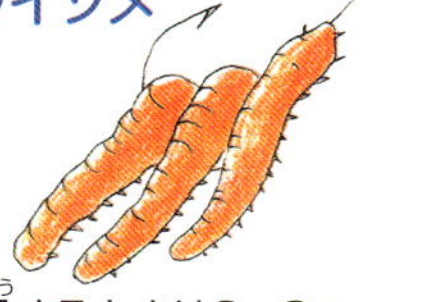

▲遠投《えんとう》するときは2〜3つくらいに切《き》ってつける

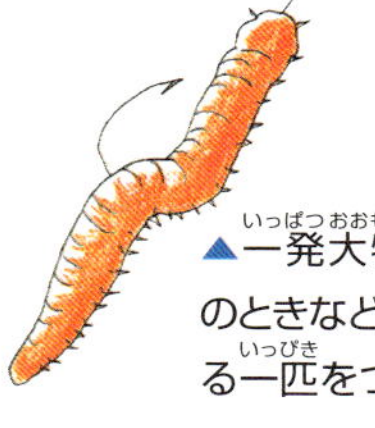

▲一発大物《いっぱつおおもの》ねらいのときなどはまるまる一匹《いっぴき》をつける

最適《さいてき》でしょう。北国《きたぐに》で用《もち》いられるエラコは、枝状《えだじょう》の袋《ふくろ》のようなもののなかに細長《ほそなが》い虫《むし》が入《はい》っています。

ポイント

釣《つ》り場《ば》のポイントはわりと潮《しお》の通《とお》しのよい場所《ばしょ》で、その水深《すいしん》が大切《たいせつ》です。足元《あしもと》から急《きゅう》に深《ふか》くなった場所《ばしょ》や掘《ほ》ったようなミゾがある場所《ばしょ》がねらい場《ば》です。一度《いちど》釣《つ》れた場所《ばしょ》でまた釣《つ》れる可能性《かのうせい》も高《たか》く、小《ちい》さな群《む》れでいますので、最初《さいしょ》の１尾《び》が釣《つ》れるまでこまめにポイントを探《さぐ》り、その後《ご》はそこを重点的《じゅうてんてき》にねらいます。

釣《つ》り方《かた》

砂煙《すなけむり》で誘《さそ》う

砂煙《すなけむり》などがあるとそこにエサがあると思《おも》って近《ちか》づいてきます。そこで、軽《かる》くサオをシャクって、オモリを海底《かいてい》にころがし砂煙《すなけむり》をおこします。

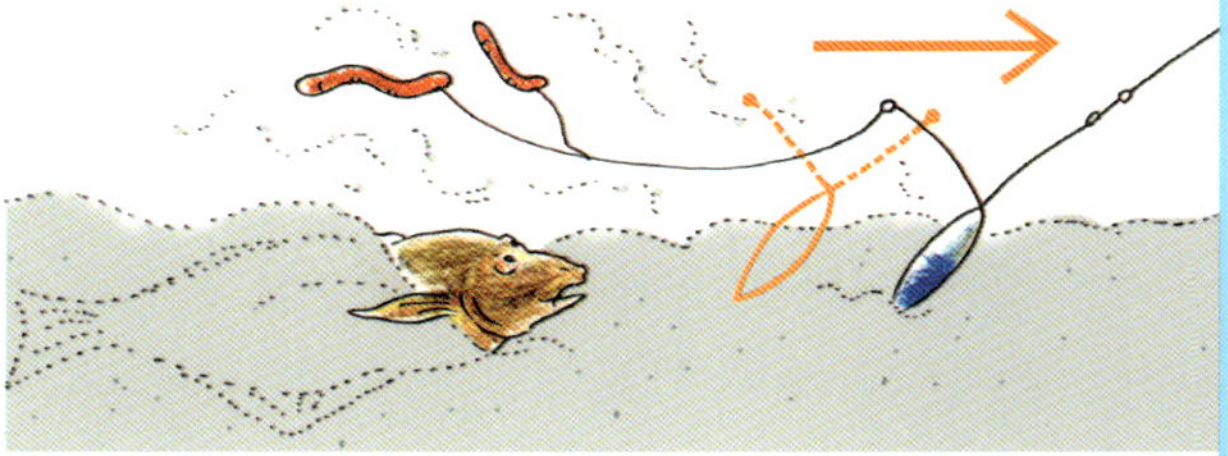

カレイの釣《つ》りエサは常《つね》に新鮮《しんせん》なものでないと、アタリは来《き》ません。ケチらないでこまめにかえることもテクニックです。

カレイのエサの食《た》べ方《かた》

カレイはエサを見《み》つけると、いったんエサの上《うえ》に体《からだ》をおおいかぶせるようにしてから、エサに喰《く》いつきます。エサの上《うえ》に乗《の》っているときの小《ちい》さなアタリではなく、ひと呼吸《こきゅう》おいてからアワせるようにします。

カレイ釣《つ》り

スタンダードな投《な》げ釣《づ》りの仕《し》かけ

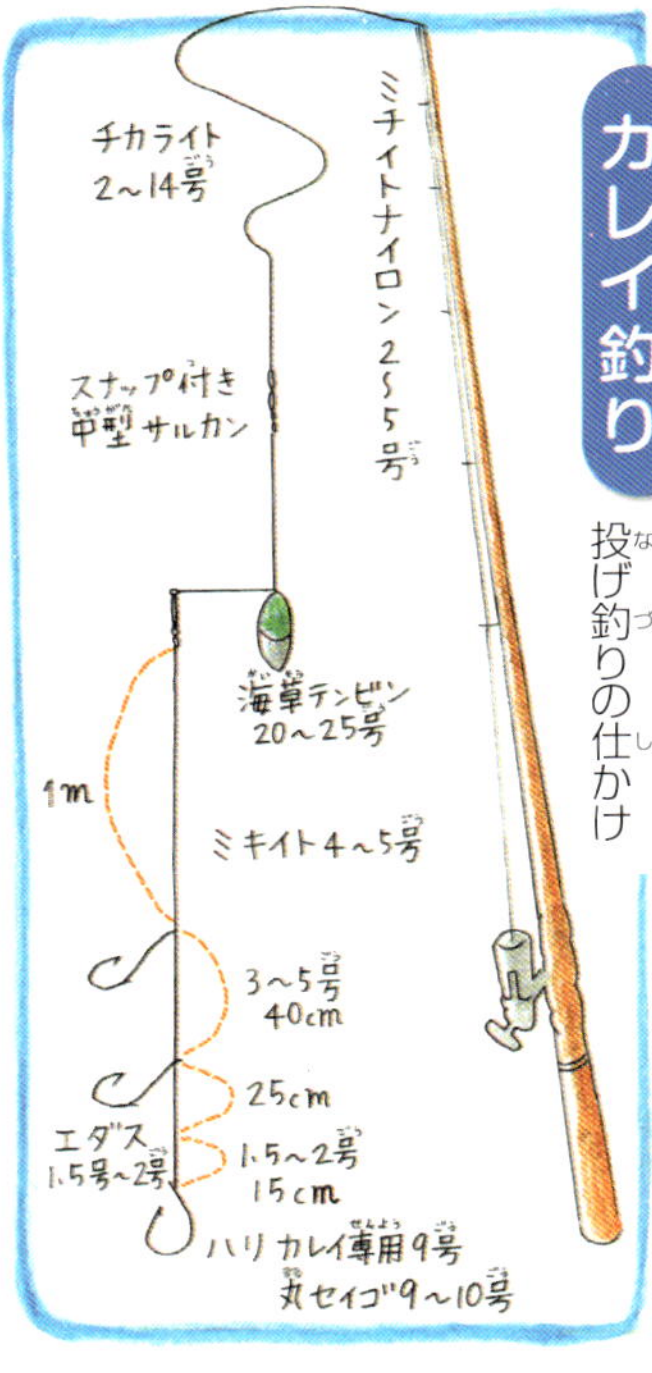

アイナメ

分布《ぶんぷ》 日本沿岸《にほんえんがん》に生息《せいそく》する、海底《かいてい》が岩礁底《がんしょうてい》の場所《ばしょ》を好《この》む「根魚《ねざかな》」。地域《ちいき》で呼《よ》び名《な》が変《か》わります。北海道《ほっかいどう》ではアブラコ、東北《とうほく》ではネウ、西日本《にしにほん》ではアブラメ。

特徴《とくちょう》

塩分濃度《えんぶんのうど》の比較的《ひかくてき》低《ひく》いところに生息《せいそく》。背《せ》びれがひとつにつながっていて、ウロコが細《こま》かいことが特徴《とくちょう》。平均《へいきん》は25〜30cm前後《ぜんご》、45cm以上《いじょう》のものもいます。

岩礁帯《がんしょうたい》にいる魚《さかな》です。産卵期《さんらんき》の秋《あき》から冬《ふゆ》になると岸近《きしちか》くに寄《よ》りつくそうで、海草《かいそう》に卵《たまご》を産《う》み付《つ》けます。オスが孵化《ふか》まで卵《たまご》を守《まも》るという変《か》わった魚《さかな》です。食《た》べごろは冬《ふゆ》から春《はる》にかけての寒《さむ》い時期《じき》。防波堤《ぼうはてい》からの釣《つ》り魚《さかな》としても人気《にんき》です。

道具《どうぐ》と仕《し》かけ

アイナメの釣《つ》り方《かた》は大《おお》きく分《わ》けて2つ、「投《な》げ釣《づ》り」とブラクリ仕《し》かけを使《つか》った「ミャク（探《さぐ》り）釣《づ》り」によるものです。投《な》げ釣《づ》りは初心者《しょしんしゃ》向《む》けですが、ミャク釣《つ》りはどちらかといえばベテラン向《む》け。時期《じき》によってはミャク釣《つ》りの方《ほう》がいい場合《ばあい》もあり、釣《つ》りのおもしろさも楽《たの》しめます。

投《な》げ釣《づ》りは50〜60mほど投《な》げれば十分《じゅうぶん》なので、サオも3mくらいの短《みじか》いものを使用《しよう》。そのかわりに、少々《しょうしょう》の根《ね》がかりなら耐《た》えられる太《ふと》いイト（5〜8号《ごう》）を使《つか》います。

エサ

西日本《にしにほん》での「アブラメ」釣《つ》りにはイソメ類《るい》がよいです。アオイソメ、イワイソメなどを1匹《ぴき》づけ。北海道《ほっかいどう》ではサンマの切《き》り身《み》やエラコなどが使《つか》われます。

ポイント

釣《つ》り方《かた》とアイナメのポイント

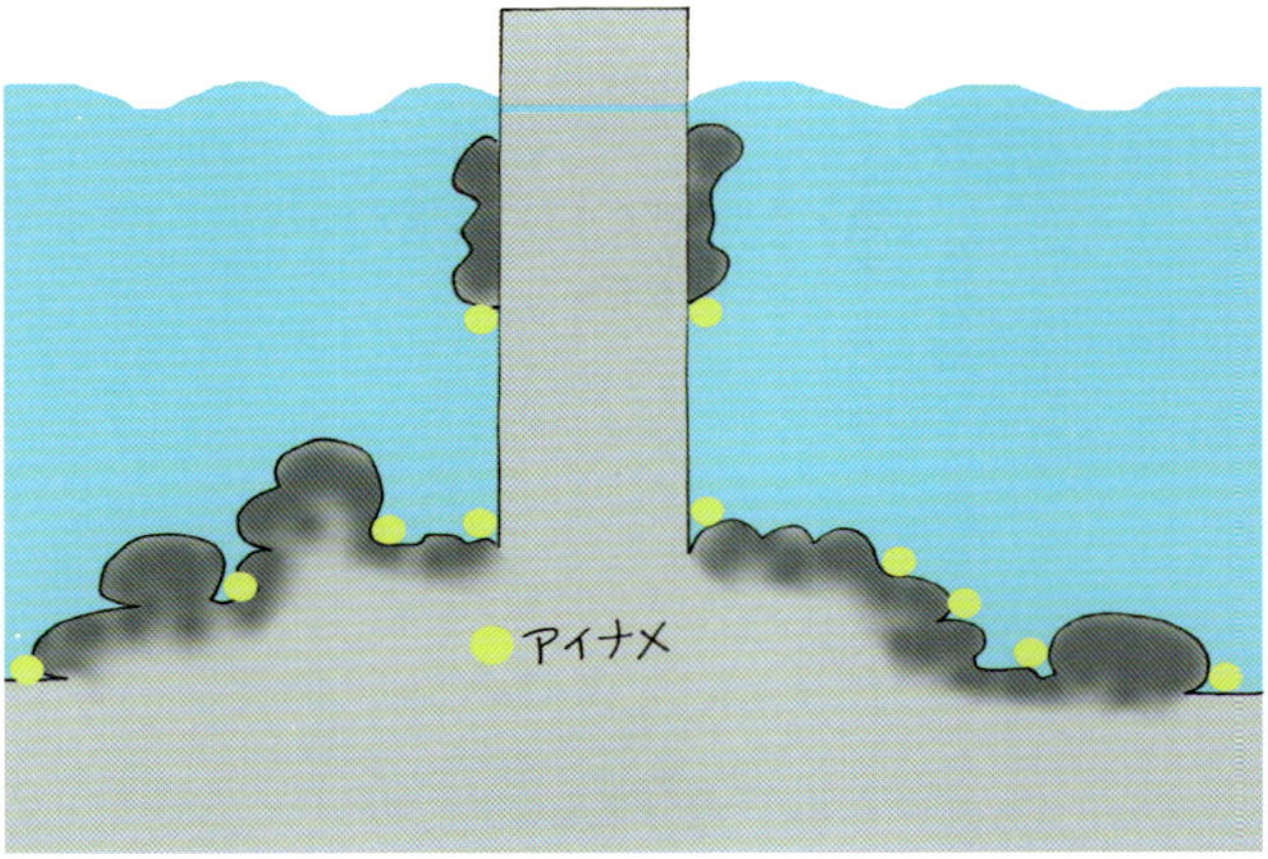

仕《し》かけが底《そこ》についたら2～3秒《びょう》待《ま》ち、軽《かる》くサオを起《お》こすようにしてエサが浮《う》き上《あ》がるようにします。サオ先《さき》に「グッグッ」と重《おも》みのあるアタリが出《で》たら、そのまま少《すこ》しずつサオ先《さき》を持《も》ち上《あ》げるようにします。次《つぎ》の瞬間《しゅんかん》、大《おお》きなアタリがあったときにアワセます。

アイナメ釣《つ》り

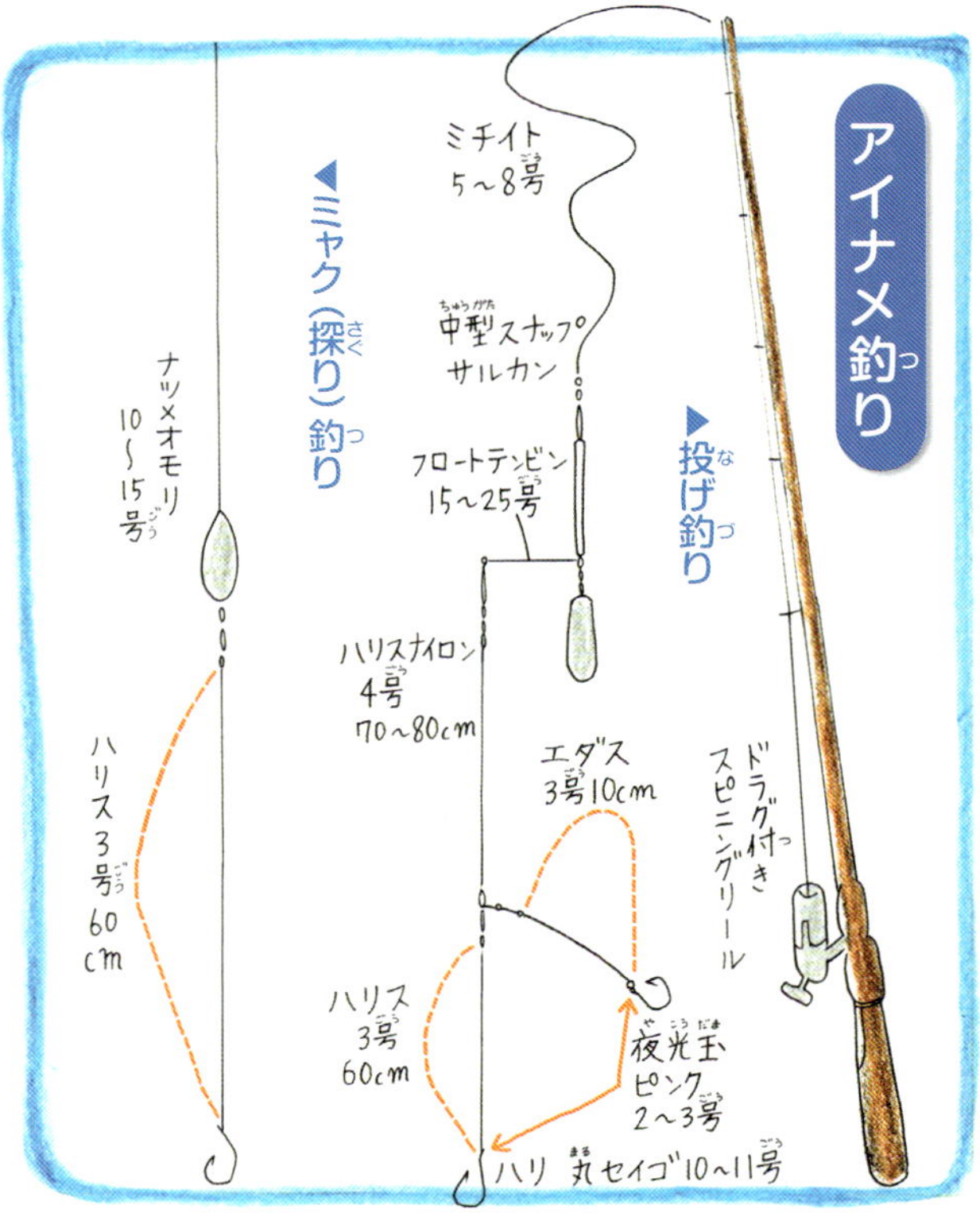

アイナメは上《うえ》から落《お》ちてくるエサに興味《きょうみ》を示《しめ》す魚《さかな》です。その習性《しゅうせい》からエサがゆらゆらと動《うご》いたほうが釣《つ》れることになります。投《な》げ釣《づ》りでは、エサを動《うご》かすためにハリスを長《なが》めにします。ここで根《ね》がかりを恐《おそ》れていては、アイナメはかかりません。ミヤク（探《さぐ》り）釣《つ》りもエサを浮《う》き上《あ》げやすくしてあります。

磯《いそ》釣《づ》りの釣《つ》り場《ば》と釣《つ》れる魚《さかな》を見《み》ておこう！

数《かず》ある海釣《うみづ》りのなかでも最《もっと》もダイナミックな釣《つ》りが「磯釣《いそづ》り」でしょう。波《なみ》しぶきが飛《と》ぶ磯《いそ》から巨大《きょだい》な魚《さかな》を釣《つ》り上《あ》げる楽《たの》しみがあるからです。美《うつく》しい海岸線《かいがんせん》のなかにある荒磯《あらいそ》の釣《つ》りでは、防波堤《ぼうはてい》などの人工物《じんこうぶつ》とは異《こと》なる自然《しぜん》そのものが釣《つ》り場《ば》になるのも魅力《みりょく》です。

磯《いそ》は潮《しお》の流《なが》れが複雑《ふくざつ》になりやすく、エサとなる小魚《こざかな》やそれを食《た》べにくる大魚《たいぎょ》まで、いろいろな魚《さかな》が集《あつ》まってきます。

上物《うわもの》と底物《そこもの》

磯釣《いそづ》りは、「上物《うわもの》」と呼《よ》ばれる中層《ちゅうそう》を泳《およ》ぐ魚《さかな》と「底物《そこもの》」と呼《よ》ばれる海底《かいてい》の岩《いわ》の間《あいだ》などにいる魚《さかな》の2つに分《わ》けることができます。上物《うわもの》には、ヒラマサやシマアジという回遊魚《かいゆうぎょ》や磯釣《いそづ》りの代表的《だいひょうてき》な魚《さかな》といわれているメジナやクロダイなどがいます。

底物《そこもの》の代表的《だいひょうてき》な魚《さかな》といわれているのがイシダイ、クエ、イシガキダイなどです。いずれも巨大《きょだい》で引《ひ》きも強《つよ》いが、なかなか釣《つ》れないことで評判《ひょうばん》にもなる魚《さかな》です。

ふたつの磯《いそ》釣《づ》り

磯《いそ》で釣《つ》れる魚《さかな》

磯《いそ》の釣《つ》り場《ば》には、陸続《りくつづ》きの「地磯《じいそ》」といわれるものに対《たい》し、「離《はな》れ磯《いそ》」といわれる、渡《わた》し船《ぶね》を使《つか》って行《い》く磯《いそ》があります。

磯釣《いそづ》りの仕《し》かけ

上物《うわもの》の釣《つ》りは、一般的《いっぱんてき》にはウキ釣《づ》りになります。ウキの種類《しゅるい》は狙《ねら》う魚《さかな》によって違《ちが》ってきます。また、底物《そこもの》の仕《し》かけには、底物用《そこものよう》のサオや両軸受《りょうじくう》けリールを使《つか》うのが一般的《いっぱんてき》です。

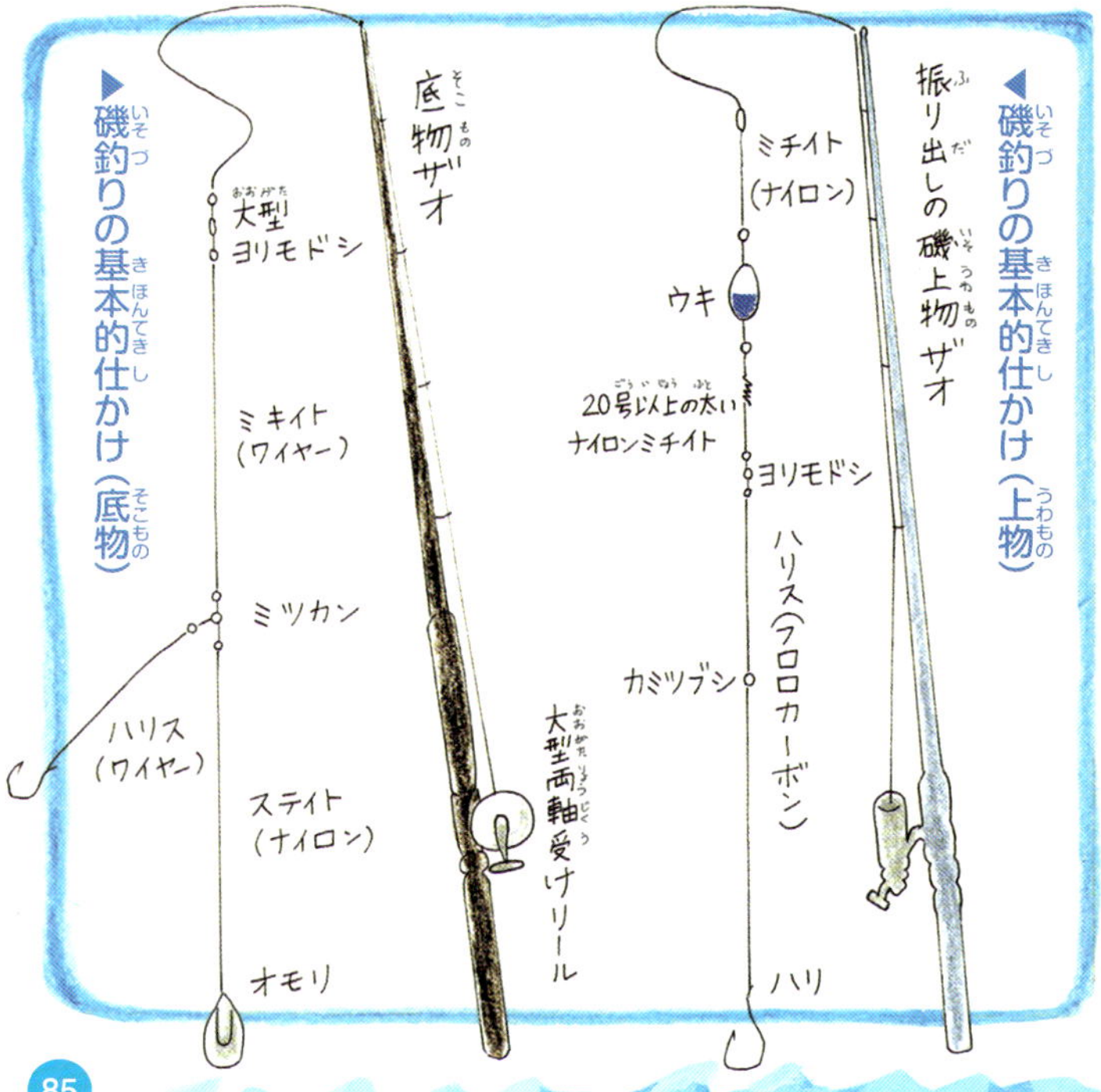

磯《いそ》釣《づ》りの安全《あんぜん》対策《たいさく》

楽《たの》しい釣《つ》りでも、海《うみ》や川《かわ》、湖沼《こしょう》など自然《しぜん》と向《む》き合《あ》っているだけで危険《きけん》はつきまとっています。どのような釣《つ》りでも安全対策《あんぜんたいさく》は大切《たいせつ》ですが、なかでも磯釣《いそづ》りはほかの釣《つ》りに比《くら》べ危険度《きけんど》が高《たか》いので、釣《つ》り道具《どうぐ》を揃《そろ》えると同時《どうじ》に安全対策《あんぜんたいさく》のためのものが必要《ひつよう》になります。

磯釣《いそづ》りの安全《あんぜん》なスタイル

ライフジャケット（救命胴衣《きゅうめいどうい》）

海《うみ》に落《お》ちても体《からだ》が浮《う》くようにしてくれるライフジャケット。ある統計《とうけい》では着用率《ちゃくようりつ》がかなり低《ひく》いようです。命《いのち》にかかわることですので、必《かなら》ず着用《ちゃくよう》しましょう。また、船釣《ふなづ》りでは着用《ちゃくよう》が義務付《ぎむづ》けられています。子《こ》どもであれば、砂浜以外《すなはまいがい》の釣《つ》りにはすべて着用《ちゃくよう》するくらいの安全意識《あんぜんいしき》を持《も》ちましょう。

このほかでは、底《そこ》にスパイクがついた長靴《ながぐつ》も欠《か》かせません。グローブ、帽子《ぼうし》、季節《きせつ》によっては偏光《へんこう》グラス（乱反射《らんはんしゃ》をカットするのでウキや海中《かいちゅう》が見《み》やすい）も大事《だいじ》な備品《びひん》になります。

磯釣《いそづ》り注意《ちゅうい》ポイント

- 事前《じぜん》の天気予報《てんきよほう》、気象情報《きしょうじょうほう》のチェック
- 「ヨタ波《なみ》」「一発大波《いっぱつおおなみ》」などと呼《よ》ばれる高波《たかなみ》への警戒《けいかい》(イラスト参照《さんしょう》)。また、晴《は》れているのに釣《つ》り場《ば》が濡《ぬ》れているときは、高波《たかなみ》があった証拠《しょうこ》なので、その場《ば》に近《ちか》づかない
- 天候《てんこう》が悪《わる》い方《ほう》へ急変《きゅうへん》してきたときは、すぐに釣《つ》りをやめましょう
- たとえ暑《あつ》くても、ライフジャケットは絶対《ぜったい》に脱《ぬ》がないこと

ワンポイント情報《じょうほう》

潮《しお》の満《み》ち干《ひ》

海《うみ》が月《つき》の引力《いんりょく》を受《う》けて、潮《しお》が満《み》ちたり、引《ひ》いたりする潮汐《ちょうせき》が繰《く》り返《かえ》されます。釣《つ》りは大潮《おおしお》がねらい目《め》といわれ、満月《まんげつ》、新月《しんげつ》の前後数日間《ぜんごすうじつかん》を大潮《おおしお》といいます。

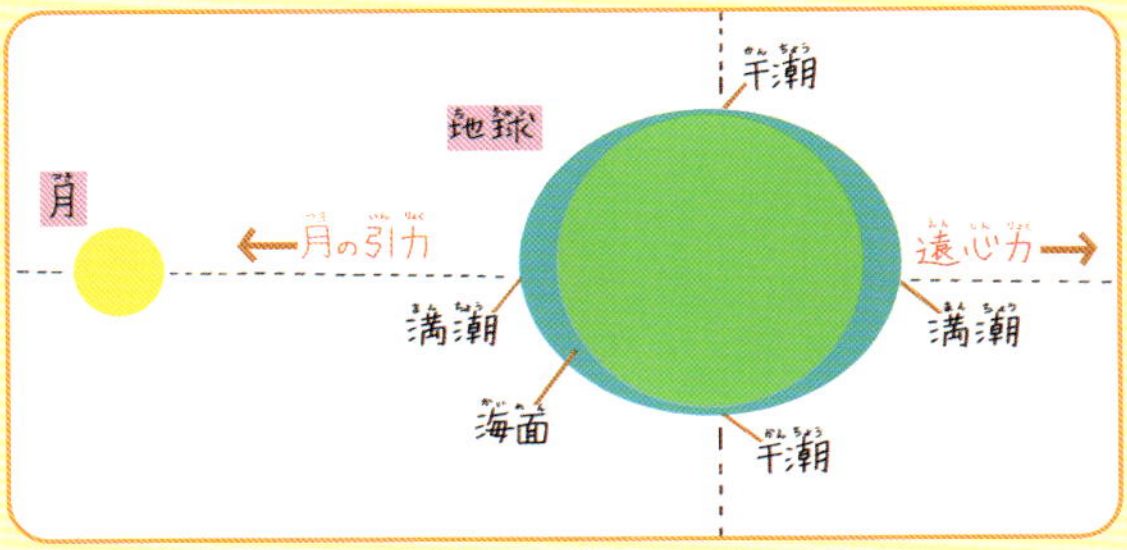

潮汐《ちょうせき》については図《ず》で表《あらわ》しています。月《つき》の引力《いんりょく》は大《おお》きく、地球《ちきゅう》の中心《ちゅうしん》と月《つき》を結《むす》んだ方向《ほうこう》の海面《かいめん》は最大《さいだい》になり、海面《かいめん》が吸《す》い寄《よ》せられます。また、真裏側《まうらがわ》でも公転《こうてん》による遠心力《えんしんりょく》によって潮流《ちょうりゅう》が起《お》こります。このときに潮位《ちょうい》(海《うみ》の高《たか》さ)が最大《さいだい》になるのが「満潮《まんちょう》」です。これに対《たい》し90度《ど》の位置関係《いちかんけい》にある海面《かいめん》は、潮位《ちょうい》が最小《さいしょう》となり「干潮《かんちょう》」となります。なお、地球《ちきゅう》は1日《にち》1回《かい》の自転《じてん》をしているので、1日《にち》2回《かい》、満潮《まんちょう》と干潮《かんちょう》が起《お》こります。これらの現象《げんしょう》を潮汐《ちょうせき》と呼《よ》んでいます。

大潮《おおしお》は、月《つき》と地球《ちきゅう》と太陽《たいよう》の位置《いち》が一直線《いっちょくせん》に並《なら》んだときに起《お》きます。

ウミタナゴ

分布《ぶんぷ》 ほぼ日本全国《にほんぜんこく》の沿岸《えんがん》に生息《せいそく》します。岩礁地帯《がんしょうちたい》の海草《かいそう》の多《おお》いところを好《この》み、冬《ふゆ》から春《はる》にかけて産卵《さんらん》のために接岸《せつがん》し、3~86匹《ぴき》の子《こ》を産《う》みます。

特徴《とくちょう》

比較的《ひかくてき》に小《ちい》さな魚《さかな》で、体長《たいちょう》は平均《へいきん》20㎝ほど最大《さいだい》で30㎝程度《ていど》。生息環境《せいそくかんきょう》で体色《たいしょく》はアカ、銀色《ぎんいろ》など異《こと》なります。磯《いそ》だけではなく防波堤《ぼうはてい》で釣《つ》ることもできます。

磯釣《いそづ》りの豪快《ごうかい》さとは合《あ》わない小型《こがた》の魚《さかな》ですが、その分《ぶん》、子《こ》どもにも親《した》しみやすく、数《かず》も釣《つ》れる魚《さかな》です。磯場《いそば》といっても波《なみ》の穏《おだ》やかな場所《ばしょ》や「小磯《こいそ》」と呼《こ》ばれるような浅《あさ》い場所《ばしょ》に群《む》れているので、磯釣《いそづ》りの入門《にゅうもん》に最適《さいてき》です。

道具《どうぐ》と仕《し》かけ

ウミタナゴ釣《つ》りのカギはウキにあります。そのウキの違《ちが》いにより「シモリ仕《し》かけ」と「円錐《えんすい》ウキ仕《し》かけ」があります。シモリとは沈《しず》むという意味《いみ》で、玉《たま》ウキのいくつかを水面下《すいめんか》に沈《しず》めておき、そのウキ同士《どうし》の間隔《かんかく》の変化《へんか》でアタリを察知《さっち》します。円錐《えんすい》ウキはそれ自体《じたい》に重《おも》さがあるので、投《な》げやすくイト絡《がら》みをしにくいメリットがあります。メジナなどのウキフカセ釣《つ》りでは遊動式《ゆうどうしき》ですが、ウミタナゴ釣《つ》りではウキは固定《こてい》しておきます。

なお、サオはどちらもリールは使《つか》わないノベザオでもOKです。

エサ

ジャリメとスナメが一番使《いちばんつか》われているようです。ジャリメは小《ちい》さく切《き》ってつける方《ほう》が喰《く》いがいいようです。このほか、アミ、モエビなども使《つか》われますが、口《くち》の小《ちい》さな魚《さかな》であることは知《し》っておきま

しょう。なお、コマセには冷凍《れいとう》アミを使《つか》います。

釣《つ》り方《かた》

玉《たま》ウキは2〜3個《こ》が水面《すいめん》に出《で》るようにオモリを調整《ちょうせい》します。

円錐《えんすい》ウキをヨウジで固定《こてい》

円錐《えんすい》ウキにミチイトを通《とお》したら下《した》からツマヨウジをさして固定《こてい》します。玉《たま》ウキも同《おな》じです。

ポイント

コマセの使《つか》い方《かた》が重要《じゅうよう》です。冷凍《れいとう》アミのコマセをまくと、活性《かっせい》が高《たか》いときなら、ウミタナゴは底《そこ》から上《あ》がってきます。コマセの煙幕《えんまく》のなかにエサのついた仕《し》かけを静《しず》かに入《い》れます。ハリスはできるだけ細《ほそ》く、ハリも小《ち》さめにし、エサでハリ先《さき》を隠《かく》し、魚《さかな》に見破《みやぶ》られないようにすることもポイントです。

ウミタナゴ釣《つ》り

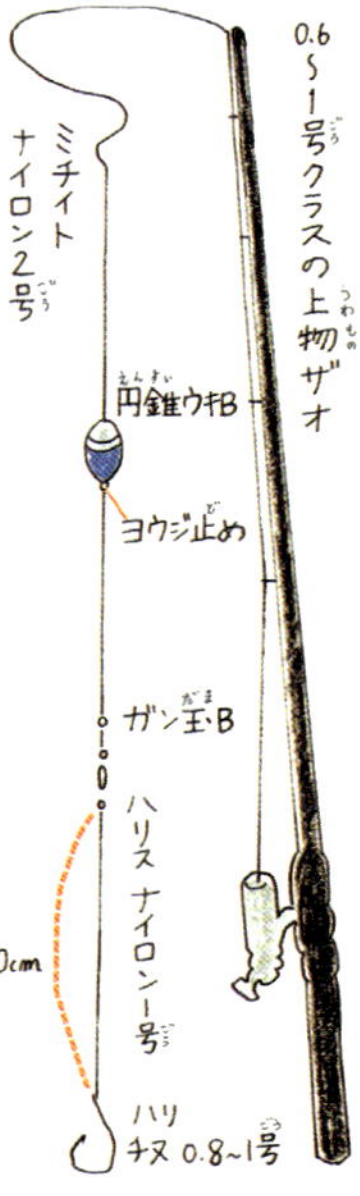

▲円錐《えんすい》ウキ仕《し》かけ

▼シモリ仕《し》かけ

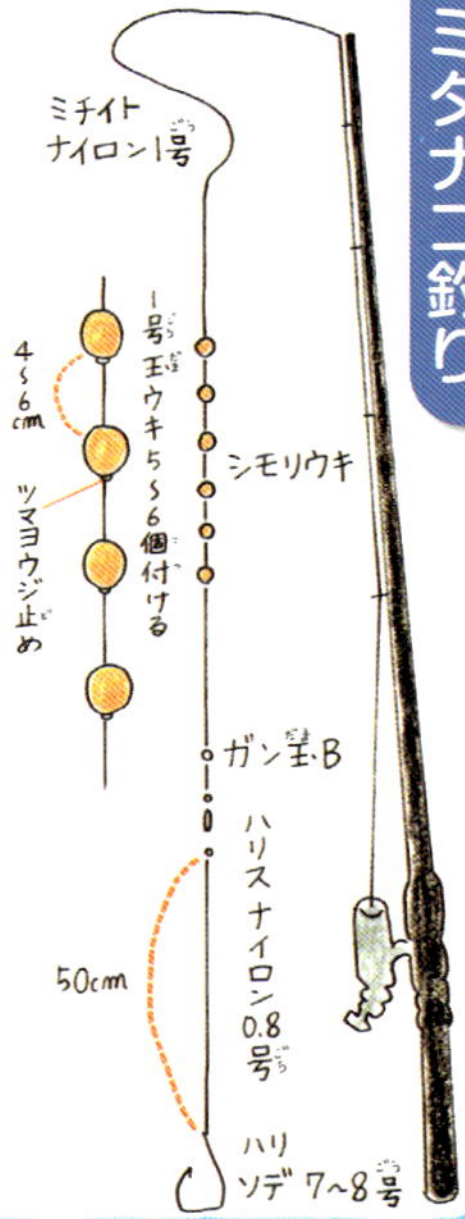

ブダイ

分布《ぶんぷ》 南方系《なんぽうけい》の魚《さかな》です。日本《にほん》の南太平洋沿岸《みなみたいへいようえんがん》、琉球列島《りゅうきゅうれっとう》や小笠原諸《おがさわらしょ》島《とう》などに分布《ぶんぷ》します。サンゴや海藻類《かいそうるい》を食《た》べる変《か》わった魚《さかな》で、岩礁《がんしょう》地帯《ちたい》を好《この》みます。

特徴《とくちょう》
オスは大《おお》きくて青《あお》みがあり、メスは小《ちい》さくて赤《あか》みが強《つよ》いのが一般的《いっぱんてき》です。口《くち》はオウムのくちばしに似《に》ています。フィジーなど南《みなみ》の島《しま》では重要《じゅうよう》な食用種《しょくようしゅ》。

ブダイのエサは、ほうれん草《そう》やハンバノリという植物《しょくぶつ》であることが変《か》わっています。見《み》た目《め》も美《うつく》しいという部類《ぶるい》には入《はい》りませんが、煮付《につ》けるとおいしいという評判《ひょうばん》もあります。この釣《つ》りは12～2月《がつ》という冬《ふゆ》が中心《ちゅうしん》になります。

道具《どうぐ》と仕《し》かけ

ウキ釣《づ》りとぶっこみ釣《づ》りの2つがあります。ウキ釣《づ》りには専用《せんよう》のブダイウキをつけますが、これはブダイのタナが深《ふか》いので深《ふか》くエサを沈《しず》めるために重《おも》いオモリを使《つか》うためです。重《おも》いオモリを使《つか》い投《な》げたままにしてアタリを待《ま》つ、ぶっこみ釣《づ》りは2本《ほん》バリにします。

エサ

草食性《そうしょくせい》のブダイのエサは、ほうれん草《そう》やハンバノリまた磯《いそ》ガニも使《つか》います。ハンバノリは、冬場《ふゆば》、満潮《まんちょう》のときに波《なみ》をかぶる付近《ふきん》の岩《いわ》に生《は》えています。干潮《かんちょう》のときに採取《さいしゅ》します。コマセにはほうれん草《そう》のゆでたものを刻《きざ》んで使《つか》います。

ポイント

海底《かいてい》が岩礁《がんしょう》のところがポイントです。深《ふか》い場所《ばしょ》では15m以上《いじょう》沈《しず》めることもありますので、正確《せいかく》な

エサの作《つく》り方《かた》と付《つ》け方《かた》

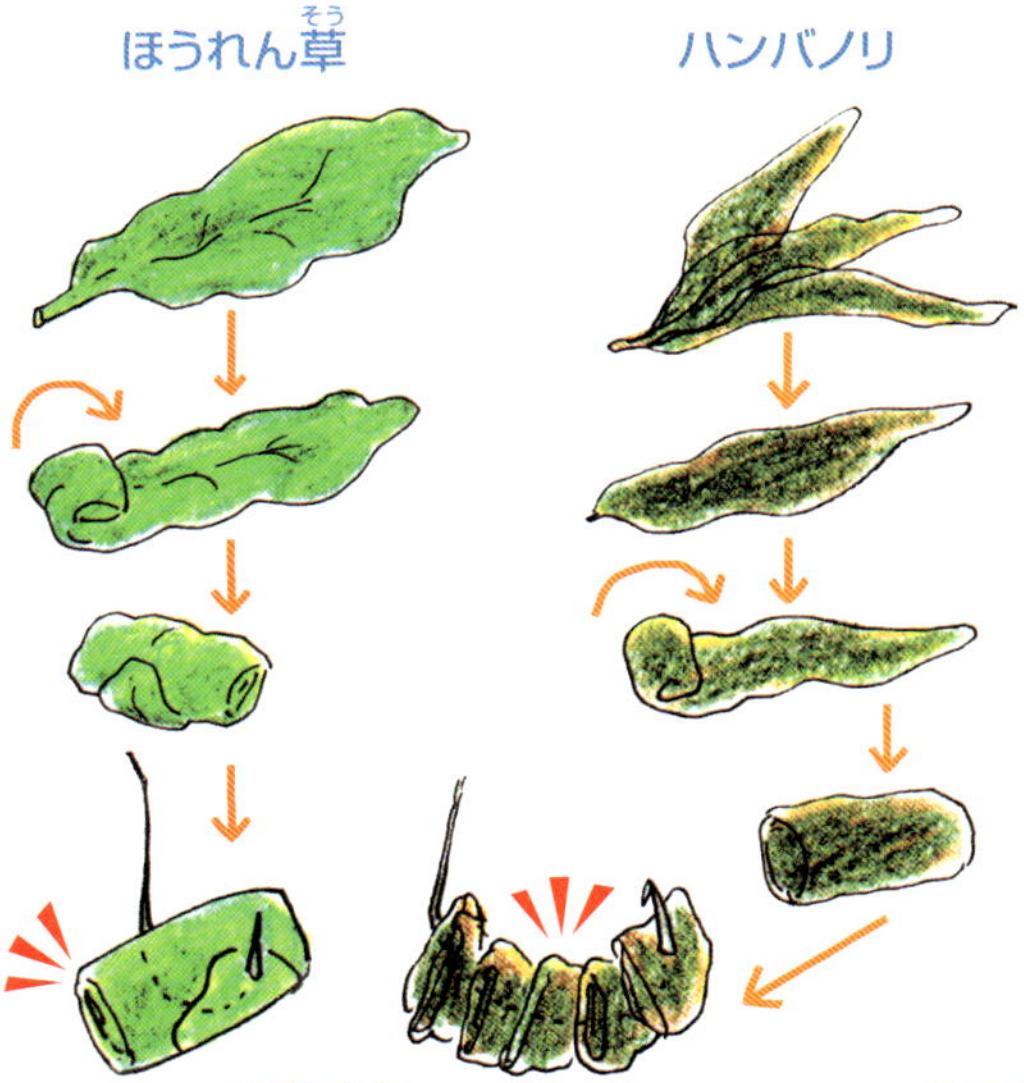

釣《つ》り方《かた》

コマセにアワセて、
底近《そこちか》くにエサを
送《おく》り込《こ》みます。

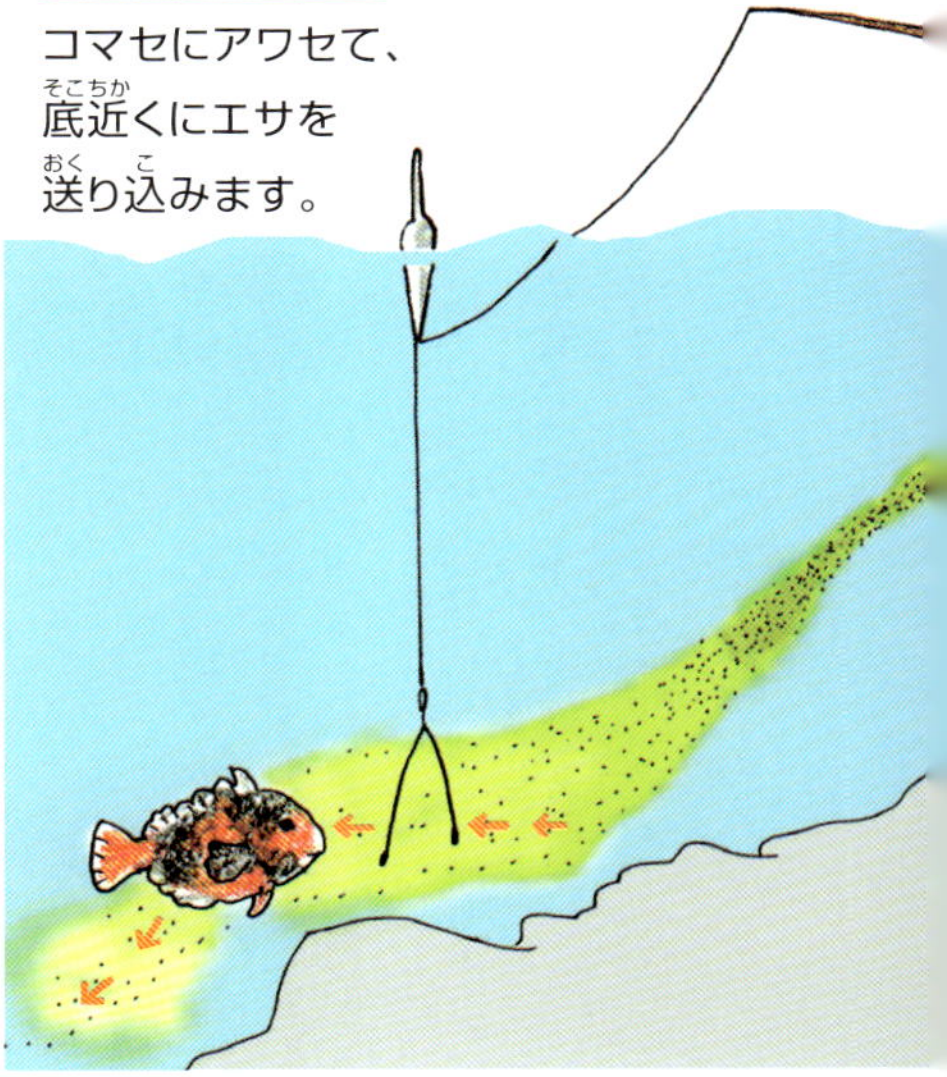

ブダイ釣《つ》り

水深《すいしん》を早《はや》くとらえて、ウキ下《した》をアワセることが大切《たいせつ》です。

コマセは沖《おき》に投《な》げても沈《しず》まないので、足元《あしもと》からまいて底《そこ》の方《ほう》へ沈《しず》めていきます。

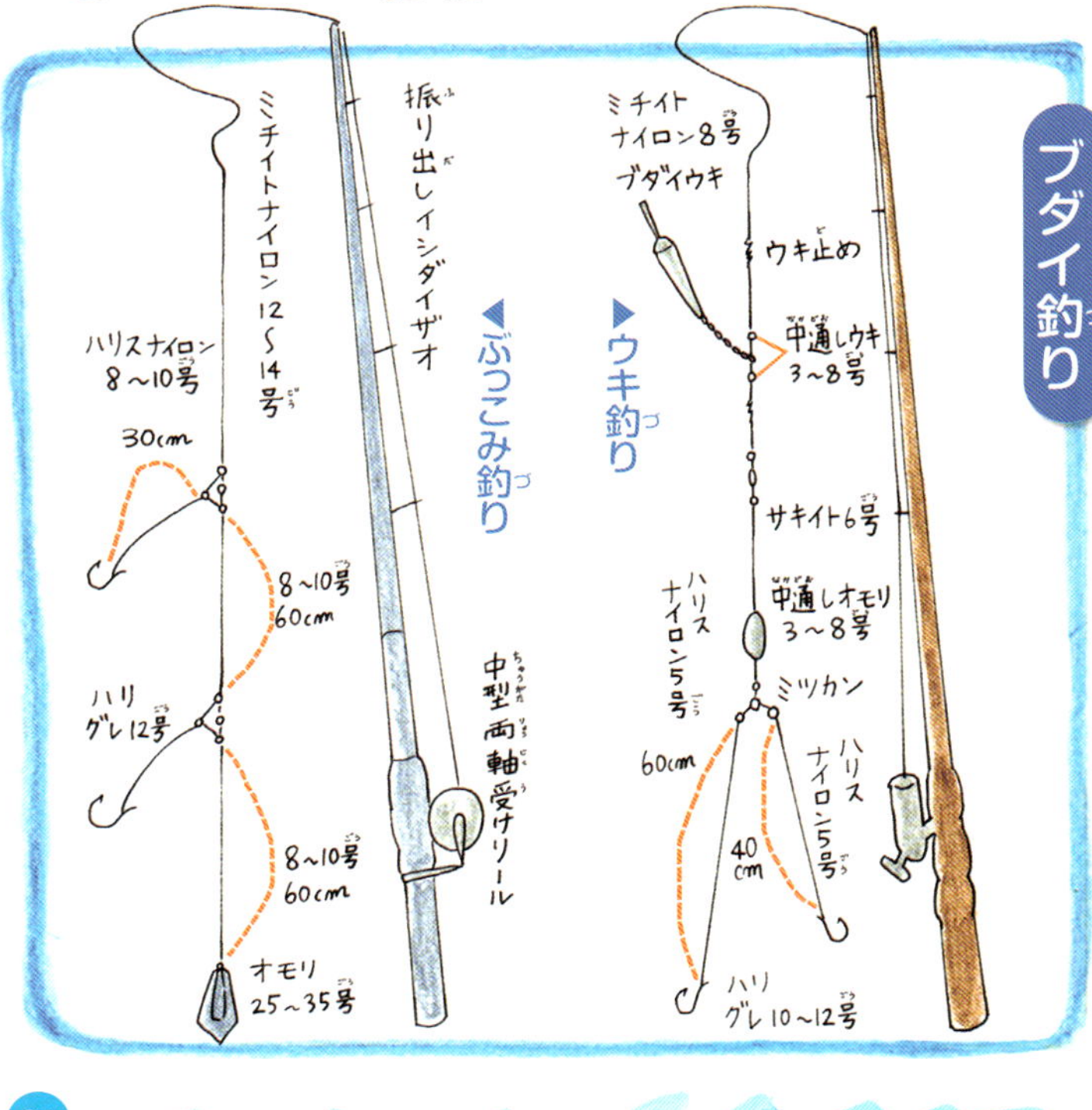

磯《いそ》釣《づ》りのなかで最《もっと》も豪快《ごうかい》な釣《つ》りといわれるイシダイ釣《つ》り。釣《つ》り場《ば》選《えら》びを含《ふく》め、釣《つ》るのにお金《かね》がかかるという意見《いけん》や世《よ》の中《なか》でむずかしい釣《つ》りといわれるほどのものではない、という意見《いけん》もあります。磯《いそ》の王者《おうじゃ》・イシダイならではの話《はなし》です。

イシダイ

分布《ぶんぷ》 北海道以南《ほっかいどういなん》の各地《かくち》に生息《せいそく》する、大型《おおがた》の肉食魚《にくしょくぎょ》。成魚《せいぎょ》で全長《ぜんちょう》50㎝、まれに70㎝クラスのものがいます。暖流《だんりゅう》の岩礁域《がんしょういき》で高《たか》くも低《ひく》くもない水温《すいおん》を好《この》みます。

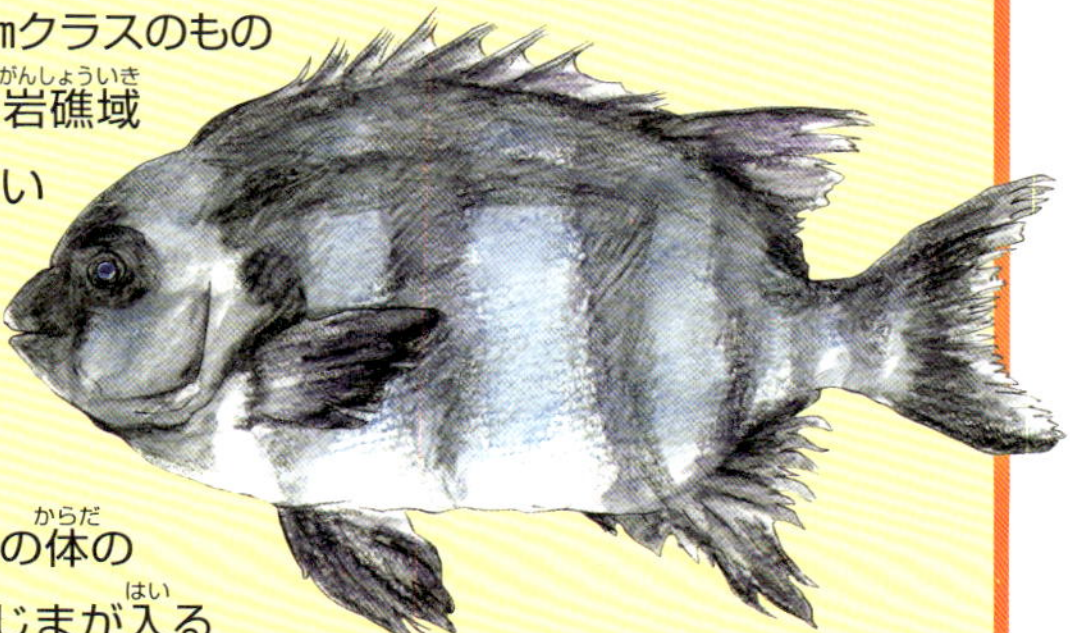

特徴《とくちょう》
基本的《きほんてき》には、白地《しろじ》の体《からだ》の色《いろ》に7本《ほん》の太《ふと》い横《よこ》じまが入《はい》る美《うつく》しい姿《すがた》。幼魚《ようぎょ》や若魚《わかうお》では、横《よこ》じまが鮮明《せんめい》。地域《ちいき》によっては若魚《わかうお》をシマダイ、サンバソウと呼《よ》びます。

道具《どうぐ》と仕《し》かけ

仕《し》かけには「捨《す》てオモリ式《しき》」と「南方釣《なんぼうづ》り」（宙釣《ちゅうづ》り）があります。捨《す》てオモリ式《しき》は根《ね》がかりしたときにオモリを切《き》って仕《し》かけを回収《かいしゅう》するもの。南方釣《なんぼうづ》りは、サオを手《て》に持《も》って釣《つ》るためオモリの位置《いち》が違《ちが》います。イシダイ釣《つ》りの仕《し》かけの特徴《とくちょう》は、ワイヤーを使《つか》うことです。これはイシダイの強《きょう》じんな歯《は》から仕《し》かけを守《まも》り、同時《どうじ》に釣《つ》り上《あ》げるために使《つか》うものです。

エサ

地域《ちいき》によって異《こと》なりますが関東《かんとう》では、サザエ、トコブシ、ヤドカリ、カニ、など。南方釣《なんぼうづ》りでは、アカガイのむき身《み》やカニやウニなどが使《つか》われます。

ポイント

潮《しお》が正面《しょうめん》から当《あ》たってくるところで、くぼみのような隠《かく》れる場所《ばしょ》があるところが狙《ねら》い目《め》になります。アタリは三段引《さんだんび》きといわれています。

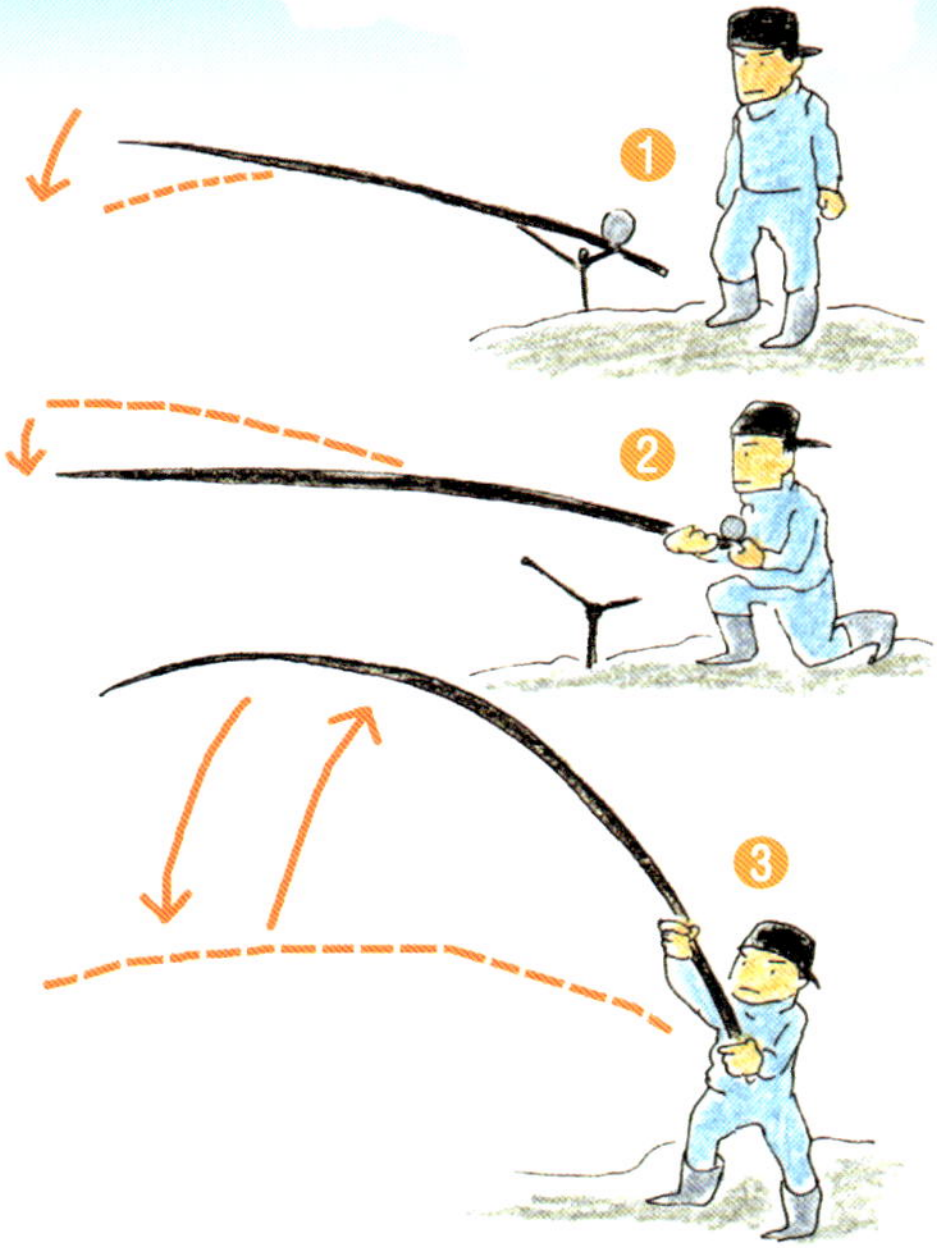

イシダイの三段引《さんだんび》き

❶前《まえ》アタリ

サオ先《さき》がコツンと下《さ》がります。

❷押《お》さえ込《こ》み

さらにサオ先《さき》が下《さ》がったら、ピトン（サオ置《お》き）からサオをはずし、サオ先《さき》を下《さ》げたり、イトを送《おく》ったりします。

❸本《ほん》アタリ

ハリに完全《かんぜん》にかかり、ギューンと引《ひ》き込《こ》まれたら力《ちから》いっぱいアワセます。またはイシダイが走《はし》った場合《ばあい》は待《ま》ってからアワセてもいい。

※初《はじ》めは置《お》きザオからイシダイ釣《つ》りをはじめ、イシダイの引《ひ》きなどを学《まな》んでから、手持《ても》ちのサオを使《つか》う方《ほう》がうまくなる早道《はやみち》のようです。

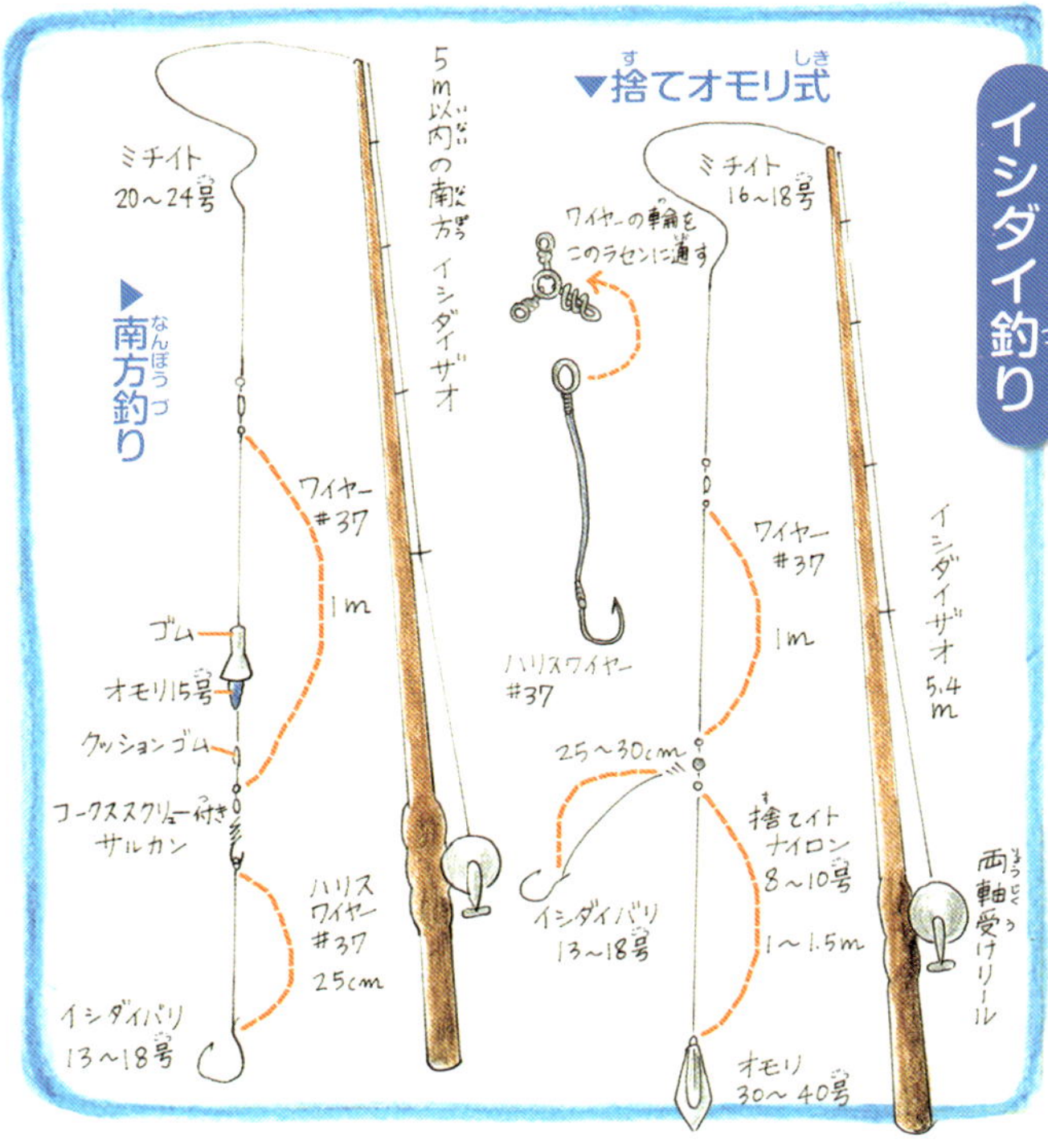

ハリとハリスワイヤー

①ハリ穴《あな》にワイヤーを通《とお》します

②輪《わ》にして2本《ほん》ヨリにします

③ねじって完成《かんせい》

フィッシング・豆知識《まめちしき》 vol.3

潮目《しおめ》ってなあ～に？

「潮目《しおめ》をねらって、仕《し》かけを入《い》れましょう」とよくいいますが、その潮目《しおめ》ってなんでしょうか?

●潮目《しおめ》とは

本来《ほんらい》は、異《こと》なる海流《かいりゅう》がぶつかる場所《ばしょ》のことで、日本海《にほんかい》の黒潮《くろしお》と親潮《おやしお》がぶつかる三陸沖《さんりくおき》などをいいます。

釣《つ》りの世界《せかい》では、性質《せいしつ》の異《こと》なる海水域《かいすいいき》の境目《さかいめ》も「潮目《しおめ》」といいます。たとえば、沖《おき》から入《はい》ってくる潮流《ちょうりゅう》とその周辺《しゅうへん》の水域《すいいき》の境目《さかいめ》なども潮目《しおめ》です。これは、海流《かいりゅう》の影響《えいきょう》をほとんど受《う》けない沿岸《えんがん》や港内《こうない》にもできます。防波堤《ぼうはてい》にできる潮目《しおめ》の例《れい》はイラストで示《しめ》しています。

これらの潮目《しおめ》は、海流《かいりゅう》によって起《お》こるのではなく、潮流《ちょうりゅう》によって起《お》こるため、その位置《いち》は刻々《こくこく》と変《か》わり、また消《き》えたりします。

この潮目《しおめ》がよい釣《つ》り場《ば》になる理由《りゆう》は、海底《かいてい》のプランクトンなどが潮《しお》の流《なが》れで動《うご》き、それを食《た》べようとする小魚《こざかな》などの動《うご》きが活発《かっぱつ》になり、その小魚《こざかな》を食《た》べようとする大型《おおがた》の魚《さかな》も動《うご》きだすという仕組《しく》みによるものです。

※潮流《ちょうりゅう》は、海《うみ》の気象《きしょう》、地形《ちけい》、潮汐《ちょうせき》（沿岸《えんがん》の場合《ばあい》）などによって複雑《ふくざつ》に変化《へんか》します。

防波堤《ぼうはてい》にできる潮目《しおめ》の例《れい》

払《はら》い出《だ》し 打《う》ち寄《よ》せる波《なみ》により海流《かいりゅう》が合流《ごうりゅう》し、沖《おき》に向《む》かって流《なが》れていく所《ところ》

サラシ 波《なみ》がぶつかって白《しろ》い泡《あわ》がでる場所《ばしょ》

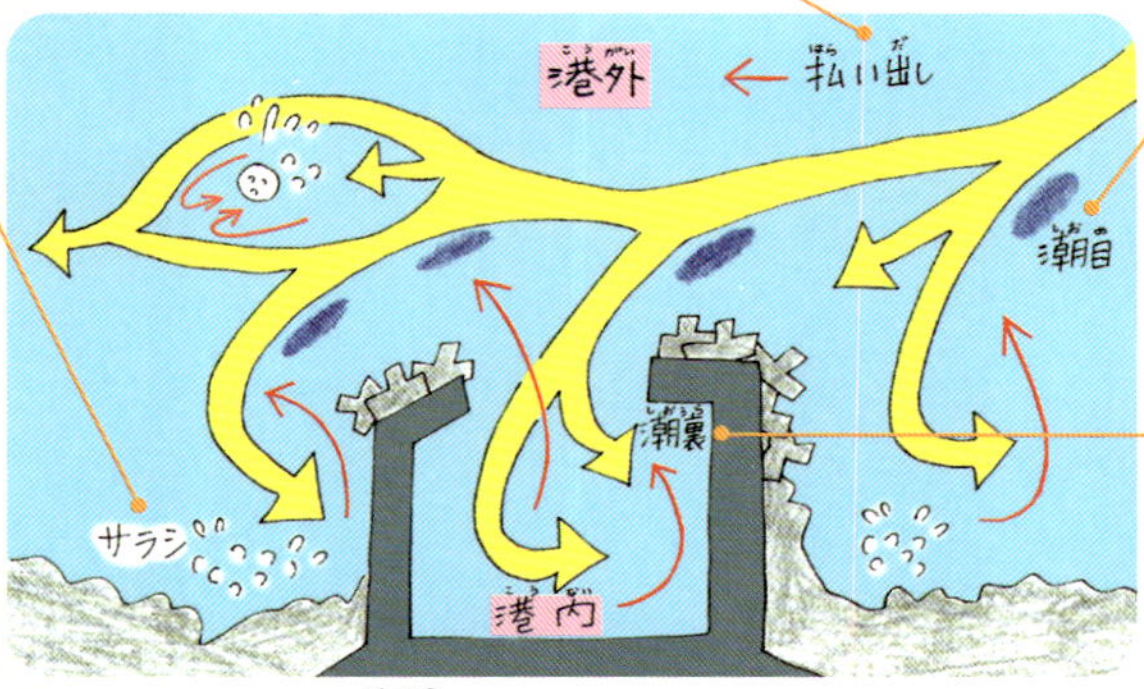

潮目《しおめ》 動《うご》く海面《かいめん》をさします

潮裏《しおうら》 動《うご》かない海面《かいめん》をさします

＊サラシも絶好《ぜっこう》のポイントになります

第《だい》4章《しょう》 船《ふな》釣《づ》り

船《ふな》釣《づ》りと水《すい》深《しん》による対《たい》象《しょう》魚《ぎょ》を知《し》ろう！

船《ふな》釣《づ》りの種《しゅ》類《るい》と予《よ》約《やく》

釣《つ》り船《ぶね》には大《おお》きく分《わ》けて、だれもが気《き》楽《らく》に乗《の》れる乗《の》り合《あ》いバスのような「乗《の》り合《あ》い」と個《こ》人《じん》が貸《か》し切《き》りで使《つか》う「仕《し》立《た》て」の2つがあります。

釣《つ》り船《ぶね》はどちらも基《き》本《ほん》的《てき》には予《よ》約《やく》しておくのが原《げん》則《そく》です。料《りょう》金《きん》や予《よ》約《やく》の状《じょう》況《きょう》を確《かく》認《にん》し、確《かく》実《じつ》に釣《つ》れているかなどを聞《き》いておきましょう。

船《ふね》の部《ぶ》分《ぶん》名《めい》称《しょう》

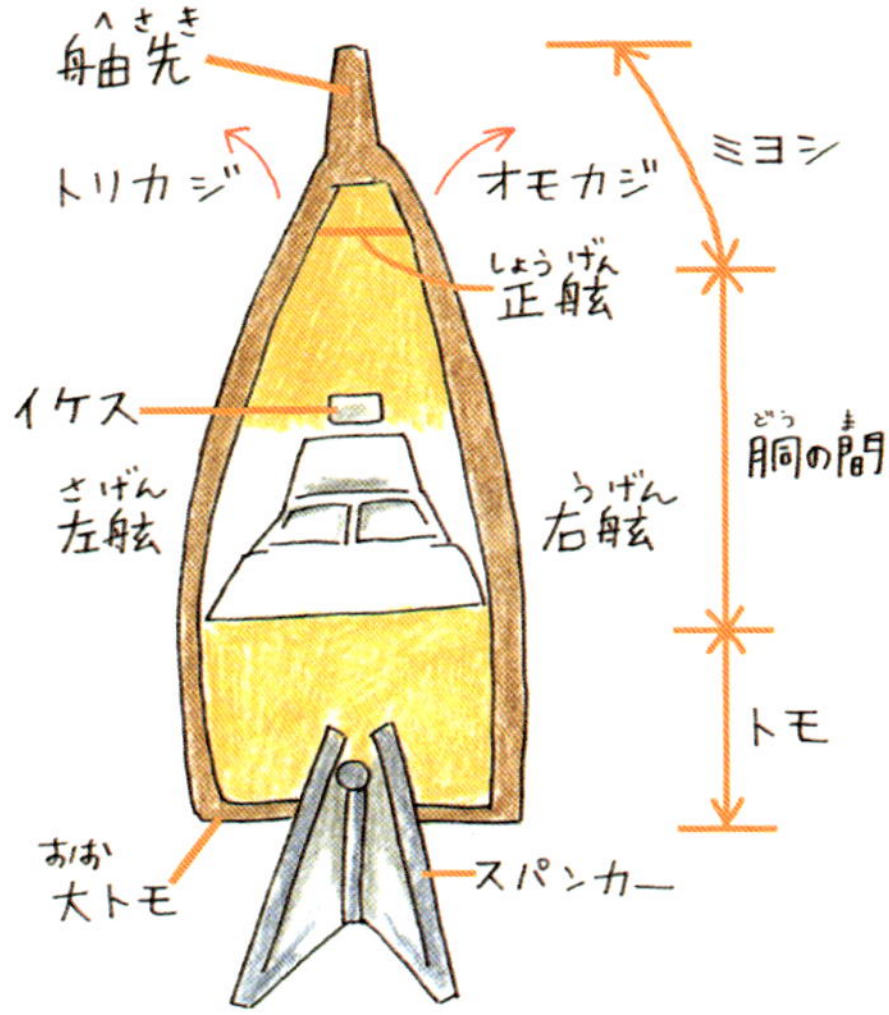

船《ふね》の部《ぶ》分《ぶん》名《めい》称《しょう》

船《ふね》に乗《の》る前《まえ》には、これらの名《めい》称《しょう》を覚《おぼ》えていることも大《たい》切《せつ》です。船《ふな》釣《づ》りでは自《じ》分《ぶん》が座《すわ》る席《せき》が決《き》められていることが多《おお》く、たとえば「ミヨシの2番《ばん》」と言《い》われてもわからないと困《こま》る場《ば》合《あい》もあるからです。

水《すい》深《しん》による対《たい》象《しょう》魚《ぎょ》のちがい

船《ふな》釣《づ》りは水《すい》深《しん》に合《あ》わせて「浅《あさ》場《ば》」「深《ふか》場《ば》（沖《おき》）」「深《しん》海《かい》」という区《く》分《ぶん》があります。浅《あさ》場《ば》は沿《えん》岸《がん》で水《すい》深《しん》50ｍ以《い》内《ない》くらいの場《ば》所《しょ》で、釣《つ》れる魚《さかな》も小《こ》物《もの》が多《おお》くなります。深《ふか》場《ば》は50ｍ〜100ｍ前《ぜん》後《ご》の水《すい》深《しん》で、かなり沖《おき》に出《で》ますので大《おお》型《がた》の魚《さかな》が狙《ねら》えます。なお、ここでは必《かなら》ずしも海《かい》底《てい》の魚《さかな》を釣《つ》るわけではなく、水《すい》面《めん》近《ちか》くを回《かい》遊《ゆう》している魚《さかな》を釣《つ》ることもあり、「沖《おき》の釣《つ》り」ともいわれます。深《しん》海《かい》は200ｍ以《い》上《じょう》、ときには1000ｍもの深《ふか》さまで狙《ねら》う釣《つ》りです。

水深《すいしん》と対象魚《たいしょうぎょ》

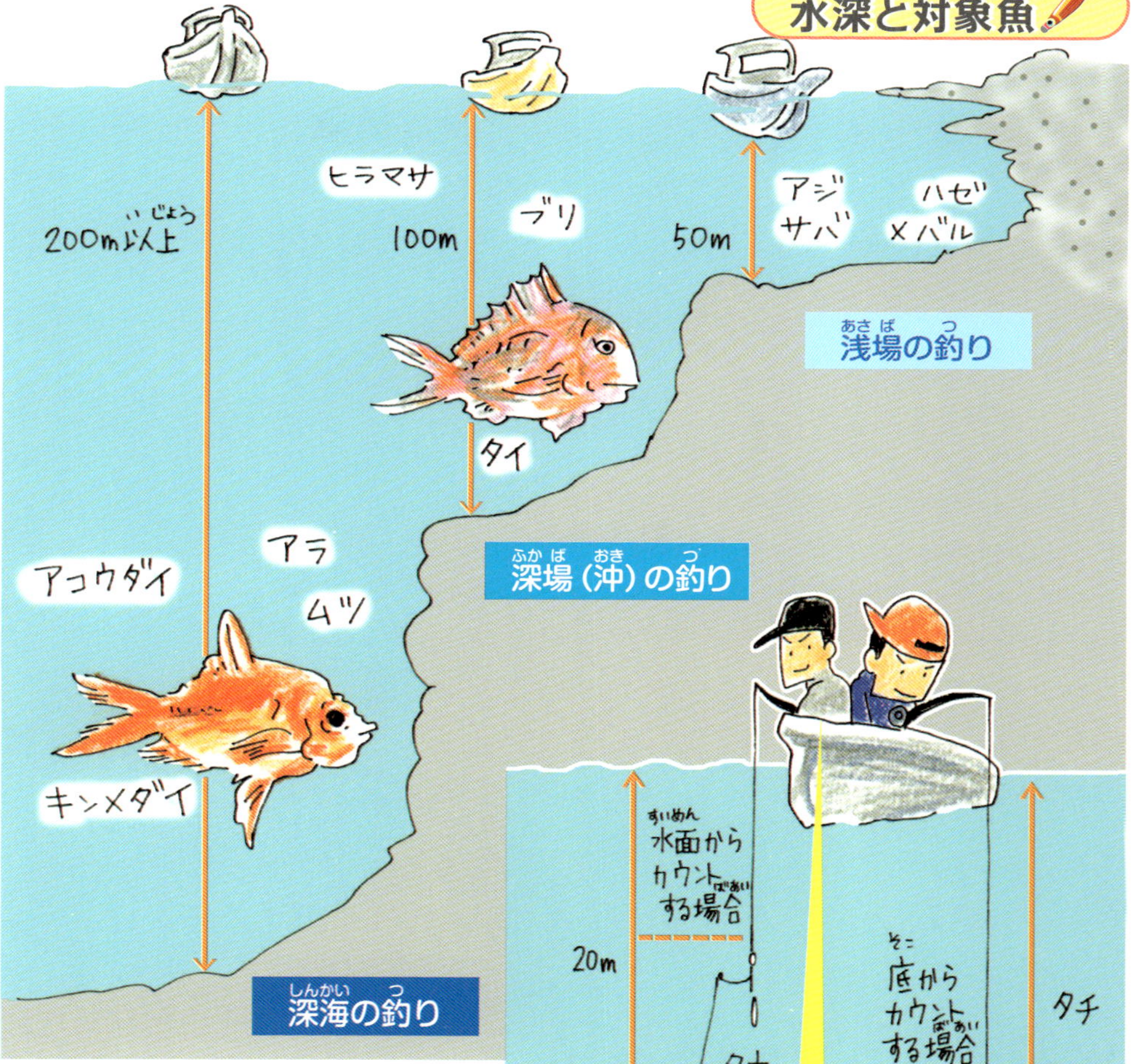

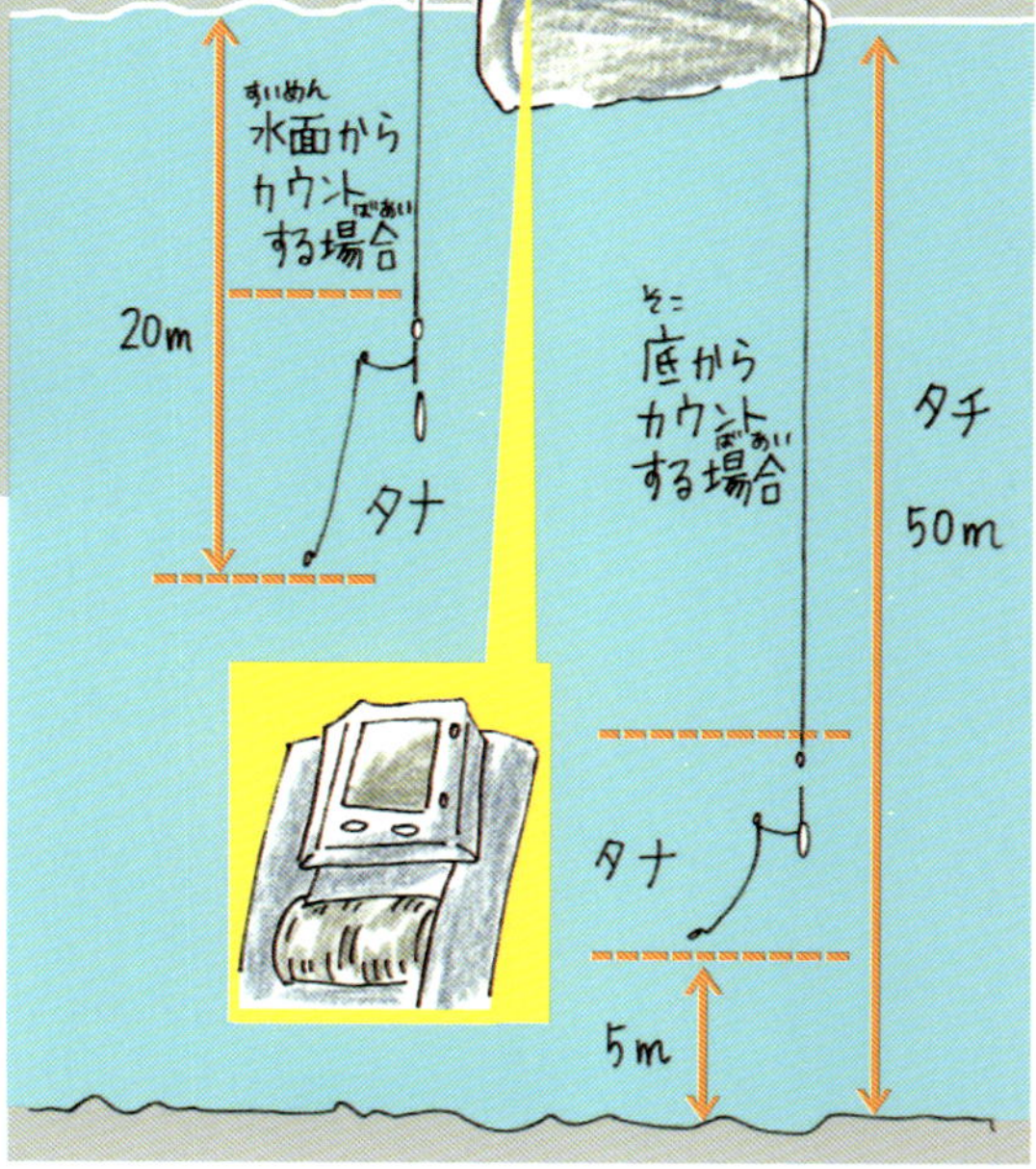

タチとタナ

底《そこ》からカウントする場合《ばあい》は例《たと》えば「タチは50m、タナは底《そこ》から5m」といいます。水面《すいめん》からカウントする場合《ばあい》は、リールのカウンター目盛《めも》りをゼロにリセットしてそのタナの長《なが》さ（20m）まで仕《し》かけを沈《しず》めます。

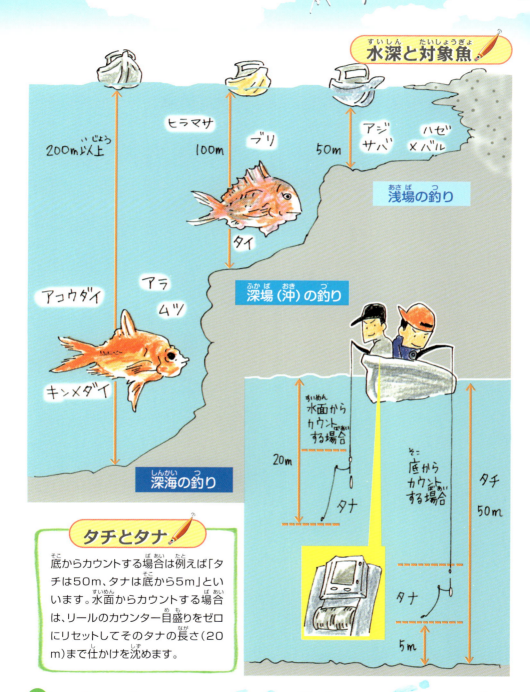

カワハギ

分布《ぶんぷ》

北海道以南《ほっかいどういなん》から沖縄《おきなわ》、さらに東《ひがし》シナ海《かい》まで広《ひろ》く生息《せいそく》します。南《みなみ》の方《ほう》が数多《かずおお》く分布《ぶんぷ》。岩礁底《がんしょうてい》に棲《す》んでいて、ゴカイ、クラゲ、貝類《かいるい》などをエサとしています。

特徴《とくちょう》

体《からだ》はひし形《がた》で平《ひら》たく、オチョボ口《くち》で頭部《とうぶ》には背《せ》ビレの1本《ぽん》がツノのように生《は》えています。全身《ぜんしん》が丈夫《じょうぶ》な皮膚《ひふ》でおおわれています。おいしい魚《さかな》として人気《にんき》が高《たか》いです。

アタリが小《ちい》さいので、釣《つ》るのがむずかしい魚《さかな》のひとつ。さらに口《くち》が小《ちい》さく、エサをかじりとってしまいます。浅場《あさば》の釣《つ》りの中《なか》でも技術《ぎじゅつ》が重要《じゅうよう》な釣《つ》りになります。

道具《どうぐ》と仕《し》かけ

オモリ負荷《ふか》は20号《ごう》〜30号《ごう》、この負荷《ふか》に合《あ》わせて2m前後《ぜんご》の先調子《さきちょうし》のサオに中型《ちゅうがた》の両軸受《りょうじくう》けリールを組《く》み合《あ》わせます。細《ほそ》いアタリに合《あ》わせるために、ミチイトには延《の》びの少《すく》ないポリエステル系《けい》のラインを使《つか》うのが一般的《いっぱんてき》です。

エサ

アサリのむき身《み》を使《つか》うのが一般的《いっぱんてき》です。アサリは半分《はんぶん》にして、ベロ（あさりの固《かた》い部分《ぶぶん》）にハリを刺《さ》すようにして、ハリが見《み》えないようにつけることが大切《たいせつ》です。

ポイント

カワハギのポイントは海底《かいてい》から1mぐらい上《うえ》のところ。仕《し》かけを一度海底《いちどかいてい》につけ、それからサオを上下《じょうげ》させます。5〜6回《かい》してアタリがなかったら、エサを確認《かくにん》しましょう。

マダイ

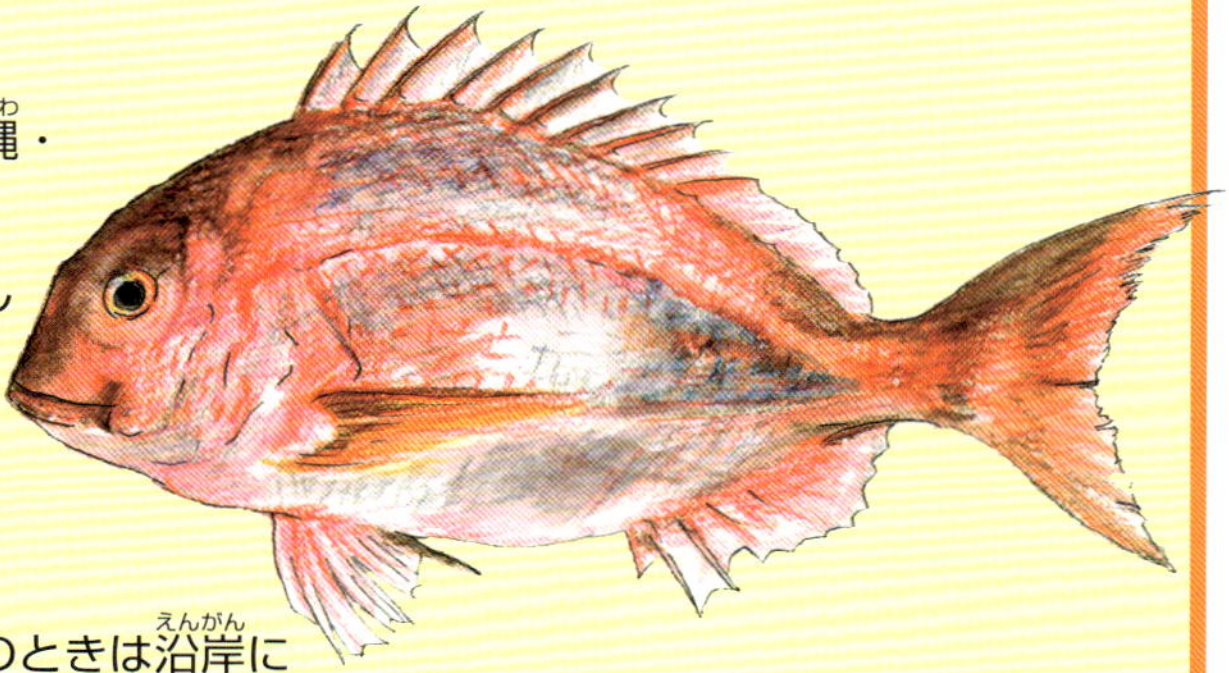

分布《ぶんぷ》

北海道以南《ほっかいどういなん》で沖縄《おきなわ》・奄美諸島《あまみしょとう》を除《のぞ》く日本各地《にほんかくち》に生息《せいそく》します。

特徴《とくちょう》

春《はる》に産卵《さんらん》し幼魚《ようぎょ》のときは沿岸《えんがん》に生息《せいそく》し、晩秋《ばんしゅう》に沖合《おきあ》いの水深《すいしん》30〜150mくらいの岩礁《がんしょう》まわりに移動《いどう》します。普通《ふつう》に「鯛《たい》」といえばマダイのことをいいます。「明石《あかし》の鯛《たい》」など瀬戸内海《せとないかい》で釣《つ》れるタイはブランド化《か》しています。魚《さかな》の味《あじ》がとっても美味《びみ》です。

マダイ釣《つ》りは潮流《ちょうりゅう》がはやく、複雑《ふくざつ》な岩礁帯《がんしょうたい》になっていることが多《おお》い、深場《ふかば》（沖《おき》）の釣《つ》り。オオダイを狙《ねら》う船釣《ふなづ》りでは、船頭《せんどう》さんの経験《けいけん》に頼《たよ》ることも大切《たいせつ》です。

道具《どうぐ》と仕《し》かけ

仕《し》かけで特徴的《とくちょうてき》なところは、ハリスを比較的《ひかくてき》長《なが》く出《だ》すことです。長《なが》い場合《ばあい》は10mもとることもありますが、乗《の》り合《あ》い船《ぶね》ではおまつりにならないようにしましょう。サオはオモリ負荷《ふか》30号《ごう》〜80号《ごう》の3m前後《ぜんご》のものを使《つか》います。

エサ

エビでタイを釣《つ》るといいますが、コマセ釣《づ》りが多《おお》くなっています。コマセはオキアミで、付《つ》けエサには、新鮮《しんせん》なオキアミ2匹《ひき》を抱《だ》き合《あ》わせで刺《さ》します。

ポイント

ポイントに着《つ》くと、船長《せんちょう》からタナは上《うえ》から何《なん》メートルという指示《しじ》がありますので、それにリールカウンターを合《あ》わせます。仕《し》かけを指示《しじ》より約《やく》5m深《ふか》く沈《しず》め、ここから再《ふたた》び5m巻《ま》き上《あ》げたところでサオを数回振《すうかいふ》って、コマセを出《だ》します。

キンメダイ

分布《ぶんぷ》

釧路沖以南《くしろおきいなん》の太平洋《たいへいよう》に生息《せいそく》。またキンメダイは全世界《ぜんせかい》の水深《すいしん》100～800mの深海《しんかい》にいる魚《さかな》でもあります。国内《こくない》では伊豆半島《いずはんとう》、高知県《こうちけん》や千葉県《ちばけん》の銚子《ちょうし》などでの漁獲《ぎょかく》が多《おお》いです。

特徴《とくちょう》

目《め》が金色《きんいろ》で魚体《ぎょたい》の色《いろ》が赤《あか》い深海魚《しんかいぎょ》。アコウダイとともに深海釣《しんかいづ》りの代表的《だいひょうてき》な魚《さかな》で、旬《しゅん》は冬《ふゆ》ですが、よく脂《あぶら》がのっているので四季《しき》を通《つう》じて人気《にんき》があります。

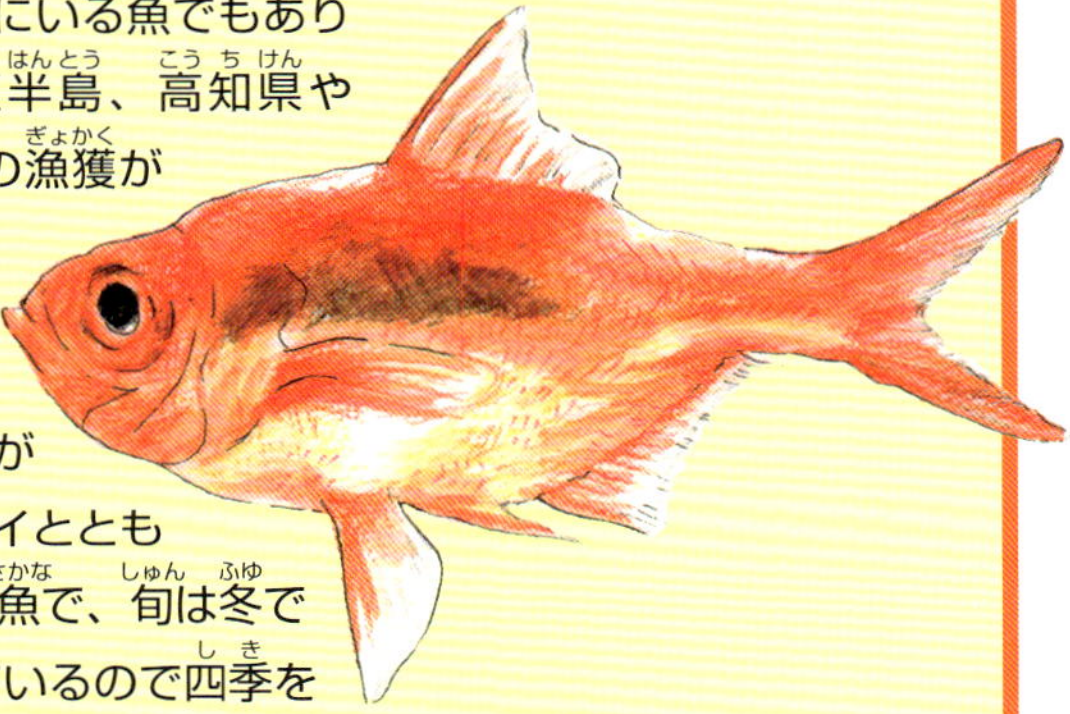

タナの変動《へんどう》が大《おお》きな魚《さかな》です。深海《しんかい》に生息《せいそく》しますが、時《とき》には水面《すいめん》まで上《あ》がってきます。水圧《すいあつ》の変化《へんか》に強《つよ》く、釣《つ》り上《あ》げても水面《すいめん》でハリがはずれ逃《に》げられることもあります。

道具《どうぐ》と仕《し》かけ

タナの幅《はば》が広《ひろ》いのでハリ数《かず》を多《おお》くした方《ほう》が有利《ゆうり》です。10本以上《ぽんいじょう》15本以内《ほんいない》を目安《めやす》にするとよいでしょう。仕《し》かけは降《お》ろすだけで絡《から》まってしまうことが多《おお》いため、専用《せんよう》の仕《し》かけ巻《ま》きにエサごとセットしておき、仕《し》かけを上《あ》げるごとに変《か》えた方《ほう》が効率的《こうりつてき》です。

エサ

魚《さかな》の大《おお》きさに合《あ》わせてエサの大《おお》きさを決《き》めることが重要《じゅうよう》です。代表的《だいひょうてき》なエサはサバ、サケハラス、スルメイカの短冊《たんざく》です。長《なが》さは8～12㎝、幅《はば》1・5㎝前後《ぜんご》にカットします。

ポイント

タナまで仕《し》かけを降《お》ろしたら、ひたすらアタリを待《ま》つだけです。2～3尾《び》で仕《し》かけを上《あ》げるのは効率《こうりつ》が悪《わる》いので、なるべくたくさん魚《さかな》を掛《か》けてから上《あ》げたほうがいいでしょう。

船《ふな》釣《づ》りを満《まん》喫《きっ》しよう

岸《きし》釣《づ》りよりもはるかに釣果《ちょうか》が期待《きたい》できる船釣《ふなづ》りですが、海上《かいじょう》での安全《あんぜん》や釣《つ》りを楽《たの》しむためには事前《じぜん》にしっかりとした情報《じょうほう》を知《し》ることが大切《たいせつ》です。また船釣《ふなづ》りは海《うみ》に出《で》てしまうと簡単《かんたん》には戻《もど》れないので荷物《にもつ》の準備《じゅんび》も重要《じゅうよう》です。船釣《ふなづ》りに挑戦《ちょうせん》する前《まえ》に知《し》っておきたい知識《ちしき》を紹介《しょうかい》します。

初心者《しょしんしゃ》は船宿《ふなやど》を利用《りよう》しよう

「船宿《ふなやど》」とは遊漁船《ゆうぎょせん》を運営《うんえい》している店《みせ》のことです。船宿《ふなやど》によって扱《あつか》う魚種《ぎょしゅ》が違《ちが》うので、事前《じぜん》に狙《ねら》ってみたい魚《さかな》や釣《つ》り方法《ほうほう》を決《き》めましょう。その後《あと》はネット検索《けんさく》や釣《つ》り雑誌《ざっし》などで条件《じょうけん》に合《あ》う船宿《ふなやど》を調《しら》べて予約《よやく》をします。その際《さい》に初心者《しょしんしゃ》であることを伝《つた》えることも大切《たいせつ》です。

釣《つ》りの準備《じゅんび》を万全《ばんぜん》に

予約《よやく》が完了《かんりょう》したら道具《どうぐ》の準備《じゅんび》です。船釣《ふなづ》りには多《おお》くはあった方《ほう》がよい釣《つ》り道具《どうぐ》がありますが、船宿《ふなやど》でレンタルが可能《かのう》で、船宿《ふなやど》のＨＰや予約《よやく》の際《さい》に、持《も》っていくべき道具《どうぐ》を確認《かくにん》しましょう。また船釣《ふなづ》りでは着用《ちゃくよう》が義務《ぎむ》づけられているライフジャケットをはじめ、安全対策《あんぜんたいさく》を考《かんが》えた服装《ふくそう》で向《む》かいましょう（→p86）。当日《とうじつ》は指定時間《していじかん》の30分前《ぷんまえ》に着《つ》くように余裕《よゆう》を持《も》って行動《こうどう》しよう。

現地《げんち》に着《つ》いたら座《すわ》る席《せき》（釣《つ》り座《ざ》→p96）を決《き》めますが、先着順《せんちゃくじゅん》やくじ引《び》きなど船《ふね》それぞれのルールがあります。船釣《ふなづ》りは座席《ざせき》によって釣果《ちょうか》が変《か》わるともいわれています。初心者《しょしんしゃ》は船長《せんちょう》の近《ちか》くの席《せき》だとアドバイスが貰《もら》いやすく、また船《ふね》の真《ま》ん中《なか》にあたるので揺《ゆ》れが少《すく》なく、船酔《ふなよ》いの対策《たいさく》にもなります。予約《よやく》の際《さい》に初心者《しょしんしゃ》であることを伝《つた》え、席決《せきぎ》めの方法《ほうほう》についても聞《き》いておきましょう。実際《じっさい》に海《うみ》に出《で》てからは船長《せんちょう》の指示《しじ》にしっかりと従《したが》えば、大《おお》きなトラブルもなく釣《つ》りを満喫《まんきつ》できるでしょう。

船釣《ふなづ》りに持《も》っていくとよい便利道具《べんりどうぐ》

サオやリールなど、釣《つ》りに必須《ひっす》のアイテム以外《いがい》にも船釣《ふなづ》りであったらよい道具《どうぐ》を紹介《しょうかい》。レンタルができないときは持《も》ち込《こ》むことも考《かんが》えよう。

●クーラーボックス

釣《つ》った魚《さかな》をおいしく食《た》べるのが釣《つ》りの醍醐味《だいごみ》。魚《さかな》を持《も》ち帰《かえ》るためにも、家《いえ》から飲《の》み物《もの》を持《も》っていくときにも重宝《ちょうほう》します。氷《こおり》は船宿《ふなやど》で販売《はんばい》していることが多《おお》い。

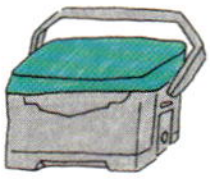

●長靴《ながぐつ》

船釣《ふなづ》りは海水《かいすい》がかかるので、足元《あしもと》は必《かなら》ず濡《ぬ》れてしまいます。防水以外《ぼうすいいがい》にも、揺《ゆ》れる船上《せんじょう》で体《からだ》をしっかりと支《ささ》えるため、グリップ力《りょく》の高《たか》い靴《くつ》を選《えら》びましょう。

●ハサミ

魚《さかな》の血抜《ちぬ》きをしたり、仕掛《しか》けを作《つく》ったり、オマツリした仕掛《しか》けを切《き》り取《と》ったりするなど非常《ひじょう》に用途《ようと》が多《おお》い道具《どうぐ》。

●プライヤー

魚《さかな》の口《くち》からハリを外《はず》すときや仕掛《しか》けを作《つく》ったりするときに便利《べんり》。先《さき》が長《なが》いロングノーズタイプがおすすめです。

●タオル

釣《つ》れた魚《さかな》をつかんだり、汚《よご》れを拭《ふ》き取《と》ったり、海《かい》水《すい》で濡《ぬ》れたものを拭《ふ》き取《と》ったりするのに使《つか》います。衛生面用《えいせいめんよう》のものと汚《よご》れてもいい用《よう》のタオル、最低《さいてい》2枚《まい》持《も》って行《い》くと便利《べんり》です。

●レインウエア

船《ふね》の上《うえ》では波《なみ》をかぶりますので、雨《あめ》が降《ふ》っていなくてもレインウエアがあると快適《かいてき》に過《す》ごせます。

●食料《しょくりょう》

基本的《きほんてき》に船上《せんじょう》での食《た》べ物《もの》や飲《の》み物《もの》の販売《はんばい》は行《おこな》っていません。船《ふね》に乗《の》っている時間《じかん》を計算《けいさん》し、必要《ひつよう》な分《ぶん》の食《た》べ物《もの》と飲《の》み物《もの》を乗船前《じょうせんまえ》に購入《こうにゅう》していきましょう。

●ビニール袋《ぶくろ》

濡《ぬ》れたタオルや仕掛《しか》けのゴミ、食《た》べ物《もの》や飲《の》み物《もの》のゴミなど、2～3枚《まい》持《も》っておくと何《なに》かと便利《べんり》です。

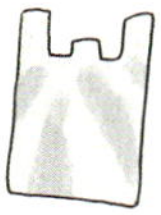

●ライフジャケット

磯釣《いそづ》りなどとは違《ちが》い、遊漁船《ゆうぎょせん》に乗《の》る人《ひと》は着用《ちゃくよう》が義務《ぎむ》づけられています。万《まん》が一落水《いちらくすい》したときにも、高《たか》い浮力《ふりょく》で体《からだ》が沈《しず》まないようにしてくれます。船《ふな》釣《づ》りをする際《さい》は必《かなら》ず着用《ちゃくよう》しましょう。

ワンポイント情報《じょうほう》

船釣《ふなづ》りのルールとマナー

乗《の》り合《あ》いの釣《つ》り船《ぶね》にはいろいろな人《ひと》が集《あつ》まります。他《ほか》の人《ひと》の迷惑《めいわく》にならないためにも集合時間《しゅうごうじかん》を守《まも》るといった最低限《さいていげん》のものから、暗黙《あんもく》の了解《りょうかい》のようなものもあります。例《たと》えば早《はや》い段階《だんかい》で魚《さかな》が釣《つ》れすぎてしまったときは、時間《じかん》を切《き》り上《あ》げて港《みなと》に戻《もど》ることなどが代表的《だいひょうてき》なものです。また当然《とうぜん》、知《し》らない人《ひと》同士《どうし》で隣《となり》合《あ》うことが多《おお》いため、乗船《じょうせん》する前《まえ》の挨拶《あいさつ》やコミュニケーションを取《と》ることも大事《だいじ》です。トラブルが起《お》きたときも一人《ひとり》で解決《かいけつ》しようとするのではなく、船長《せんちょう》やスタッフに指示《しじ》を聞《き》きましょう。ほかにも船《ふね》によって細《こま》かいルールなどがありますが、基本《きほん》は「分《わ》からなければ聞《き》く」を意識《いしき》すれば問題《もんだい》ありません。

第《だい》5章《しょう》 川《かわ》釣《づ》り

川《かわ》（湖沼《こしょう》）で釣《つ》れる魚《さかな》とその領域《りょういき》を見《み》ておこう

日本《にほん》は川《かわ》に恵《めぐ》まれた国《くに》です。川《かわ》の源流《げんりゅう》や最上流《さいじょうりゅう》から海《うみ》に近《ちか》い河口《かこう》まで、一本《いっぽん》の長《なが》い川《かわ》にはさまざまな魚《さかな》が生息《せいそく》し、それに合《あ》わせた釣《つ》りが楽《たの》しめます。また、湖《みずうみ》や沼《ぬま》の魚《さかな》も川《かわ》の一部《いちぶ》として取《と》りあげています。

源流《げんりゅう》

川《かわ》の源《みなもと》になるところですので、人《ひと》が踏《ふ》み入《い》ることができない場所《ばしょ》もたくさんあります。水温《すいおん》が低《ひく》いため、イワナのような冷《つめ》たい水《みず》を好《この》む魚《さかな》がいます。険《けわ》しい場所《ばしょ》を歩《ある》くこともあり、登山《とざん》をするような心《こころ》がけも必要《ひつよう》です。

上流《じょうりゅう》

源流《げんりゅう》ほど危険《きけん》で険《けわ》しい崖《がけ》なども少《すく》なく、いわゆる「渓流釣《けいりゅうづ》り」が楽《たの》しめる場所《ばしょ》です。イワナのほかにヤマメ、場所《ばしょ》によってはニジマスなどが放流《ほうりゅう》されているところもあります。漁協《ぎょきょう》が管理《かんり》している場《ば》合《あい》は、入漁料《にゅうぎょりょう》が必要《ひつよう》になります。

中流《ちゅうりゅう》

中流《ちゅうりゅう》になると、川《かわ》の流《なが》れは次第《しだい》にゆるやかになり、水量《すいりょう》も増《ま》してきます。川幅《かわはば》も広《ひろ》くなり、渓流《けいりゅう》から本流《ほんりゅう》へと様子《ようす》も変《か》わってきます。このあたりにはウグイやカワムツなどがいますが、メインとなるのはアユです。

アユ釣《つ》りは川釣《かわづ》りの代表的《だいひょうてき》な釣《つ》りのひとつで、釣《つ》りができる期間《きかん》（通常《つうじょう》6月《がつ》～9月《がつ》、場所《ばしょ》によって変《か》わります）が決《き》められているので注意《ちゅうい》しましょう。

下流《かりゅう》

川《かわ》の流《なが》れはさらにゆるやかになります。なかには、よどんだ場所《ばしょ》もできます。こういう場所《ばしょ》の代表的《だいひょうてき》な魚《さかな》はコイ。1m近《ちか》い大物《おおもの》もいる淡水魚《たんすいぎょ》のコイは、釣《つ》り人《びと》の人気《にんき》も高《たか》まっています。

川《かわ》の釣《つ》り場《ば》と釣《つ》れる魚《さかな》

「湖沼《こしょう》」

標高《ひょうこう》の高《たか》いところには山上湖《さんじょうこ》、平《へい》地《ち》にも沼《ぬま》や池《いけ》、湖《みずうみ》があります。湖沼《こしょう》は水質《すいしつ》や面積《めんせき》、環境《かんきょう》などによって釣《つ》れる魚《さかな》も変《か》わります。ヘラブナやコイは有名《ゆうめい》ですが、最近《さいきん》ではブラックバスやブルーギルをルアーやフライで釣《つ》る人《ひと》も増《ふ》えています。

ニジマス

分布《ぶんぷ》

ニジマスは1877年《ねん》に北《きた》アメリカから移入《いにゅう》された外来種《がいらいしゅ》です。これ以降《いこう》、日本各地《にほんかくち》で盛《さか》んに養殖《ようしょく》・放流《ほうりゅう》が行《おこな》われています。北海道《ほっかいどう》には天然《てんねん》の姿《すがた》で生息《せいそく》しています。

特徴《とくちょう》

体全体《からだぜんたい》にははっきりした黒点《こくてん》があり、全長《ぜんちょう》は約《やく》40㎝程度《ていど》が一般的《いっぱんてき》ですが、大《おお》きいものでは60㎝以上《いじょう》にもなります。サケ科《か》としては比較的高温《ひかくてきこうおん》の水温《すいおん》で生息《せいそく》が可能《かのう》です。

本州《ほんしゅう》では自然繁殖《しぜんはんしょく》しにくいニジマス。湖《みずうみ》か管理釣《かんりつ》り場《ば》で釣《つ》ることが多《おお》くなります。釣《つ》り方《かた》は、ウキ釣《づ》り、ミャク釣《づ》り、ルアー釣《づ》りとあります。

道具《どう》と仕《し》かけ

仕《し》かけはミャク釣《づ》りをイラストにしています。ウキ釣《づ》りの場合《ばあい》は、ミチイトもハリスもミャク釣《づ》りより少《すこ》し太《ふと》いものを使《つか》い、玉《たま》ウキを使《つか》います。ミチイトとハリスの両方《りょうほう》にチチワを作《つく》っておき、簡単《かんたん》につなげるようにしておくことは、どちらも同《おな》じです。

エサ

エサはイクラが最適《さいてき》で地域《ちいき》に関係《かんけい》なく、よく釣《つ》れます。とはいえ、放流《ほうりゅう》して1時間《じかん》くらい経《た》ちますと、イクラ（エサ）であることにニジマスが気《き》づくためか、喰《く》いが悪《わる》くなります。そのときは生《い》きエサのブドウムシ（養殖《ようしょく》）を用意《ようい》しておき、目先《めさき》をかえることもコツです。なお、ブドウムシのかわりにマグロの切《き》り身《み》をエサにしてもＯＫです。

ポイント

管理釣《かんりつ》り場《ば》では放流直後《ほうりゅうちょくご》が最大《さいだい》のチャンスです。

ミヤク釣《づ》りの釣《つ》り方《かた》

底《そこ》よりわずか上《うえ》にエサを流《なが》すようにしましょう。

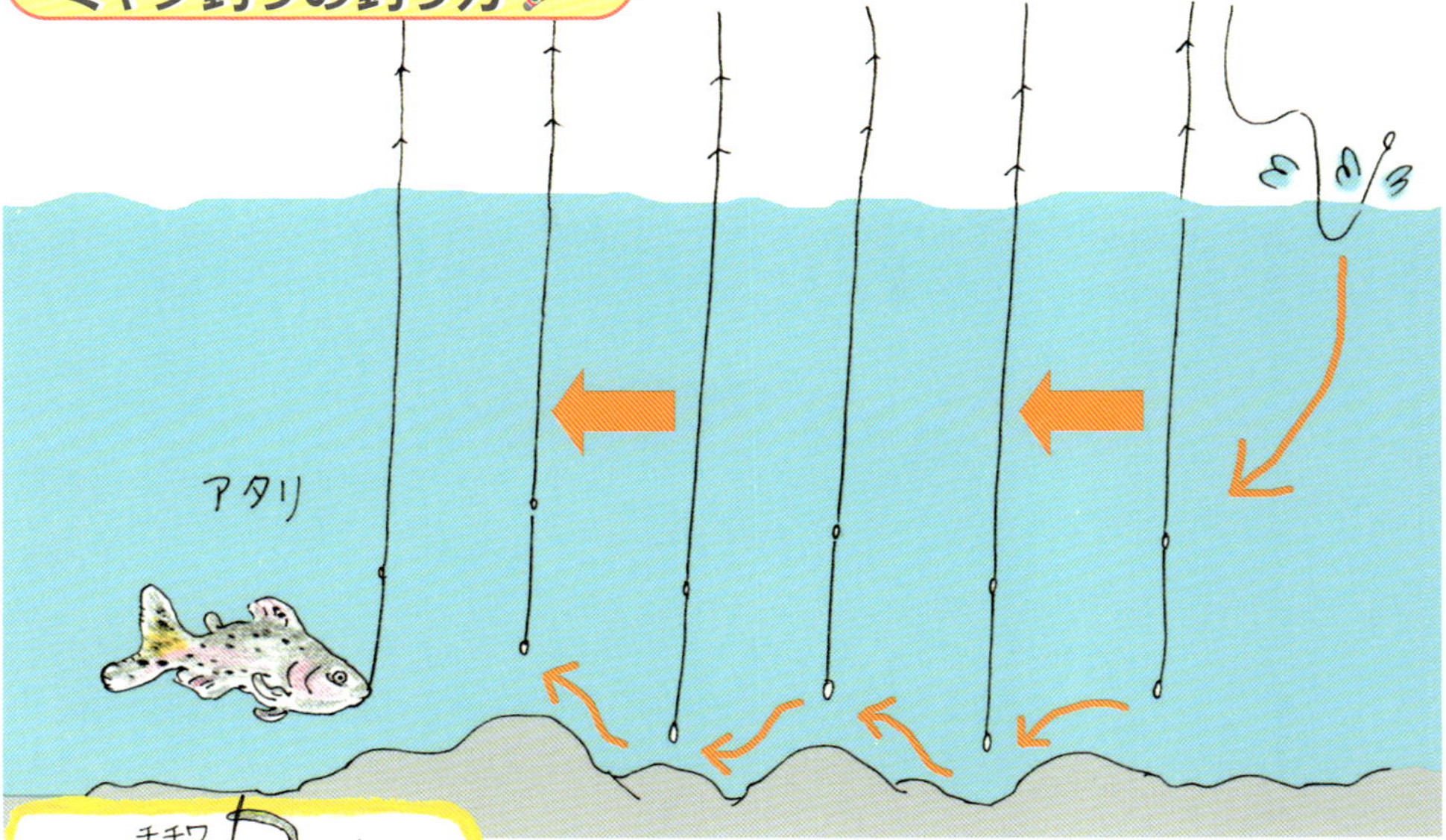

ニジマス・ミヤク釣《つ》り

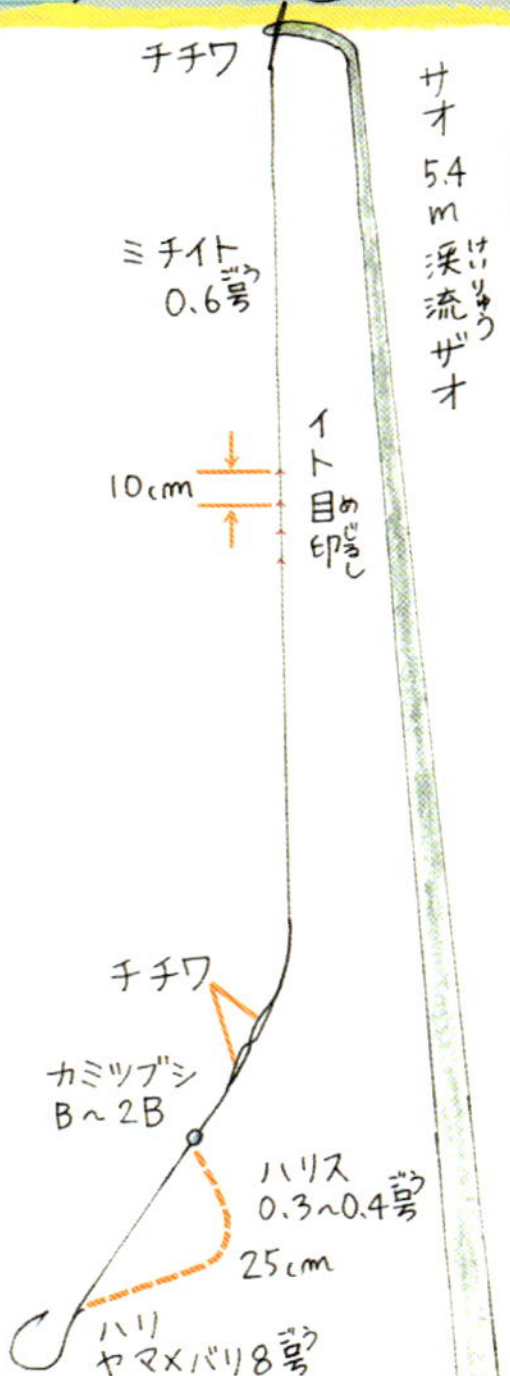

ウキ釣《づ》りのアワセ

ウキが大《おお》きく沈《しず》みこんだら、ひと呼吸《こきゅう》おいてからアワセます。

釣《つ》り方《かた》のポイントは、ウキ釣《づ》り・ミヤク釣《づ》りともエサの位置《いち》です。エサを流《なが》すタナが底《そこ》よりわずか上《うえ》にすることが重要《じゅうよう》です。エサが浮《う》き上《あ》がっていたり、完全《かんぜん》に底《そこ》に着《つ》いてしまったりしないようにしましょう。

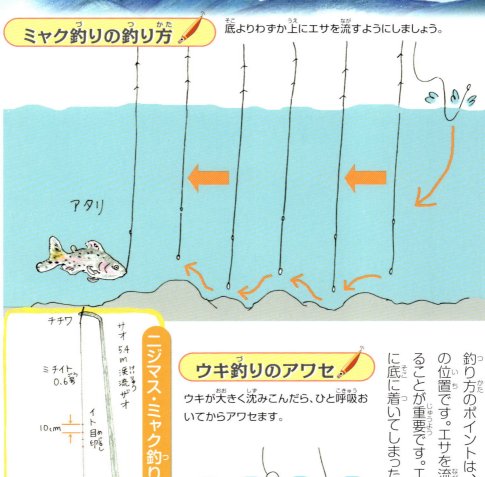

イワナとヤマメは渓流釣《けいりゅうつ》りの代表的《だいひょうてき》な魚《さかな》です。イワナは警戒心《けいかいしん》が強《つよ》く、数《かず》の少《すく》ない魚《さかな》です。ヤマメはイワナよりやや下流《かりゅう》に生息《せいそく》しますが、どちらも下流《かりゅう》から上流《じょうりゅう》にさかのぼります。釣《つ》れるポイントは異《こと》なりますが、道具《どうぐ》と仕《し》かけは基本的《きほんてき》に同《おな》じです。

※亜種《あしゅ》とは、形《かたち》などにわずかな違《ちが》いが見《み》られるが、独立《どくりつ》の種《しゅ》とはしがたいものをいいます。

イワナ

分布《ぶんぷ》 日本《にほん》では最《もっと》も標高《ひょうこう》の高《たか》い所《ところ》にいる魚《さかな》ともいえます。基本的《きほんてき》には河川《かせん》の最上流《さいじょうりゅう》の冷《つめ》たい水域《すいいき》などに生息《せいそく》します。アメマス、ニッコウイワナ、ヤマトイワナなど亜種《あしゅ》も多《おお》いです。

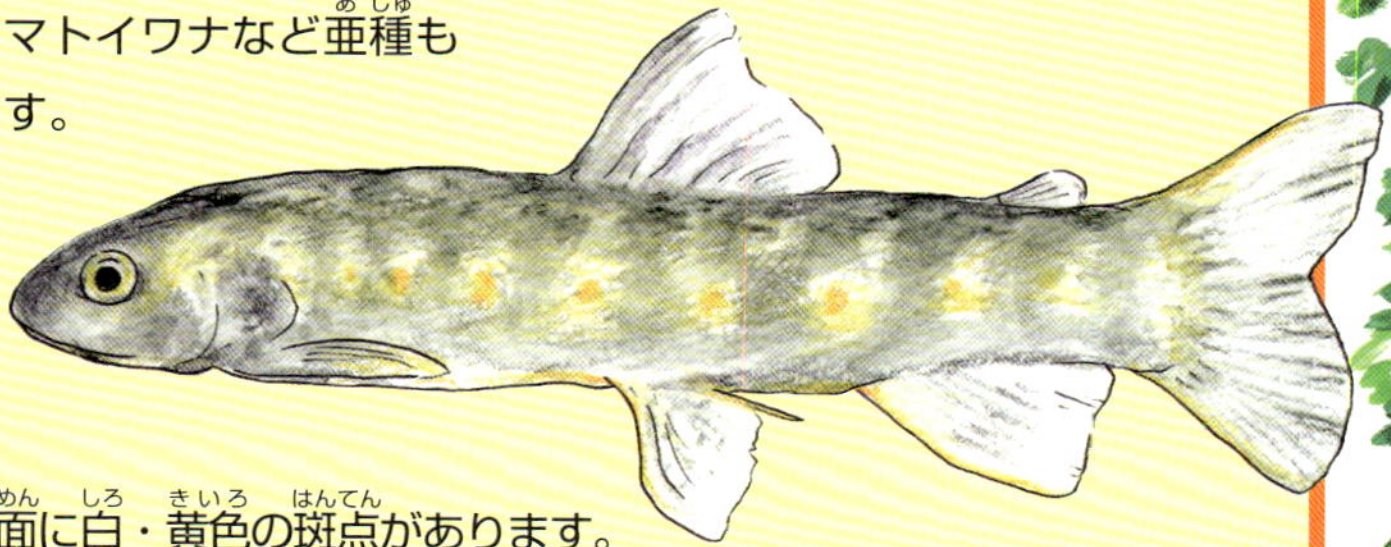

特徴《とくちょう》

体《からだ》の側面《そくめん》に白《しろ》・黄色《きいろ》の斑点《はんてん》があります。また胸《むね》ビレの端《はし》は白《しろ》く縁《ふち》どられています。肉食性《にくしょくせい》で、2年魚以降《ねんぎょいこう》で18〜22㎝を超《こ》えると、数年《すうねん》に渡《わた》り繁殖活動《はんしょくかつどう》をします。

ヤマメ

分布《ぶんぷ》 北海道《ほっかいどう》から九州《きゅうしゅう》まで、川《かわ》の上流《じょうりゅう》などの冷《つめ》たい水域《すいいき》に生息《せいそく》し、一生《いっしょう》を河川《かせん》で過《す》ごします。海《うみ》に降《お》りたものがサクラマスになります。

特徴《とくちょう》

普通《ふつう》は20㎝前後《ぜんご》が多《おお》く、40㎝を超《こ》える大物《おおもの》もいます。亜種《あしゅ》となるアマゴは主《おも》に関西方面《かんさいほうめん》に生息《せいそく》しますが、体《からだ》の側面《そくめん》に赤《あか》い斑点《はんてん》があるので区《く》別《べつ》ができます。

道具《どうぐ》と仕《し》かけ

ヤマメとイワナの仕《し》かけの大《おお》きな違《ちが》いは、仕《し》かけの全長《ぜんちょう》にあります。ヤマメの仕《し》かけはサオの長《なが》さより50㎝ほど短《みじか》くします。イワナの仕《し》かけはサオの半分《はんぶん》くらいの長《なが》さにします。イワナの場合《ばあい》は、岩《いわ》の裏側《うらがわ》など狭《せま》いポイントを攻《せ》めることが多《おお》いので、仕《し》かけを操作《そうさ》しやすいように短《みじか》くします。ヤマメの場合《ばあい》は、広《ひろ》い場所《ばしょ》でエサを自然《しぜん》に流《なが》して釣《つ》るので、ある程度《ていど》の長《なが》さが必要《ひつよう》になるからです。

イトの太《ふと》さでは、イワナの場合《ばあい》、かかったときに強引《ごういん》に引《ひ》き上《あ》げるために、ヤマメのイトよりやや太《ふと》くする必要《ひつよう》があります。

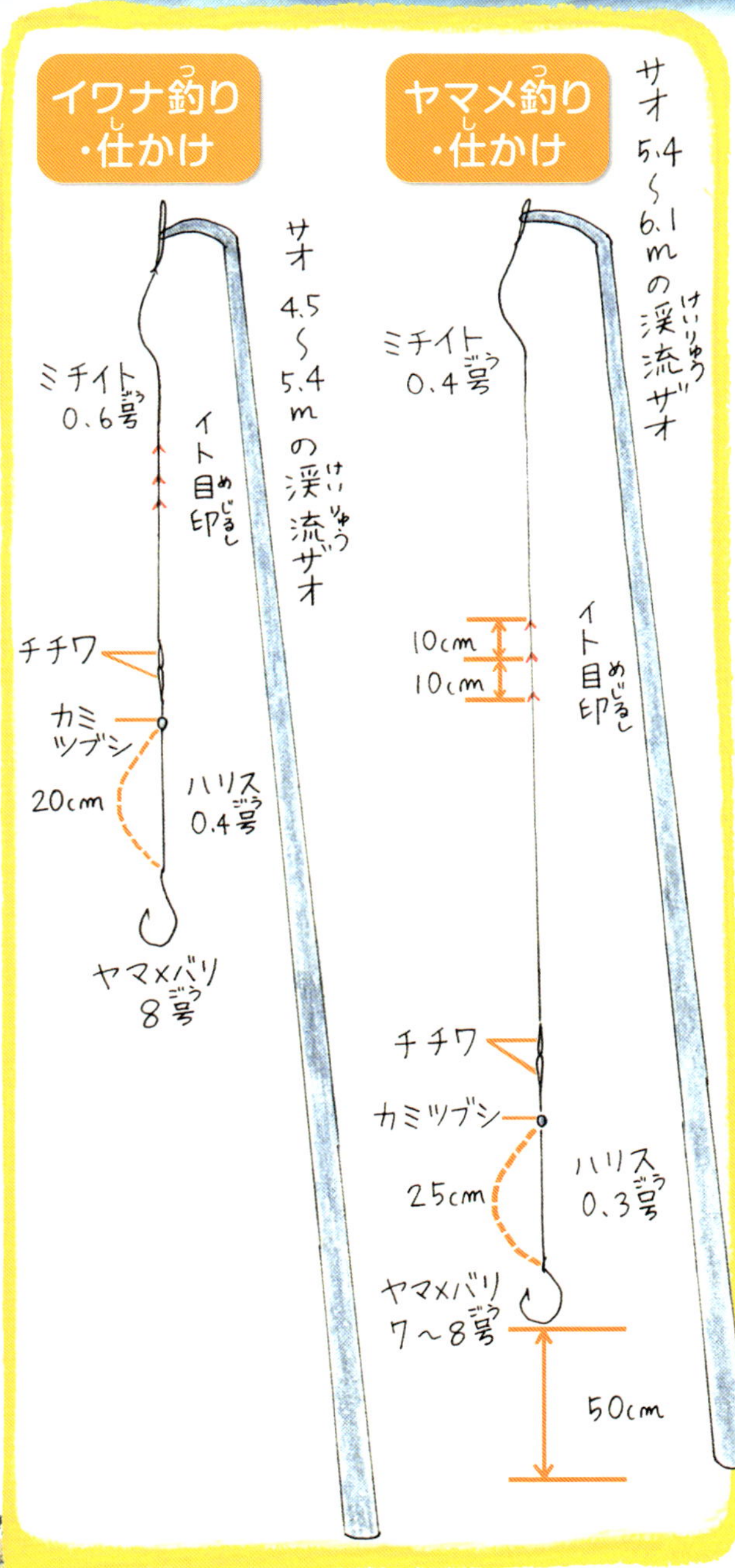

エサ

渓流魚《にいりゅうぎょ》のエサはその川《かわ》にいる「川虫《かわむし》」が一番《いちばん》いいのですが、川《かわ》の中《なか》の石《いし》をひっくり返《かえ》して探《さが》すなど手間《てま》がかかります。またトンボやチョウ、ガなどの昆虫《こんちゅう》やクモをエサにすることもできます。

市販《しはん》のエサで簡単《かんたん》に手《て》に入《はい》り効果《こうか》があるのは、イクラです。またミミズやブドウムシ（養殖《ようしょく》もの）も使《つか》います。

ポイント

ヤマメは比較的《ひかくてき》に速《はや》い流《なが》れの中《なか》にいて、エサが流《なが》れてくるのを待《ま》ち受《う》けています。これに対《たい》しイワナは、流《なが》れのゆるい所《ところ》にひそんでいて、エサが流《なが》れてきたら出《で》てきて食《た》べると

瀬尻《せじり》
速《はや》い流《なが》れがゆるい流《なが》れに変《か》わりはじめるところのこと。瀬《せ》が終《お》わる（尻《しり》）ところにある石《いし》のまわりがポイントです。

瀬《せ》
川《かわ》の比較的《ひかくてき》に浅《あさ》いところで、流《なが》れの速《はや》い場所《ばしょ》。ヤマメのポイントになるところです。

いうパターンが多《おお》いようです。
つまり、ヤマメは瀬《せ》がポイントになり、イワナは落《お》ち込《こ》みや淵《ふち》などがポイントになります。

釣《つ》り方《かた》で大切《たいせつ》なことは、エサを自《し》然《ぜん》な感《かん》じで流《なが》すことです。そのためには、仕《し》かけが水面《すいめん》に対《たい》して直角《ちょっかく》になるように操作《そうさ》し、川底《かわぞこ》から20～30cm上《うえ》をエサが上下《じょうげ》せずに、水平《すいへい》のまま流《なが》れていくようにします。なお、ヤマメは瞬間的《しゅんかんてき》な即《そく》アワセが基本《きほん》で、イワナはアタリがあってから気持《きも》ち遅《おく》らせてアワセます。

イワナとヤマメのポイント

落《お》ち込《こ》み

石《いし》などが積《つ》み重《かさ》なって水《みず》が落《お》ちているところ。エサがたまりやすく、酸素《さんそ》も多《おお》いのでイワナやヤマメが寄《よ》ってきます。

淵《ふち》

水深《すいしん》のある深《ふか》いよどみのこと。底《そこ》の部分《ぶぶん》は温度差《おんどさ》が少《すく》なく、魚《さかな》の隠《かく》れ場所《ばしょ》も多《おお》く、大物《おおもの》がひそんでいる可能性《かのうせい》もあります。

アユ釣《づ》りができる川《かわ》は、天然《てんねん》のアユがいる川《かわ》と放流《ほうりゅう》している川《かわ》の2つに分《わ》けられます。釣《つ》り方《かた》には「ドブ釣《づ》り」「流《なが》し釣《づ》り」「エサ釣《づ》り」「友釣《ともづ》り」などがあります。

※ここでは「ドブ釣《づ》り」と「友釣《ともづ》り」を紹介《しょうかい》します。

アユ

分布《ぶんぶ》 日本《にほん》の代表的《だいひょうてき》な川釣《かわづ》りの魚《さかな》、アユ。北海道《ほっかいどう》（南《みなみ》のエリア）から九州《きゅうしゅう》までの「きれいな川《かわ》」に幅広《はばひろ》く分布《ぶんぷ》します。なお朝鮮《ちょうせん》、中国《ちゅうごく》など東《ひがし》アジアにも生息《せいそく》します。

特徴《とくちょう》

アユは、けい藻《そう》と呼《よ》ばれる藻《も》の一種《いっしゅ》を食《た》べています。「香魚《こうぎょ》」と呼《よ》ばれるほど、香《かお》りが高《たか》く、食味《しょくみ》も抜群《ばつぐん》。大《おお》きい物《もの》では30cmに達《たっ》するものもいます。

ドブ釣《づ》り

道具《どうぐ》と仕《し》かけ

ドブ釣《づ》りザオは、1日中《にちじゅう》サオを持《も》ち続《つづ》けるので軽《かる》いカーボン素材《そざい》が最適《さいてき》です。仕《し》かけは釣《つ》り場《ば》の水深《すいしん》をあらかじめ調《しら》べておき、オモリからサオ先《さき》までの長《なが》さが、水深《すいしん》プラス30～40cmになるように魚型糸調節器《さかながたいとちょうせつき》を使《つか》って調節《ちょうせつ》します。これはオモリが着《つ》いたときに、水面《すいめん》とサオ先《さき》との間隔《かんかく》が30～40cmになるようにするためです。

毛《け》バリ

毛《け》バリの種類《しゅるい》は推計《すいけい》で3000種《しゅ》ともいわれていますが、実際《じっさい》にアユ釣《づ》りに使《つか》われているのは200種程度《しゅていど》とされています。その中《なか》から絞《しぼ》っても30種《しゅ》とか40種《しゅ》の中《なか》から、季節《きせつ》、天候《てんこう》、時間《じかん》、水《みず》の量《りょう》や色《いろ》などさまざまな条件《じょうけん》を見《み》ながら毛《け》バリを選《えら》び出《だ》すには、経験《けいけん》とカンが必要《ひつよう》です。

ポイント

ドブとは川《かわ》の深《ふか》い淵《ふち》のことや、よどんだところをいいます。釣《つ》り方《かた》はオモリが底《そこ》に達《たっ》したらサオを上《あ》げるだけ、「アユを釣《つ》るなら底石《そこいし》を釣《つ》れ」という言葉《ことば》どおりの方法《ほうほう》が適切《てきせつ》です。アユはアカ（アユが食《た》べるコケ）が発生《はっせい》するよい石《いし》に寄《よ》りつきますから、なるべく大《おお》きな底石《そこいし》がある場所《ばしょ》がポイントになります。

「淵《ふち》」と一言《ひとこと》でいってもいろいろな要素《ようそ》が絡《から》み合《あ》っています。その中《なか》でも深《ふか》い所《ところ》から次第《しだい》に浅《あさ》くなる川底《かわぞこ》の傾斜面《けいしゃめん》を「カケアガリ」といいますが、ここがひとつの狙《ねら》い場《ば》になっています。

ドブ釣《づ》りの仕《し》かけ

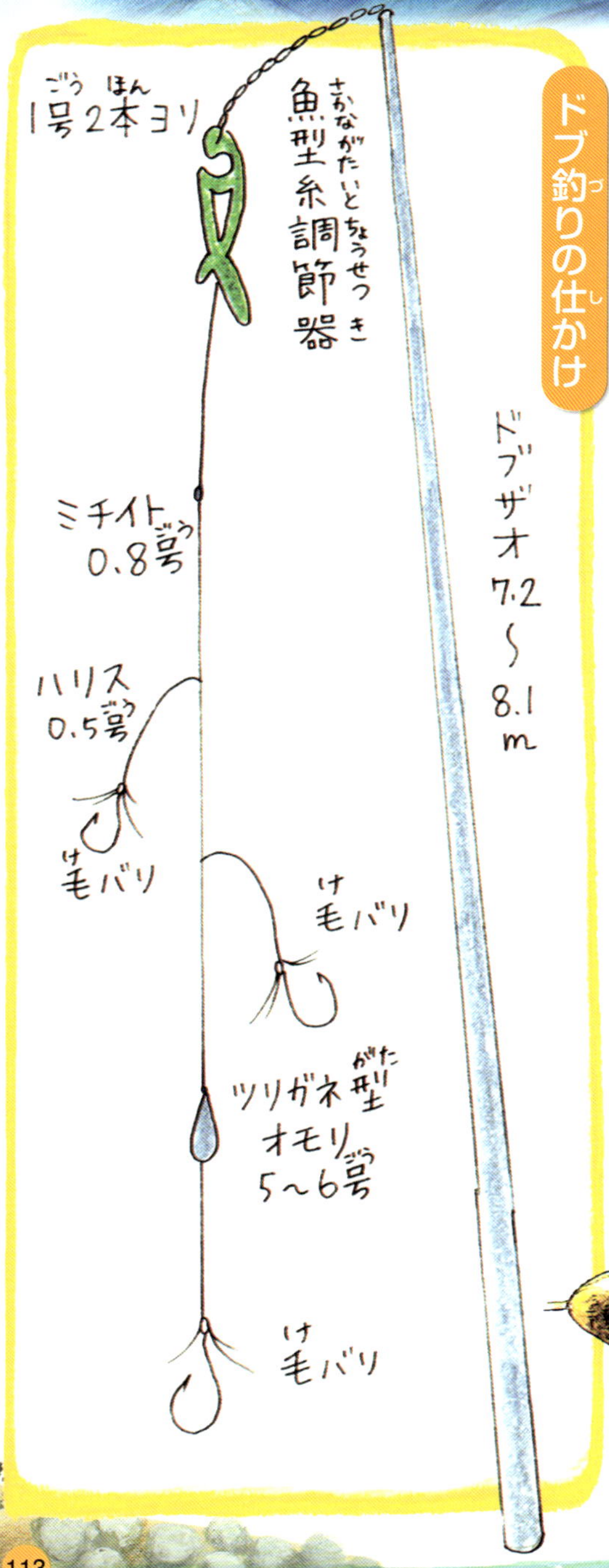

毛《け》バリの例《れい》

友《とも》釣《づ》り

アユがナワバリを持《も》ち、そこに入《はい》ってくる魚《さかな》と戦《たたか》う習性《しゅうせい》を利用《りよう》して、オトリになるアユに「掛《か》けバリ」を仕《し》かけ、オトリを追《お》いかけるアユを釣《つ》るという、日本独特《にほんどくとく》のものです。

道具《どうぐ》と仕《し》かけ

友釣《ともづ》りは生《い》きたオトリアユを使《つか》い、オトリにセットした「掛《か》けバリ」に引《ひ》っ掛《か》けてしまう釣《つ》り方《かた》です。友釣《ともづ》りの仕《し》かけはさまざまなバリエーションがありますが、基《き》本的《ほんてき》な例《れい》で紹介《しょうかい》しましょう。

アユザオは9m以内《いない》のものが使《つか》いやすく、先調子《さきちょうし》のものを選《えら》ぶならカーボンロッド製《せい》が多《おお》くなります。サオの先端《せんたん》からは天上《てんじょう》イトというものを使《つか》います。イトの順序《じゅんじょ》としては、天上《てんじょう》イト、水中《すいちゅう》イト（ミチイト）、ハリスとなります。これはアユのイトが高価《こうか》なため水中《すいちゅう》に入《はい》る部分《ぶぶん》だけに使《つか》い、ほかは天上《てんじょう》イトにします。

なお、この天上《てんじょう》イトはイトの長《なが》さが調整《ちょうせい》できる移動式《いどうしき》にすることもできます。また、川底《かわぞこ》の傾斜面《けいしゃめん》を「カケアガリ」といいますが、ここがひとつの狙《ねら》い目《め》になっています。

友釣《ともづ》りの仕《し》かけ

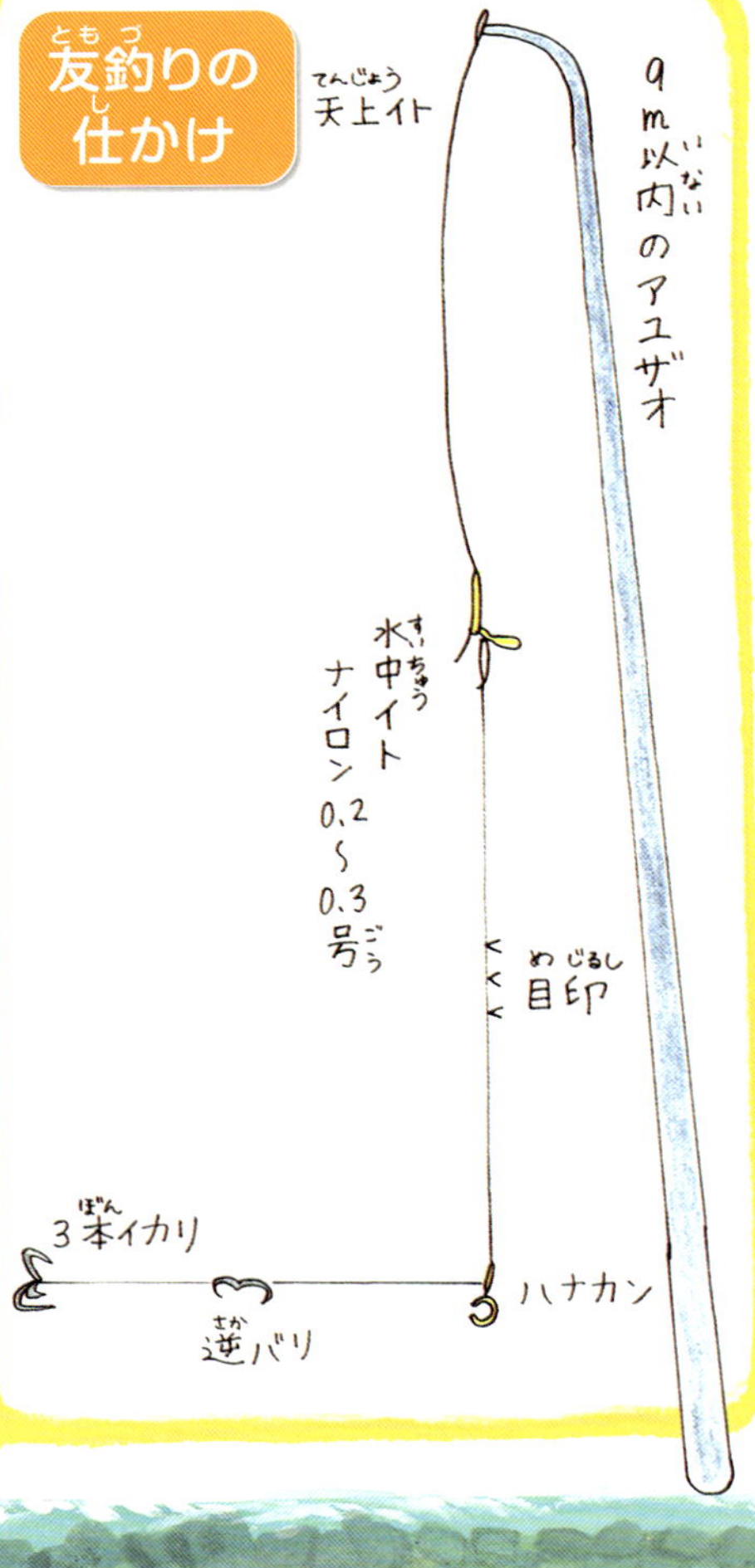

オトリの扱《あつか》い方《かた》

オトリはアユの釣《つ》り場《ば》で購入《こうにゅう》することができます。オトリはオトリカンというものに入《い》れ鮮度《せんど》を保《たも》ち、サオを出《だ》す釣《つ》り場《ば》に着《つ》いたら、オトリカンを川《かわ》にひたし、その場所《ばしょ》の水《みず》にオトリをなじませてあげます。

友釣《ともづ》りはオトリに活《い》きの良《よ》さがなければ、釣《つ》り場《ば》のポイントも技術《ぎじゅつ》も役《やく》に立《た》たないほど重要《じゅうよう》です。友釣《ともづ》りで釣《つ》り上《あ》げたばかりのアユをまたオトリに使《つか》い、また釣《つ》れたらそのアユをオトリに使《つか》うという、いい循環《じゅんかん》になることが一番《いちばん》のようです。

ポイント

オトリをナワバリにいるアユの所《ところ》へ持《も》っていけばいいだけですが、実際《じっさい》にはなかなかむずかしいようです。また、オトリを浮《う》き上《あ》がらせることなく、川底《かわぞこ》を泳《およ》がせるようにすることもポイントです。

オトリの扱《あつか》い方《かた》

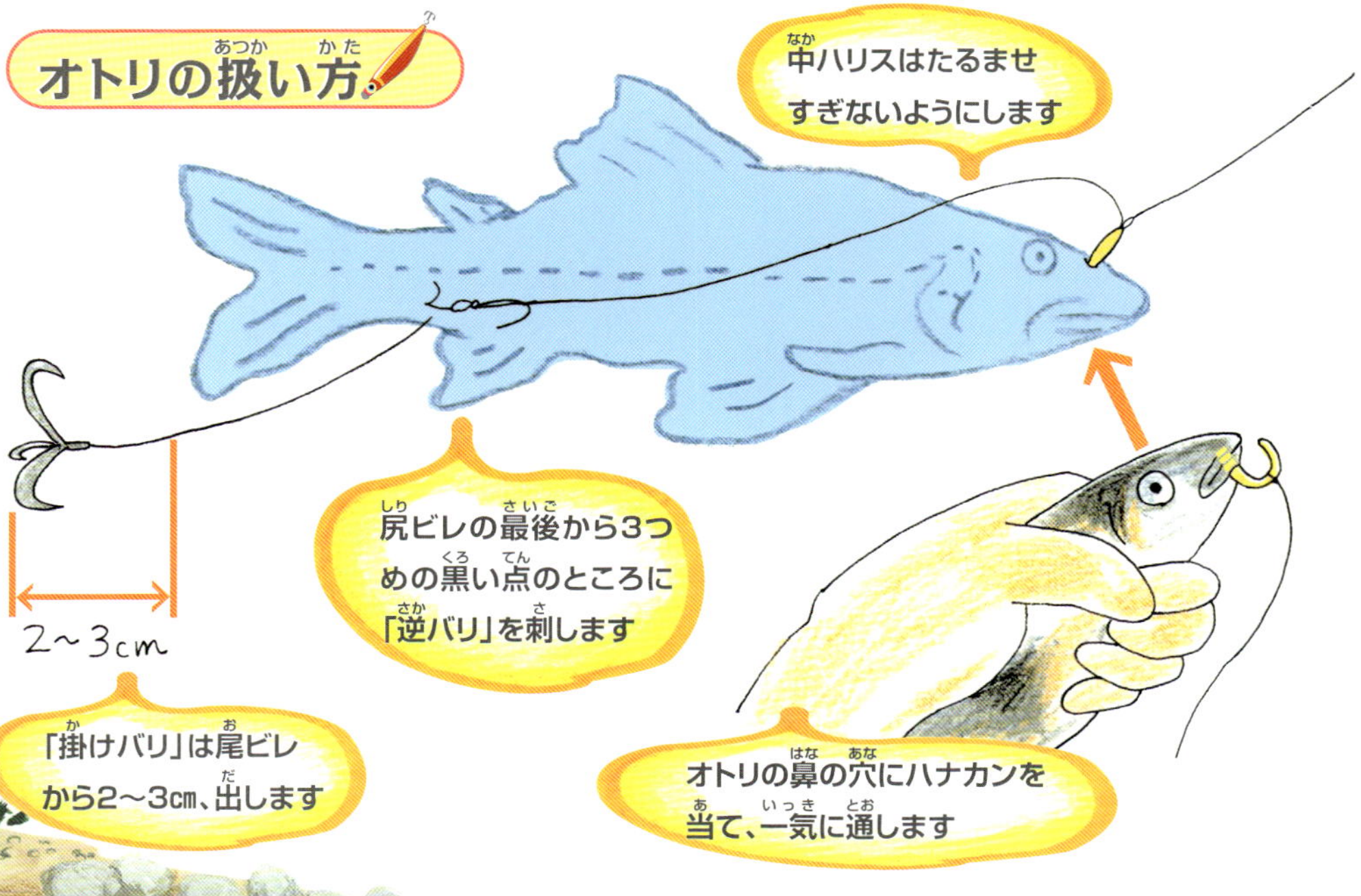

ヘラブナ

釣《つ》り堀《ぼり》や管理釣《かんりつ》り場《ば》は別《べつ》として、「釣《つ》りはフナに始《はじ》まりフナに終《お》わる」という名言《めいげん》があるほど、アユと並《なら》んでヘラブナはむずかしい釣《つ》りであり、味《あじ》わいもあります。

分布《ぶんぷ》 今《いま》は放流《ほうりゅう》によって全国《ぜんこく》の河川《かせん》、池《いけ》や沼《ぬま》などに生息《せいそく》します。ヘラブナは、元々《もともと》は琵琶湖《びわこ》だけにいたゲンゴロウブナ（絶滅危惧種《ぜつめつきぐしゅ》）を品種改良《ひんしゅかいりょう》して作《つく》り出《だ》した魚《さかな》です。

特徴《とくちょう》

マブナに比《くら》べて体高《たいこう》が高《たか》く、へんぺいな体《からだ》つきをしています。成長《せいちょう》は早《はや》く、生後《せいご》3年《ねん》で体長《たいちょう》は30㎝ほどになり、大物《おおもの》は60㎝を超《こ》えます。

道《どう》具《ぐ》と仕《し》かけ

ヘラブナ釣《つ》りにはいろいろな仕《し》かけがあります。ここではその一例《いちれい》を紹介《しょうかい》します。仕《し》かけの中《なか》で重要《じゅうよう》なのがサオとウキです。サオは、3~4mのヘラブナ専用《せんよう》のものを使《つか》いましょう。ウキも専用《せんよう》のものがあり、サオの長《なが》さやタナによって大《おお》きさを変《か》えます。ハリは2本《ほん》でハリスの長《なが》さは5㎝ほどの差《さ》をつけておきます。

エサ

エサはネリエサが大半《たいはん》です。仕《し》かけを振《ふ》ったときに落《お》ちないくらいの硬《かた》さと大《おお》きさにします。形《かたち》はイラストのように涙型《なみだがた》にします。なお、水中《すいちゅう》に入《はい》ったエサは、どんどんとバラけていくことも知《し》っておきましょう。

ネリエサ▼

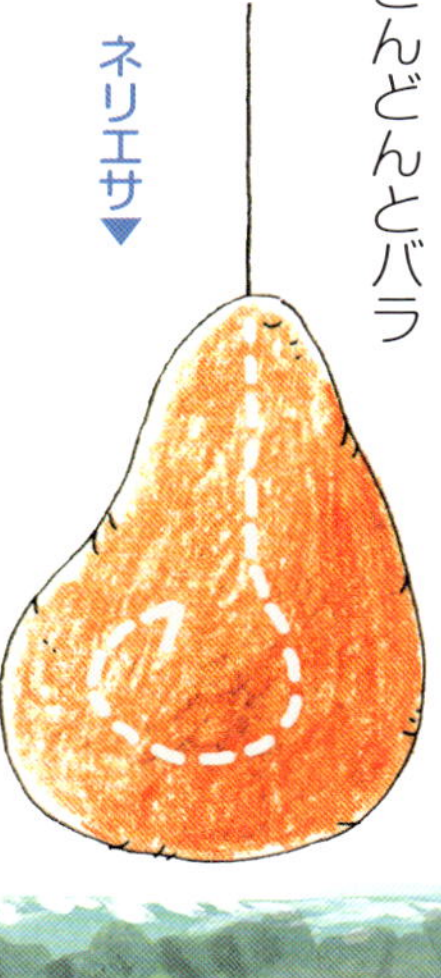

ヘラブナ釣《つ》り

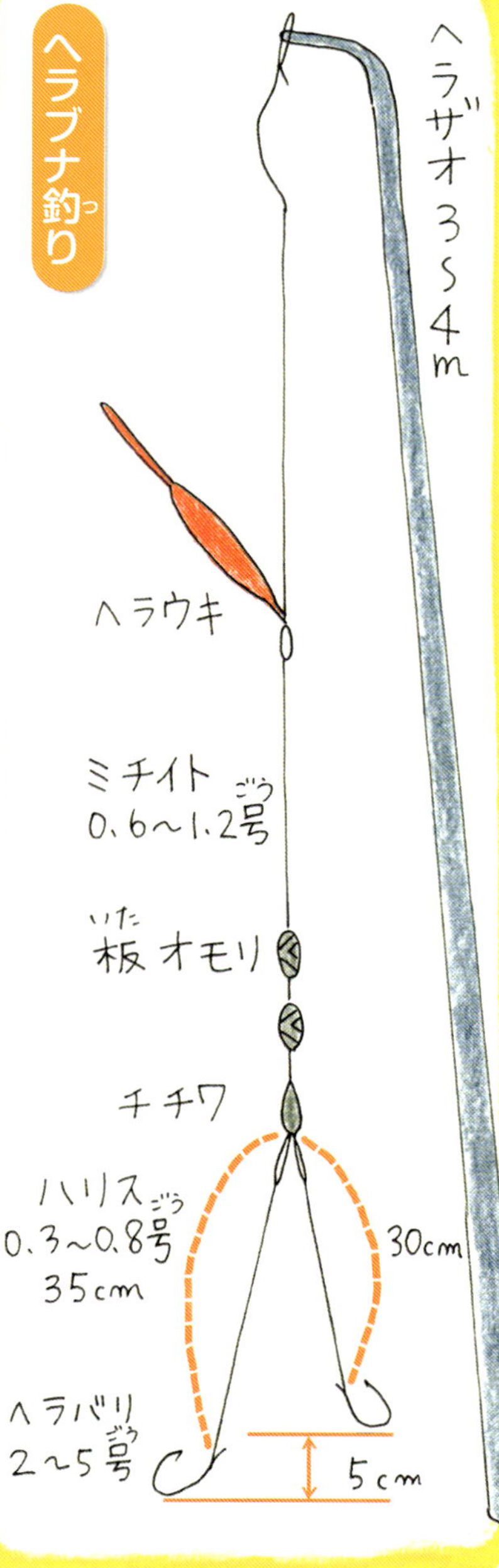

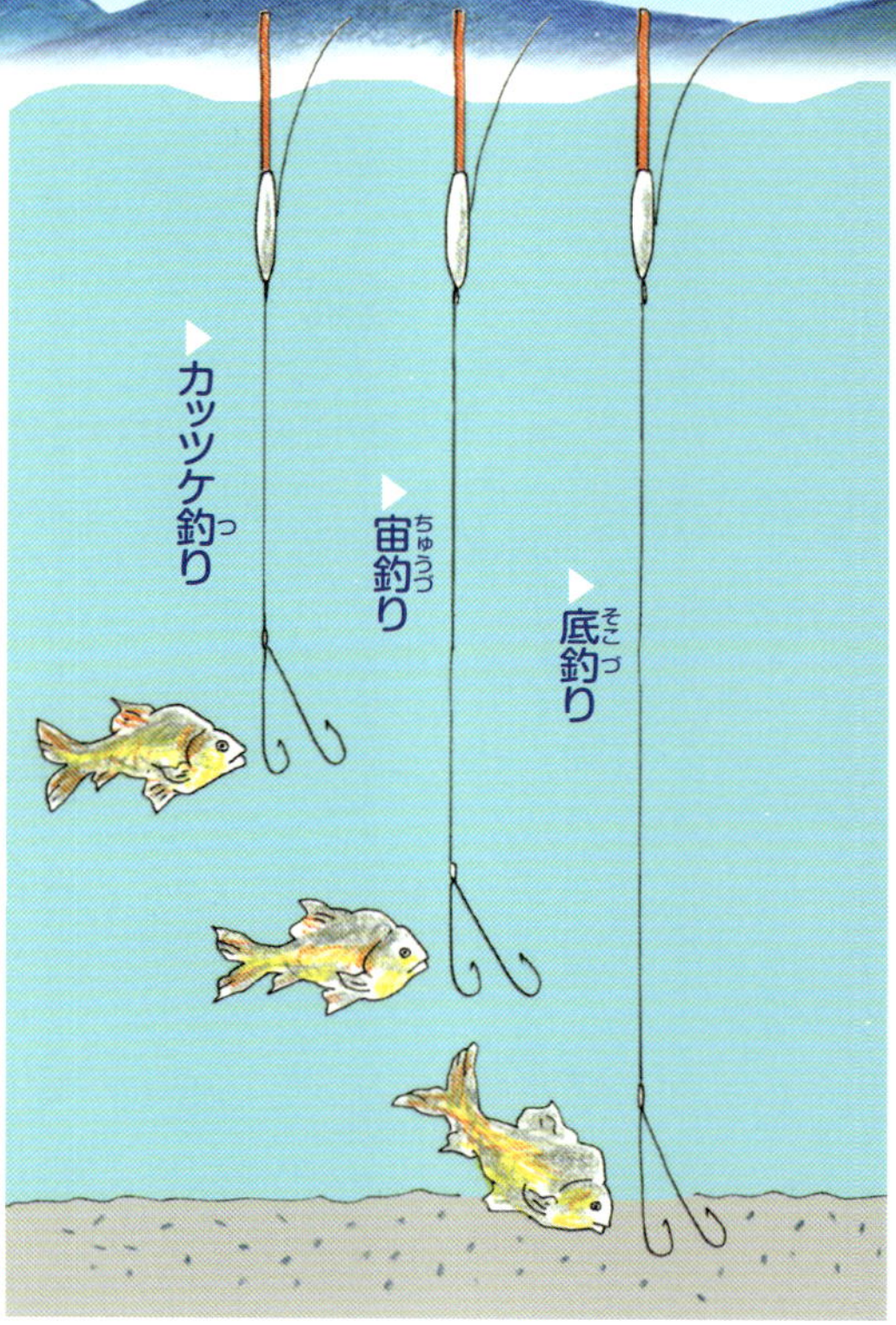

ポイント

タナで分《わ》けるヘラブナ釣《つ》りは、エサをどの付近《ふきん》にもっていくかで釣《つ》り方《かた》が変《か》わります。基本的《きほんてき》にはエサを底《そこ》につけた「底釣《そこづ》り」ですが、中層《ちゅうそう》に浮《う》かせた「宙釣《ちゅうづ》り」、水面近《すいめんちか》くの「カッツケ釣《つ》り」などがあります。またウキはエサが小《ちい》さくなることで上《あ》がってくることも知《し》っておきましょう。

※「底釣《そこづ》り」や「宙釣《ちゅうづ》り」は呼《よ》び名《な》が違《ちが》うこともあります。

ワカサギ

ワカサギ釣《つ》りといえば、氷《こおり》に穴《あな》をあけて釣《つ》るイメージがあります。実《じつ》はこのほかにも秋口《あきぐち》にボートで釣《つ》る、また陸《りく》から釣《つ》る方法《ほうほう》もあり、全部《ぜんぶ》で3種類《しゅるい》あります。

分布《ぶんぷ》 本来《ほんらい》は太平洋側《たいへいようがわ》であれば千葉県以北《ちばけんいほく》、日本海側《にほんかいがわ》であれば島根県以《しまねけんい》北《ほく》の北日本《きたにほん》ですが、一部地域《いちぶちいき》を除《のぞ》いて全国《ぜんこく》に分布《ぶんぷ》が広《ひろ》がっています。漁期《りょうき》は冬《ふゆ》ですが、夏《なつ》も釣《つ》れます。

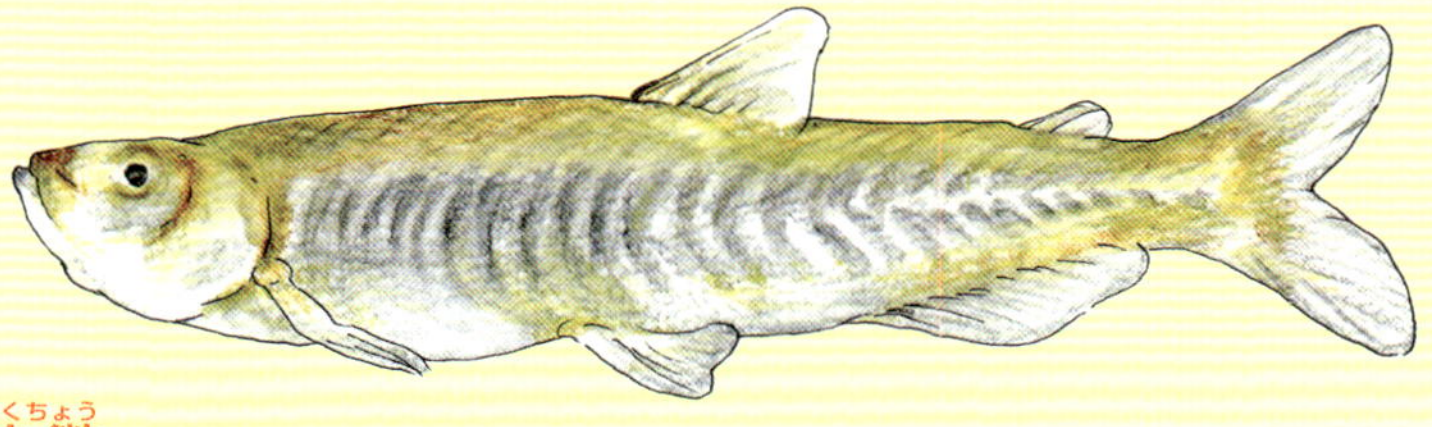

特徴《とくちょう》

全長《ぜんちょう》15cmほどの透《す》きとおるような魚《さかな》で、寿命《じゅみょう》は1年《ねん》ですが寒冷《かんれい》な地域《ちいき》では2年《ねん》・3年魚《ねんぎょ》もいます。たくさん釣《つ》れて食《た》べておいしいので、人気《にんき》も高《たか》いです。

道具《どうぐ》と仕《し》かけ

ここでは、湖《みずうみ》が凍《こお》ったときに釣《つ》る「穴釣《あなづ》り」とボートから釣《つ》る「ボート釣《つ》り」の仕《し》かけを紹介《しょうかい》します。秋口《あきぐち》の一時期《いちじき》、陸《りく》からも釣《つ》れますが一般的《いっぱんてき》ではないようです。

サオはボート釣《つ》りなら2〜3mくらい、穴釣《あなづ》りは40cmもあれば十分《じゅうぶん》です。仕《し》かけは5〜10本《ぽん》バリの胴《どう》つきを使《つか》います。作《つく》るよりも市販《しはん》のワカサギの仕《し》かけを購入《こうにゅう》した方《ほう》が簡単《かんたん》です。

胴《どう》つき仕《し》かけ

仕《し》かけの一番下《いちばんした》にオモリを付《つ》け、ミキイトに枝《えだ》ハリスが何本《なんぼん》か付《つ》いている仕《し》かけ。

エサ

サシ（ウジ虫《むし》）が一般的《いっぱんてき》で、特《とく》に食紅《しょくべに》を食《た》べさせて赤《あか》くした「ベニサシ」がよく使《つか》われます。サシの喰《く》いが悪《わる》いときには赤虫《あかむし》を使《つか》います。

ポイント

子《こ》どもでも簡単《かんたん》に釣《つ》れるのがワカサギです。穴釣《あなづ》りもボート釣《つ》りも案内人《あんないにん》の情報《じょうほう》に従《したが》うのが一番《いちばん》です。

ボート釣《つ》りの仕《し》かけ

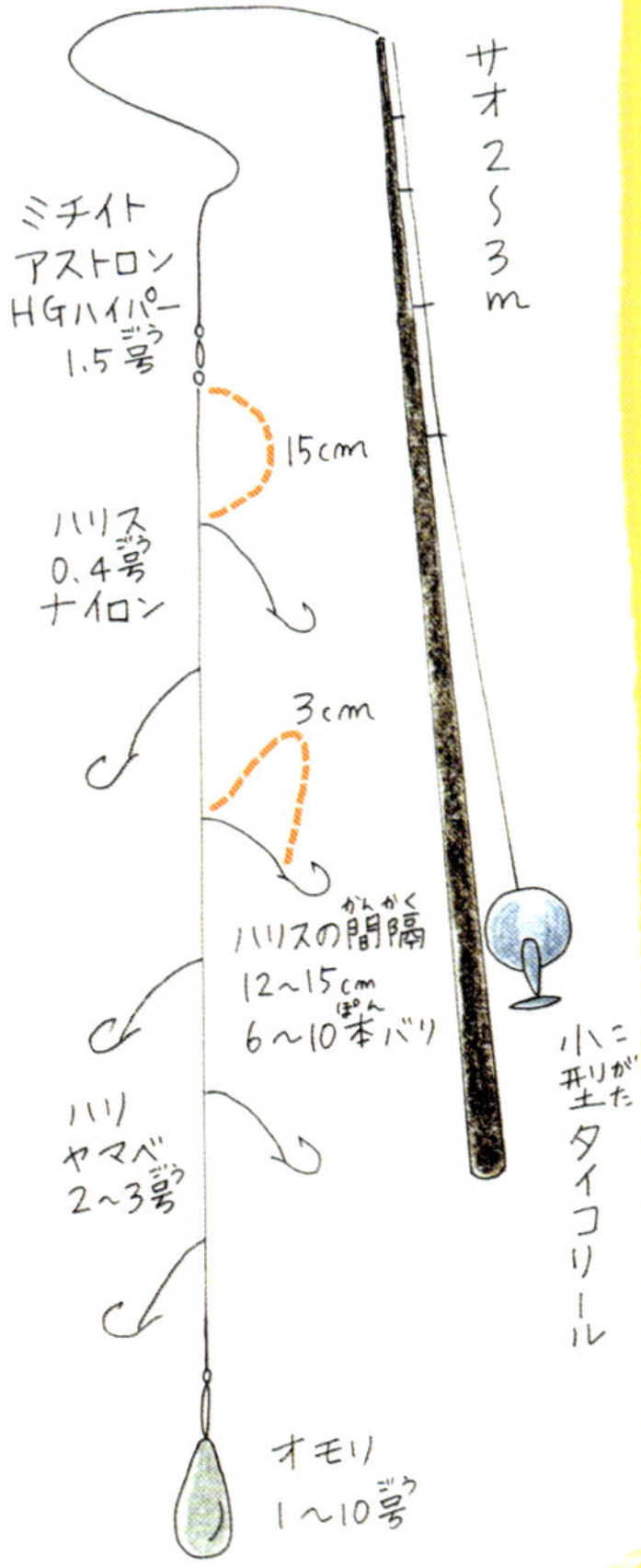

穴釣《あなづ》りの仕《し》かけ

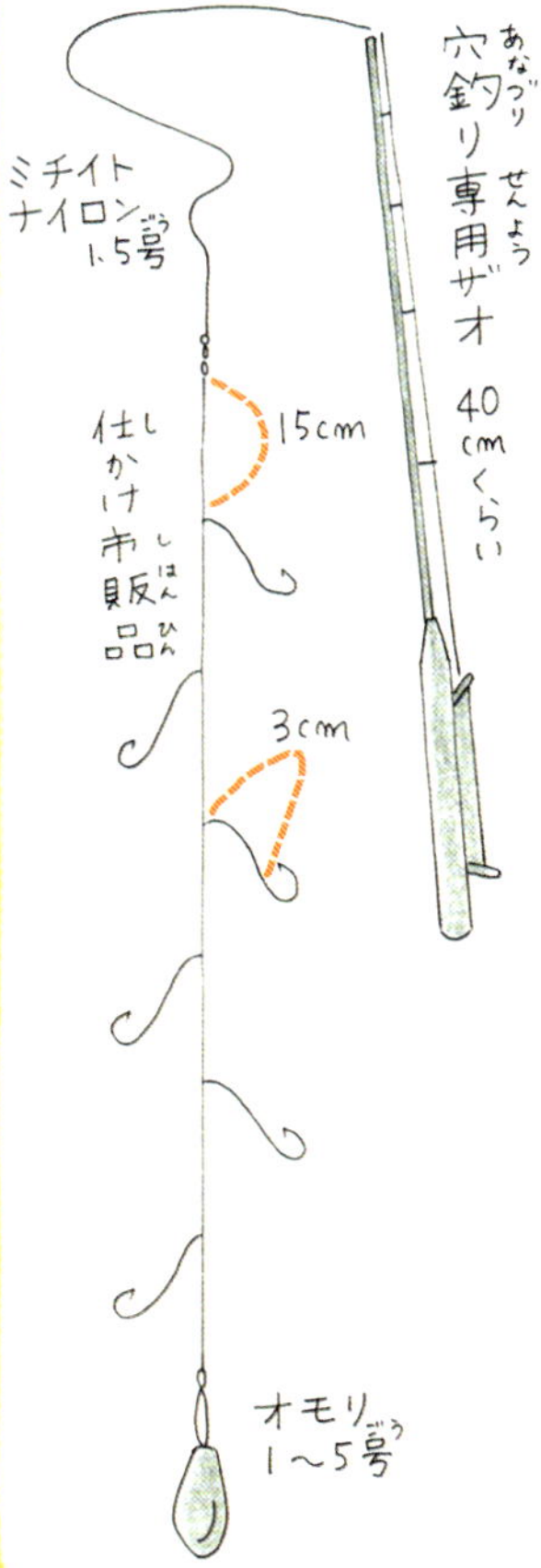

アタリのタナを見《み》つけたら、そのタナを重点的《じゅうてんてき》に狙《ねら》えばたくさん釣《つ》れます。なお、穴釣《あなづ》りは防《ぼう》寒対策《かんたいさく》が大切《たいせつ》です。氷《こおり》の上《うえ》ですので足元《あしもと》は特《とく》に温《あたた》かくしましょう。足《あし》の下《した》に発泡《はっぽう》スチロールなどを敷《し》くのもいいでしょう。

コイ

分布《ぶんぷ》 日本全国《にほんぜんこく》の河川《かせん》や湖沼《こしょう》に生息《せいそく》します。野《の》ゴイ（天然《てんねん》のコイ）は少《すく》なくなりつつあり、放流《ほうりゅう》が行《おこな》われています。

特徴《とくちょう》 警戒心《けいかいしん》の強《つよ》い魚《さかな》で、雑食性《ざっしょくせい》です。エサは植物性《しょくぶつせい》から動物質《どうぶつしつ》のものまでいろいろ食《た》べます。淡水魚《たんすいぎょ》の王者《おうじゃ》ともいわれています。

コイを釣《つ》る方法《ほうほう》は「吸《す》い込《こ》み釣《つ》り」と「ウキ釣《つ》り」の二《ふた》つに大《おお》きく分《わ》けることができます。どちらも、サオを出《だ》してから待《ま》つ時間《じかん》の長《なが》い釣《つ》りになります。

※コイがエサを吸《す》い込《こ》んだときネリエサの中《なか》に埋《う》め込《こ》んだハリが口《くち》に刺《さ》さって釣《つ》り上《あ》げる「吸《す》い込《こ》み釣《つ》り」とエサを喰《く》わせてハリにかけるごく普通《ふつう》の「ウキ釣《つ》り」に分《わ》けて紹介《しょうかい》します。

吸《す》い込《こ》み釣《づ》り

道具《どうぐ》と仕《し》かけ

この仕《し》かけの特徴《とくちょう》は、ラセンを芯《しん》にしてネリエサをダンゴ状《じょう》にしてつけることです。このダンゴの中《なか》にハリをひとつずつ埋《う》め込《こ》んで、もう一度《いちど》丸《まる》く固《かた》めます。コイがスパスパとエサをしゃぶるように食《た》べると、途中《とちゅう》でハリが出《で》てきて口《くち》の中《なか》に吸《す》い込《こ》まれてかかるという仕《し》かけです。

サオは投《な》げ釣《づ》り用《よう》の3・6〜4・2mのもので、リールは投《な》げやすいスピニングリールでOKです。

エサ

市販《しはん》のネリエサをダンゴ状《じょう》にします。ダンゴは練《ね》り方《かた》が大切《たいせつ》です。やわらかすぎると投《な》げたときのショックでエサが割《わ》れてしまいます。かたいと水中《すいちゅう》でとけるのが遅《おそ》くなり、効果《こうか》がうすくなります。

ポイント

サオは1本《ぽん》より2本《ほん》、3本《ぼん》と多《おお》く出《だ》すほどアタリの確立《かくりつ》が高《たか》くなります。高級《こうきゅう》なサオを1本《ぽん》出《だ》すより、サオの種類《しゅるい》にこだわらずたくさんサオを出《だ》した方《ほう》がよいです。これはコイに回遊性《かいゆうせい》があるためで、回《まわ》ってくるコイがエサと出会《であ》う確立《かくりつ》が高《たか》くなるからです。

アタリはサオの先《さき》の揺《ゆ》れとイトの動《うご》きで見《み》ますが、サオ先《さき》に「鈴《すず》」をつけておく方法《ほうほう》もあります。

コイの吸《す》い込《こ》み釣《つ》り

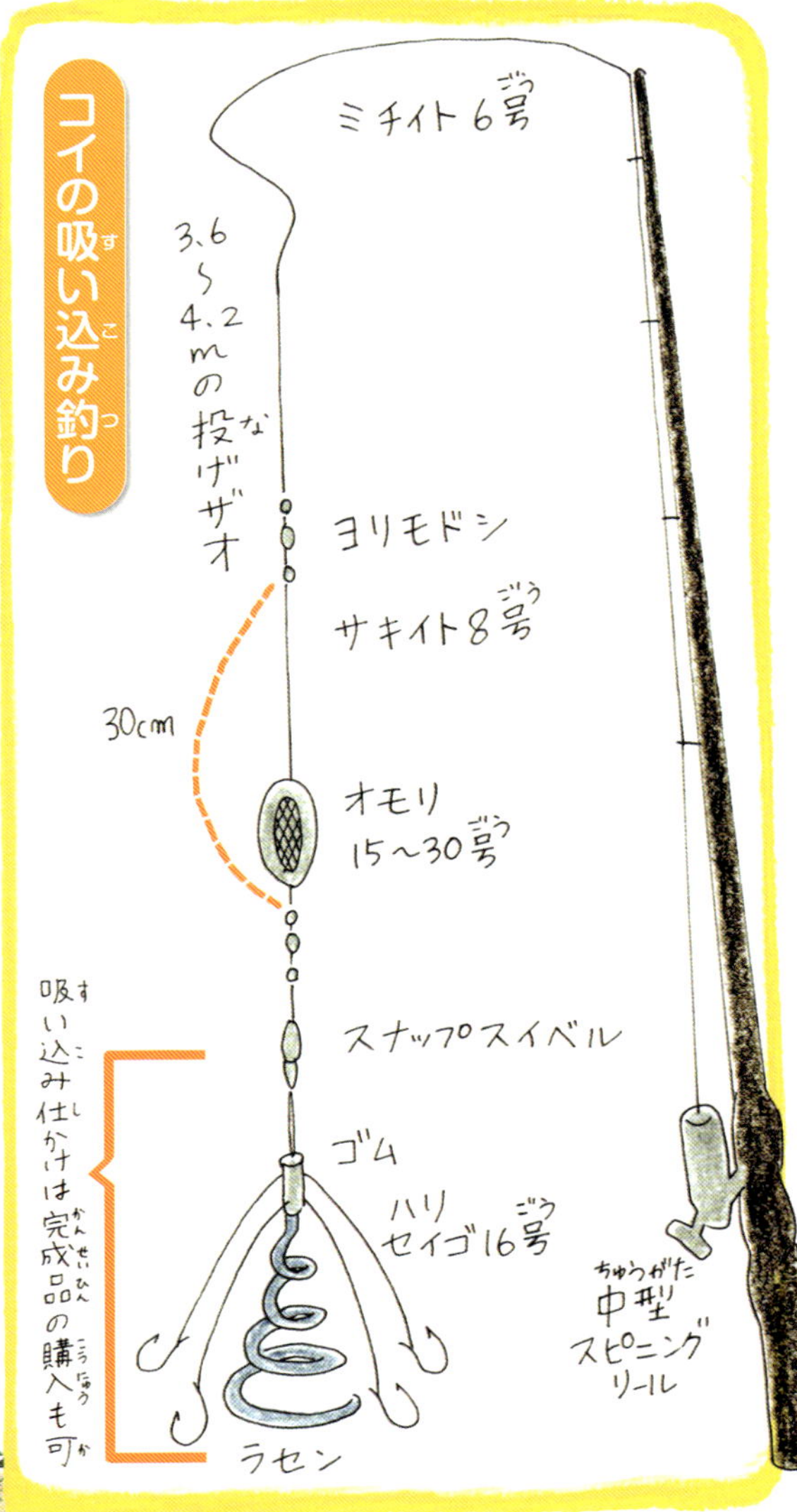

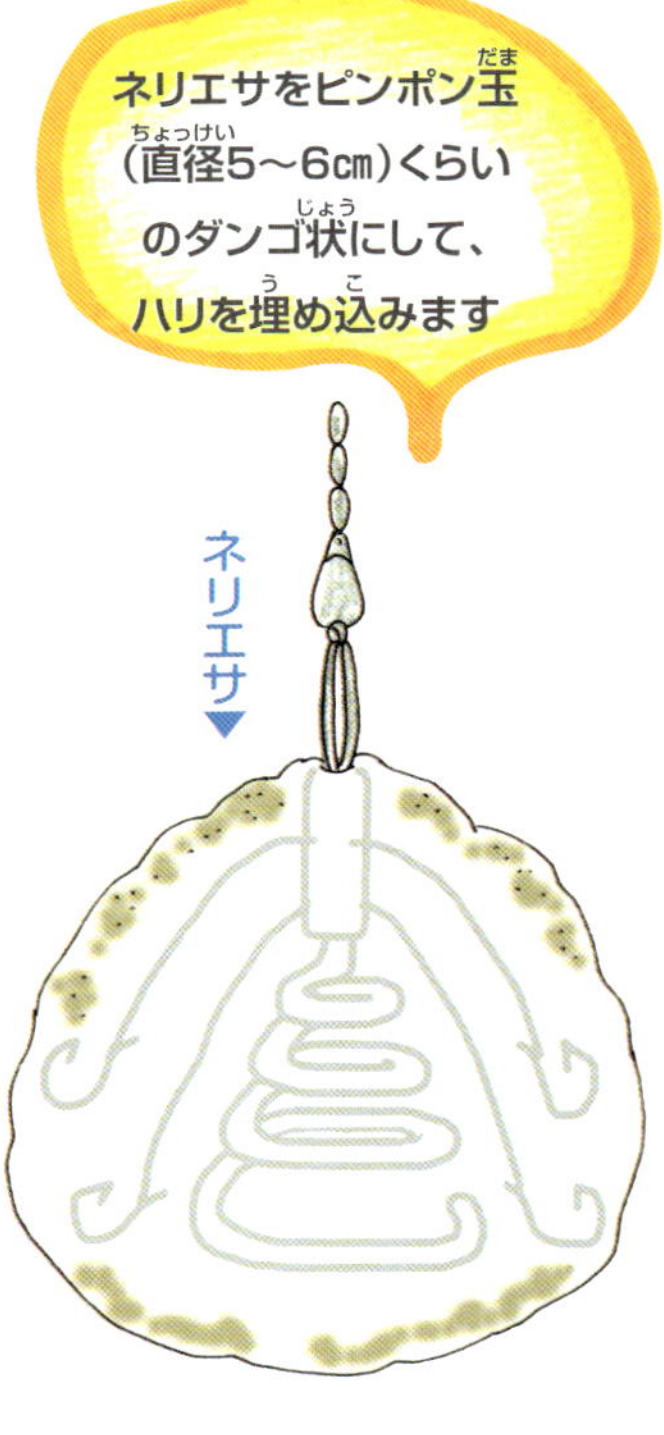

ウキ釣《づ》り

道具《どうぐ》と仕《し》かけ

ウキ釣《づ》りはアシや藻《も》、沈《しず》んだ木《き》や杭《くい》のまわりなど岸近《きしちか》くのポイントを狙《ねら》う場合《ばあい》に有利《ゆうり》です。4・5～6・3mの投《な》げザオかコイ専用《せんよう》のサオを使《つか》います。投《な》げザオの場合《ばあい》は中型《ちゅうがた》スピニングリールを使《つか》います。

エサ

基本的《きほんてき》には1本《ぽん》は寄《よ》せエサ、1本《ぽん》は喰《く》わせ用《よう》のエサをつけます。原則《げんそく》は同《おな》じエサを使《つか》います。一般的《いっぱんてき》に使《つか》えるエサといえば、サツマイモをふかして羊《よう》かんくらいのやわらかさにして、角切《かくぎ》りにしてハリに刺《さ》します。また、配合《はいごう》ネリエサも使《つか》えます。これ以外《いがい》では、雑食性《ざっしょくせい》なので、エビ、ミミズ、ザリガニやタニシの身《み》なども使《つか》えます。

ポイント

コイが回遊《かいゆう》するタナに合《あ》わせて、ウキ下《した》の長《なが》さを調整《ちょうせい》することが重要《じゅうよう》です。また、コイはアタリが強《つよ》く重《おも》いので、ハリにかかった瞬間《しゅんかん》、イトが切《き》られないようにリールのドラグ調整《ちょうせい》もポイントです。また、アタリがあったらすぐにはアワセず、イトを送《おく》り出《だ》すようにしてゆっくりとアワセましょう。

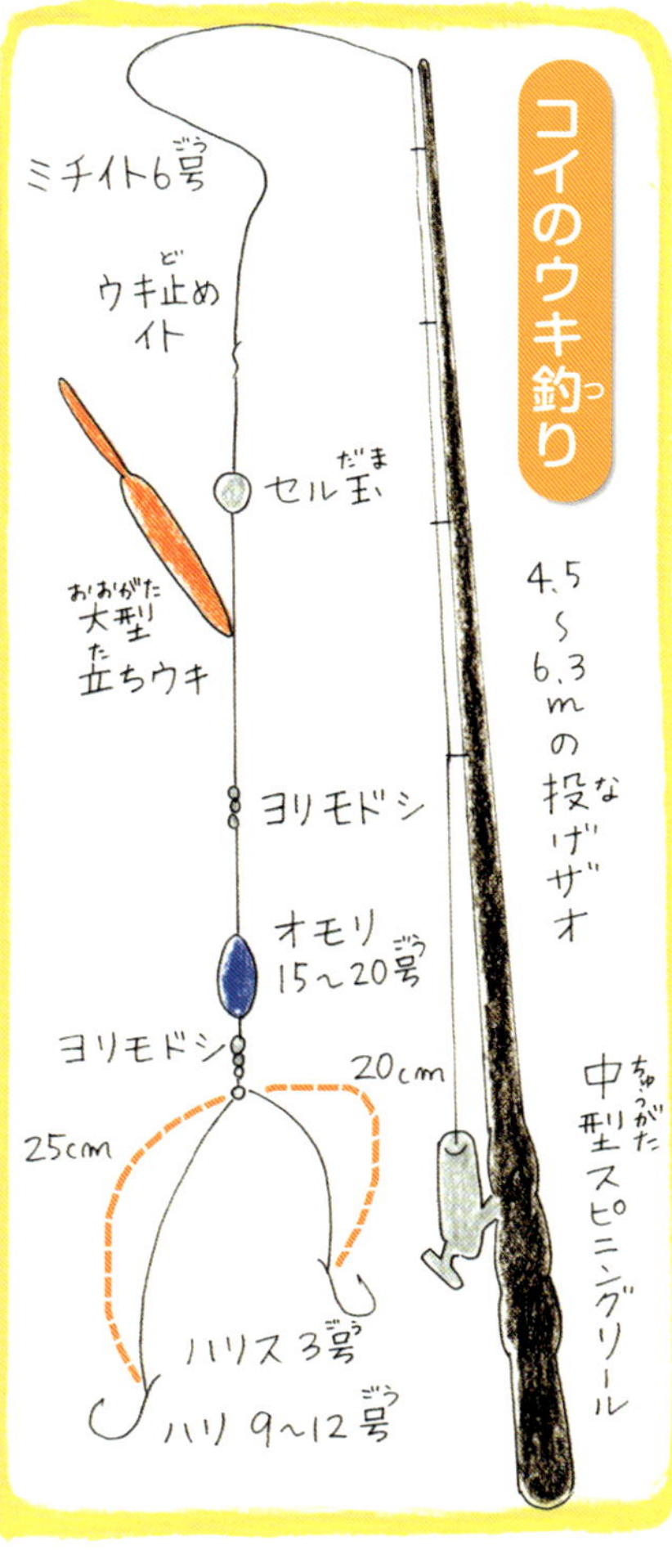

第《だい》6章《しょう》

ルアー釣《づ》り

ルアーで釣《つ》れる魚《さかな》とその領域《りょういき》を見《み》ておこう

ルアーの意味《いみ》はハリのついたギジエとなっていますが、生《い》きたものを追《お》いかけて食《た》べる魚《さかな》を釣《つ》るための道具《どうぐ》といった方《ほう》が適切《てきせつ》でしょう。「ルアー」には「誘《さそ》う」という意味《いみ》もあり、まさに魚《さかな》を誘《さそ》って釣《つ》り上《あ》げるためのものです。

ルアー釣《づ》りは、渓流《けいりゅう》、湖沼《こしょう》、海《うみ》と幅広《はばひろ》い領域《りょういき》でできます。また、ルアー釣《づ》りは外国《がいこく》から伝《つた》わってきたものなので、道具《どうぐ》などに出《で》てくる用語《ようご》はほとんど英語《えいご》など外国語《がいこくご》です。

淡水《たんすい》では、イワナ、ヤマメなどの渓流《けいりゅう》のトラウト（マス類《るい》のことをいいます、イワナ、ヤマメのほかにサクラマス、アメマス、ニジマス、ヒメマス、アマゴなど多数《たすう》）が中心《ちゅうしん》の釣《つ》りになります。

湖沼《こしょう》では、ブラックバス、ブルーギル、ライギョ、ナマズなどが対象魚《たいしょうぎょ》です。

海《うみ》では、防波堤《ぼうはてい》、砂浜《すなはま》、磯《いそ》など大半《たいはん》の場所《ばしょ》でルアー釣《づ》りができ、対象魚《たいしょうぎょ》も増《ふ》えます。スズキ（シーバス）はもちろん、ヒラメ、メバル、アイナメ、カサゴ、ソイ、タチウオなど表層《ひょうそう》の魚《さかな》から深海魚《しんかいぎょ》までルアー釣《づ》りの対象魚《たいしょうぎょ》になります。

ルアー釣《づ》り基本用語《きほんようご》

●**タックル…**釣《つ》り道具《どうぐ》のこと。ロッド、リール、ルアーなど全般《ぜんぱん》

●**ロッド…**サオのことです

●**スピニングタックルとベイトタックル…**使《つか》うリール（スピニングリールとベイトキャスティングリール）で分《わ》かれていて、それぞれスピニングロッドとベイトキャスティングロッドが必要《ひつよう》になります。

ベイトキャスティングリール&ロッド

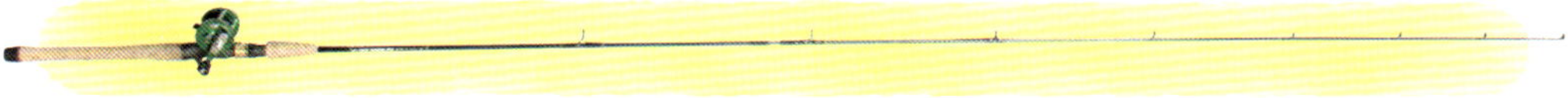

スピニングリール&ロッド

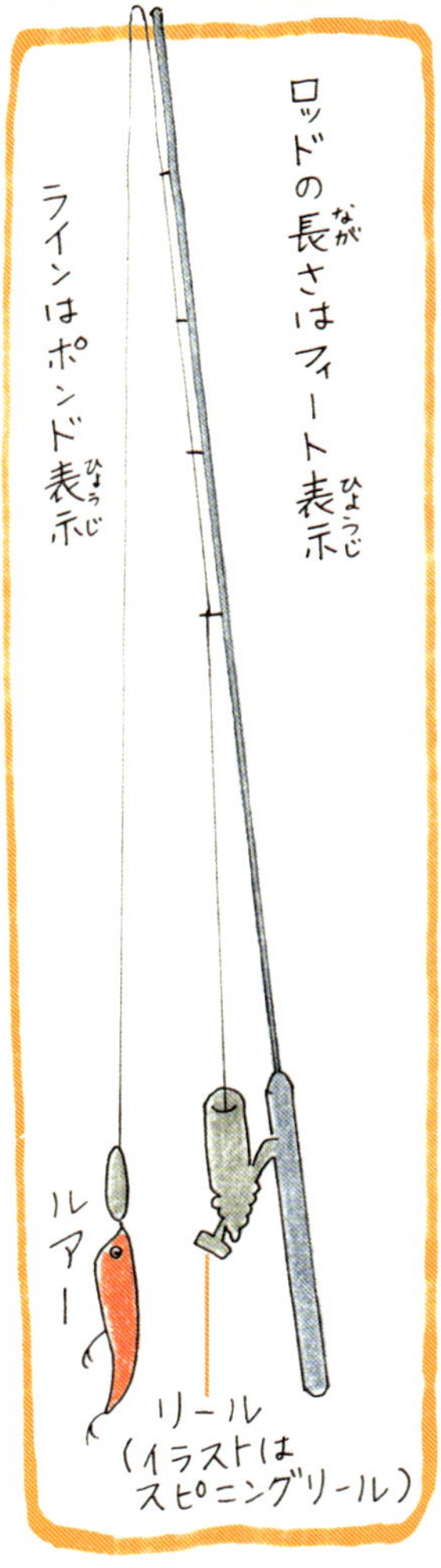

ルアーの種類《しゅるい》

ルアーは種類《しゅるい》が非常《ひじょう》に多《おお》く、ルアーの分類《ぶんるい》の仕方《しかた》はいくつもあります。ここでは、「ハードルアー」と「ソフトルアー」（ワーム）に分《わ》けて紹介《しょうかい》します。

ルアーの用語《ようご》として、シンキング（水《みず》より重《おも》いためリトリーブしないと沈《しず》んでゆくタイプ）、フローティング（浮《う》くタイプ）、サスペンド（水《みず》と同《おな》じ比重《ひじゅう》を持《も》っていて、リトリーブしないと一定《いってい》の深度《しんど》にとどまるタイプ）などが出《で》てきます。

※リトリーブ…リールでラインを巻《ま》くこと、つまりルアーを引《ひ》くこと

ハードルアー

プラスチックや木《き》、金属《きんぞく》などの硬《かた》い素材《そざい》をさまざまな形《かたち》に加工《かこう》し、ハリを取《と》りつけたものです。

ミノー

見《み》た目《め》も魚《さかな》に似《に》ているミノー。
シンキング、フローティング、サスペンドとさまざまなタイプがあります。

ジグミノー

ミノーの一種《いっしゅ》。ジグとは金属《きんぞく》でできたルアーのことです。

スプーン

ニジマス、ヤマメ、イワナ
コイ、シーバスなど幅広《はばひろ》く使《つか》われています。

スピナーベイト

ブレイド（金《きん》や銀《ぎん》の鉄板《てっぱん》）の輝《かがや》きや振動《しんどう》でバスを誘《さそ》います。

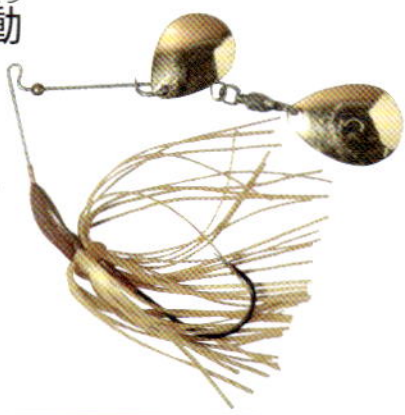

スピナー

直線形《ちょくせんがた》のハリガネにビーズとブレイドを通《とお》し、ハリをつけたもので、回転《かいてん》して魚《さかな》の興味《きょうみ》をひきます。

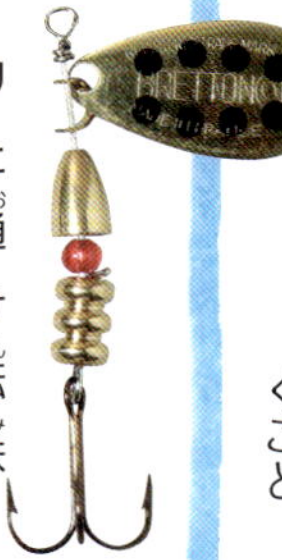

ソフトルアー

※詳《くわ》しくはP130で解説《かいせつ》

ワームとも呼《よ》ばれます。合成樹脂《ごうせいじゅし》やラバーでできたやわらかいルアーのことです。専用《せんよう》のハリと組《く》み合《あ》わせ、リグと呼《よ》ばれる仕《し》かけを作《つく》って使《つか》います。

ブラックバス

分布《ぶんぷ》　アメリカ南東部原産《なんとうぶげんさん》でラージマウスバスといいます。大正時代《たいしょうじだい》の終《お》わりごろに日本《にほん》に入《はい》ってきて繁殖《はんしょく》し、今《いま》や、日本各地《にほんかくち》の湖沼《こしょう》を中心《ちゅうしん》に生息《せいそく》、河川《かせん》にもいます。

特徴《とくちょう》

体長《たいちょう》20〜50㎝、最大《さいだい》では60㎝を超《こ》えるものもいます。非常《ひじょう》にどう猛《もう》な肉食魚《にくしょくぎょ》で、小魚《こざかな》やエビなどを食《た》べます。

貪欲《どんよく》にエサを追《お》う習性《しゅうせい》や引《ひ》きの強《つよ》さでゲームフィッシングの王者《おうじゃ》として根強《ねづよ》い人気《にんき》がある、ブラックバス。スピニングタックル、ベイトタックルのいずれでもOK。

道具《どうぐ》と仕《し》かけ

初心者《しょしんしゃ》にはスピニングタックルがおすすめです。スピニングリールはベイトキャスティングリール（以下《いか》、ベイトリール）に比《くら》べて扱《あつか》いやすく、しかも価格《かかく》も手《て》ごろです。

ベイトタックルはスピニングタックルに慣《な》れてから使《つか》う方《ほう》がよいでしょう。なおベイトタックルにはスピニングタックルにはない利点《りてん》もあります。たとえば早引《はやび》きが基本《きほん》となるトップウォーターのルアーを使《つか》った場合《ばあい》、水《みず》の抵抗《ていこう》を受《う》けやすいスピニングタックルに比《くら》べ、巻《ま》き上《あ》げる力《ちから》が強《つよ》いベイトタックルは、スムーズなリトリーブを可能《かのう》にします。

ロッドの長《なが》さはスピニングタックルで6〜7フィート、ベイトタックルで5・5〜6フィートぐらいが使《つか》いやすいでしょう（1フィートは約《やく》30㎝）。ラインはスピニングタックルで4〜8ポンド、ベイトタックルで8〜20ポンドを基準《きじゅん》にしましょう。

エサ（ルアー）

ルアー選《えら》びは、ブラックバスに限《かぎ》らず最《もっと》もむずかしく、最《もっと》もおもしろいことでもあります。ただブラックバスはほとんどのルアーに興味《きょうみ》を示《しめ》すタイプの魚《さかな》です。それだけに一般的《いっぱんてき》なルアーではヒットしないという意見《いけん》もあります。

基本的《きほんてき》には、クランクベイトとソフトルアー（ワーム）を数種《すうしゅ》類《るい》ずつ用意《ようい》すればよいでしょう。ルアーにはそれぞれ特徴《とくちょう》があるので、それに合《あ》わせた使《つか》い方《かた》（動《うご》かし方《かた》）

を学《まな》んでおきましょう。

またルアーは、時間帯《じかんたい》、水温《すいおん》、天気《てんき》、地形《ちけい》などでタイプと色《いろ》を選《えら》ぶようにすることも大切《たいせつ》です。

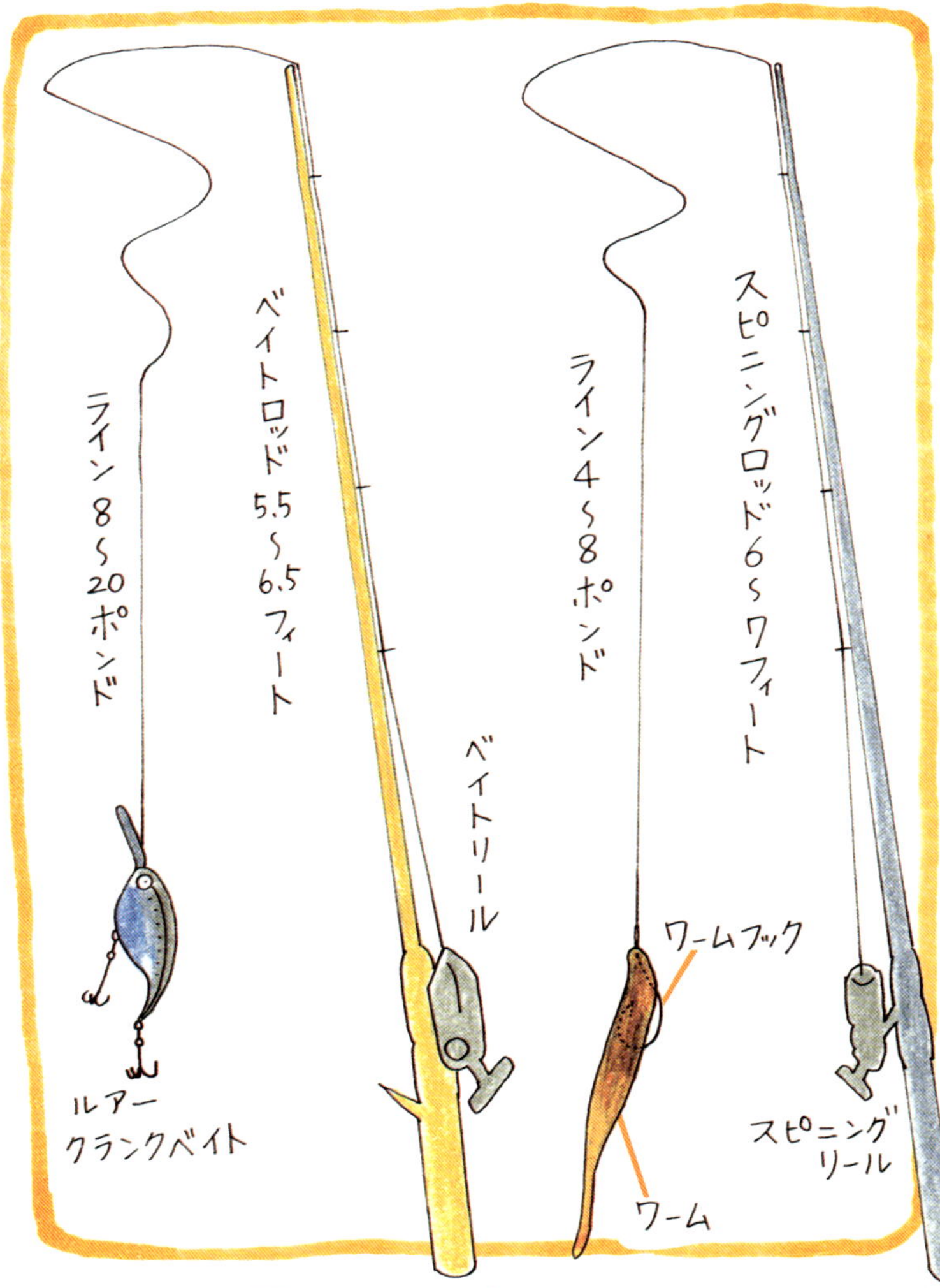

ポイント

ブラックバスは、深《ふか》さ3～6mの深《ふか》場《ば》にいるとされ、エサを取《と》るために浅《あさ》場《ば》に上《あ》がってきます。特《とく》に、水中《すいちゅう》の障害物《しょうがいぶつ》（ストラクチャー）につくといわれています。藻《も》や枯《か》れ木《き》の下《した》、岩《いわ》、桟橋《さんばし》の柱《はしら》、流《なが》れ込《こ》みや流《なが》れ出《だ》しなど、いろいろなものの蔭《かげ》にひそんでいて、小魚《こざかな》がやってくるのを待《ま》ち構《かま》えています。

ワーム釣《つ》りにチャレンジ

ワーム（ソフトルアー）はハードルアーと違《ちが》い、ワームにフックやシンカーを取《と》り付《つ》けて「リグ」になって始《はじ》めて使用《しよう》することができます。ワームのメリットは魚《さかな》の食《く》い付《つ》きが良《い》いこと。やわらかいワームは、魚《さかな》のエサである自然《しぜん》の生《い》き物《もの》に似《に》た動《うご》きをするため、魚《さかな》に警戒心《けいかいしん》を与《あた》えることが少《すく》なく魚《さかな》の食《く》いが良《よ》くなるのです。またハードルアーに比《くら》べて安《やす》く壊《こわ》れにくい。そしてねらうターゲットに応《おう》じてパーツを組《く》みかえることができる自由《じゆう》さも魅力《みりょく》です。

ワームの種類

ストレート・ピンヒールテール

シャッド・テール

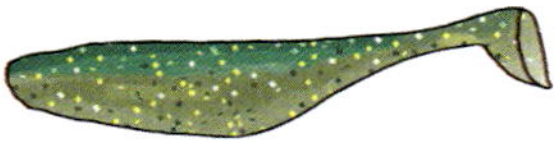

カーリーテール

ホッグ・クロー

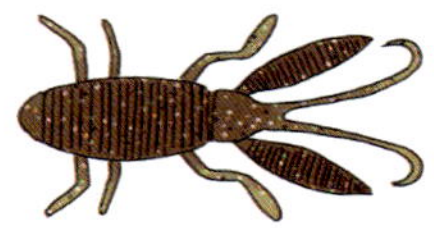

種類《しゅるい》豊富《ほうふ》なワーム

ワームはいくつかの種類《しゅるい》がありますが、最初《さいしょ》に手《て》に取《と》って欲《ほ》しいのが「ストレート・ピンテール」。細身《ほそみ》のボディの形状《けいじょう》と、まっすぐに伸《の》びたテールを持《も》つワームで、リブ（ヒダヒダの形状《けいじょう》）が水中《すいちゅう》に入《はい》るとまるで生物《せいぶつ》のように動《うご》き魚《さかな》を引《ひ》き寄《よ》せます。他《ほか》にはストレート・ピンテールよりテールが強《つよ》く動《うご》き、魚《さかな》をもしたアクションを得意《とくい》とする「シャッド・テール」、うすくうずをまくテールが独特《どくとく》のアクションを作《つく》り出《だ》す「カーリーテール」、エビやカニなどの甲殻類《こうかくるい》をまねた「ホッグ・クロー」などがあります。

初心者《しょしんしゃ》はまずジグヘッドリグ

「ジグヘッドリグ」はシンカーとフックが一体《いったい》となったジグヘッドとワームを組《く》み合《あ》わせたもの。初心者《しょしんしゃ》でも使《つか》いやすく、重《おも》さもアジ用《よう》の1グラムからタチウオ用《よう》の28グラムまであり、色々《いろいろ》なターゲットに向《む》いているのも魅力《みりょく》です。

ジグヘッドの種類《しゅるい》

中間《ちゅうかん》タイプ

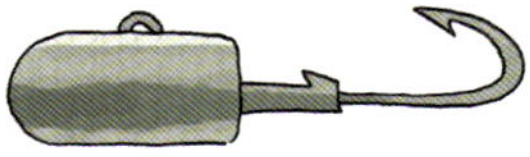

特殊《とくしゅ》な形状《けいじょう》のジグヘッドで、形《かたち》によってダート性能《せいのう》や沈下《ちんか》スピードなどの性能《せいのう》に特化《とっか》しているものが多《おお》い。

三角《さんかく》タイプ

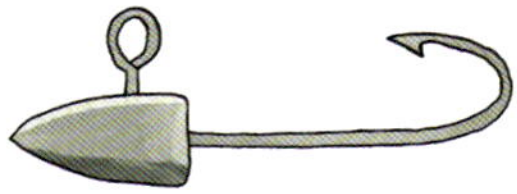

水《みず》を切《き》るようなとがったヘッドが特徴的《とくちょうてき》。引《ひ》きの抵抗《ていこう》が低《ひく》く、安定《あんてい》して一定《いってい》のレンジを引《ひ》けます。

丸《まる》タイプ

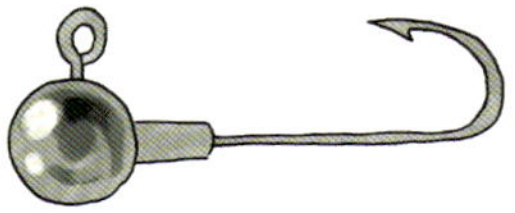

ラウンドタイプとも呼《よ》ばれる球形《きゅうけい》ヘッド。はじめて使《つか》うならこれがおすすめ。

ワームとジグヘッドの付《つ》け方《かた》

1 ワームとジグヘッドを並《なら》べて取《と》り付《つ》ける際《さい》の目星《めぼし》を付《つ》けます。
2 片手《かたて》の手《て》でジグヘッドを持《も》ち、もう片方《かたほう》の手《て》でワームをつまみます。
3 ワームを差《さ》し始《はじ》めたら最初《さいしょ》につけた目星付近《めぼしふきん》までフックをさします。
4 狙《ねら》った位置《いち》までうまくさせたら針先《はりさき》をワームの外《そと》に抜《ぬ》きます
5 完成《かんせい》

ジグヘッドのアクション

ダート引《ひ》き

ロッドを上下左右《じょうげさゆう》にふってからラインのたるみを回収《かいしゅう》するアクション。ジグヘッドが左右《さゆう》にはねることで魚《さかな》の食《く》いをさそいます。

シェイク巻《ま》き

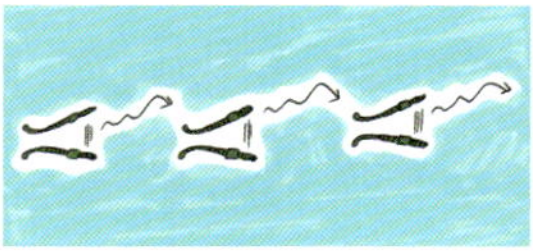

ロッドを軽《かる》く上下《じょうげ》にアクションさせながら巻《ま》くアクション。ルアーを魚《さかな》に見《み》つけさせることで食《く》い付《つ》く確率《かくりつ》を上《あ》げます。

タダ巻《ま》き

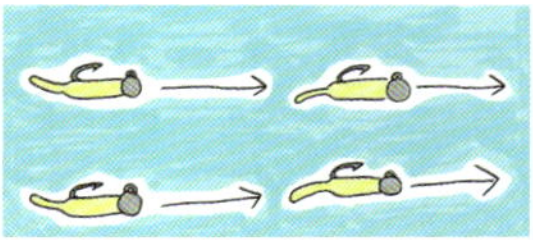

着水後《ちゃくすいご》、ねらう層《そう》までしずめてから一定《いってい》のスピードで巻《ま》く。目安《めやす》は1秒間《びょうかん》に2回転《かいてん》。緩急《かんきゅう》を付《つ》けるのもおすすめです。

ヒラメ

ヒラメは平《ひら》べったい見《み》た目《め》からルアー釣《つ》りではフラットフィッシュと呼《よ》ばれています。最大《さいだい》で1mまで成長《せいちょう》する個体《こたい》もいて、高級魚《こうきゅうぎょ》としても知《し》られている人気《にんき》の魚《さかな》です。

分布《ぶんぷ》

沖縄県《おきなわけん》をのぞいて日本《にほん》のほぼ全域《ぜんいき》に分布《ぶんぷ》します。夏《なつ》のヒラメは砂浜《すなはま》でも釣《つ》れますが、脂《あぶら》ののったヒラメをねらうなら冬《ふゆ》の沖合《おきあい》での船釣《ふなづ》りがおすすめです。

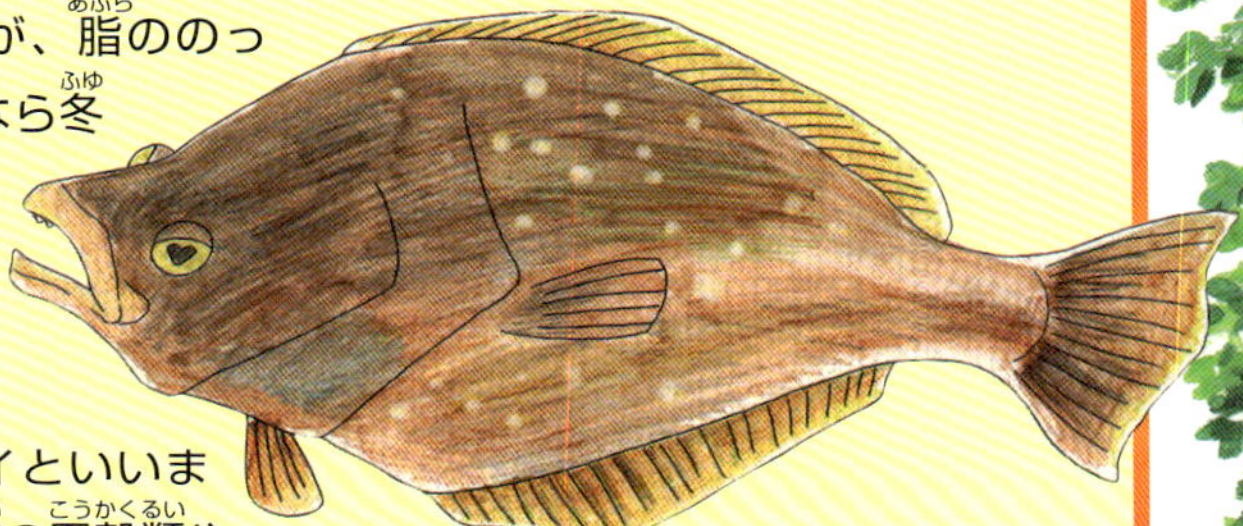

特徴《とくちょう》

左《ひだり》ヒラメに右《みぎ》カレイといいますが、カレイは海底《かいてい》の甲殻類《こうかくるい》やゴカイなどを食《た》べますが、ヒラメは動《うご》く魚《さかな》を積極的《せっきょくてき》にねらうため、スイムアクションも要求《ようきゅう》されます。

タックル

ヒラメ専用《せんよう》のロッドもありますが、シーバス用《よう》のロッドでオーケー。飛距離《ひきょり》を得《え》るには長《なが》いロッドが有利《ゆうり》ですが、短《みじか》すぎなければ問題《もんだい》ありません。リールはスピニングリールの3～4000番《ばん》で。ラインはPEの1号《ごう》から1.5号《ごう》を、リーダーはフロロカーボンの3mの物《もの》を使《つか》いましょう。

リグ

ヒラメねらいの場合《ばあい》はジグヘッドリグ一択《いったく》です。ヒラメ専用《せんよう》のジグヘッドリグを用意《ようい》して挑戦《ちょうせん》しましょう。ワームはシャッドテールがおすすめです。

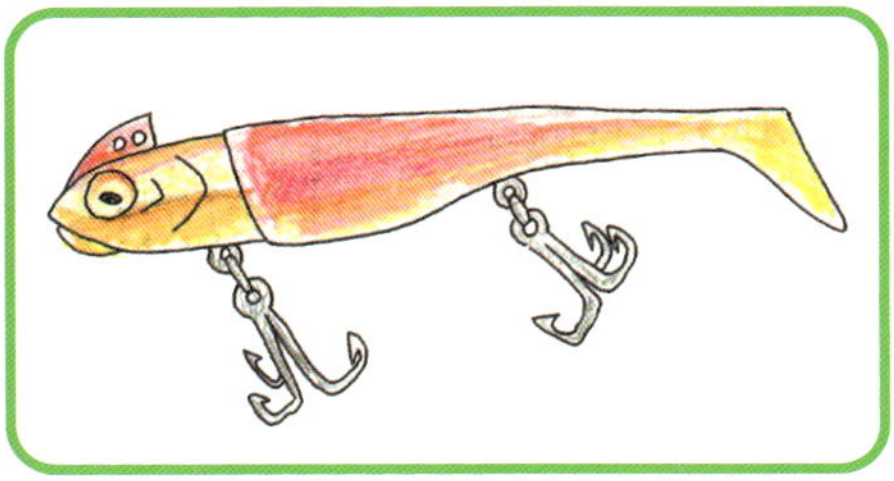

ポイント

初心者《しょしんしゃ》はまずサーフ（浅瀬《あさせ》の砂浜《すなはま》）や河口付近《かこうふきん》を探《さが》して釣《つ》ろう。場所選《ばしょえら》びとタイミングが重要《じゅうよう》で、陽《ひ》が出《で》る前《まえ》の早朝《そうちょう》がねらい目《め》です。

釣《つ》り方《かた》

タダ巻《ま》きが基本《きほん》。ヒラメの視界《しかい》に入《はい》るレンジをキープすることが重要《じゅうよう》です。糸《いと》をまく時《とき》は波《なみ》のスピードより速《はや》くするのが基本《きほん》。アタリは分《わ》かりやすいのでかかったらすぐにまきましょう。

サーフでのタックル

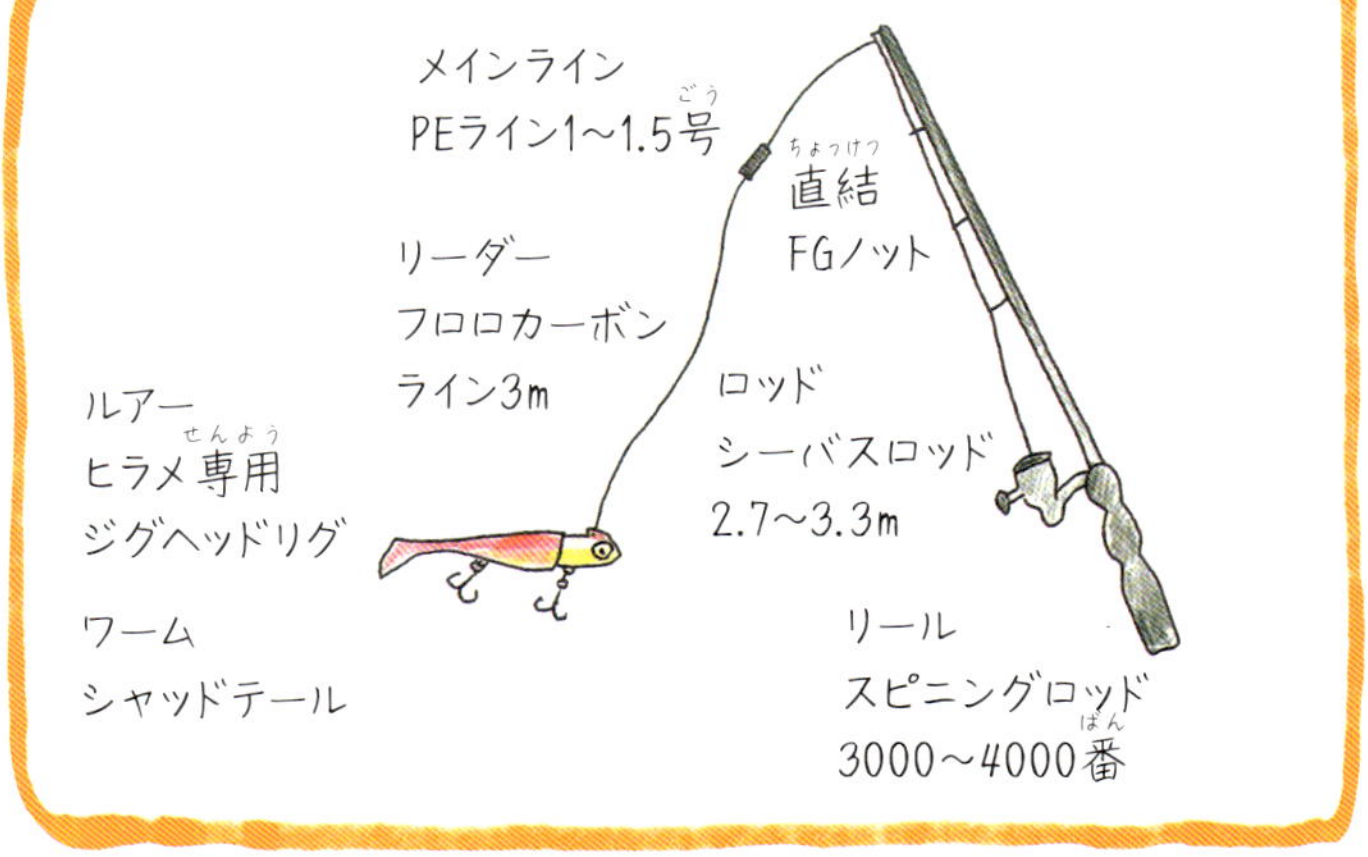

サーフでの釣《つ》りポイント

ヒラメは海底《かいてい》の地形変化《ちけいへんか》のある場所《ばしょ》にひそんでいることが多《おお》い。波《なみ》が崩《くず》れる場所《ばしょ》や砂《すな》が盛《も》り上《あ》がっている場所《ばしょ》など色々《いろいろ》な場所《ばしょ》を歩《ある》いてねらいましょう。

一《いっ》か所《しょ》だけ波《なみ》が立《た》っている

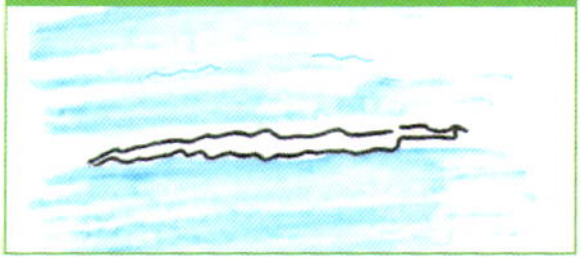

波《なみ》が離《はな》れる場所《ばしょ》

砂《すな》が盛《も》り上《あ》がっている

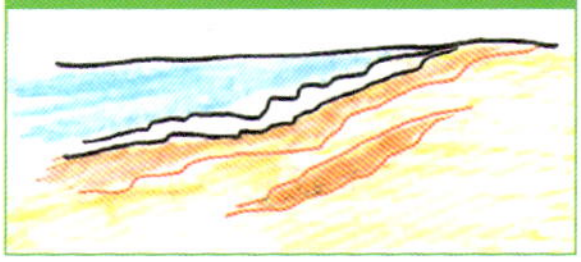

泡《あわ》がたくさん浮《う》いている

流《なが》れ込《こ》み

河口部《かこうぶ》

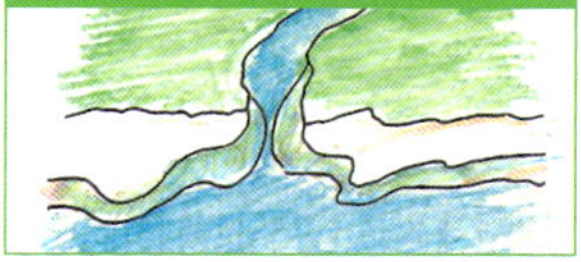

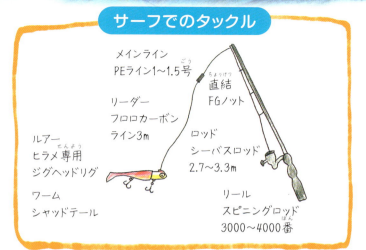

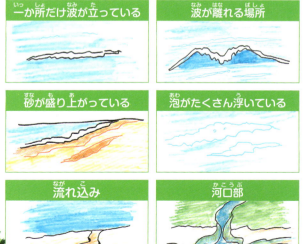

カサゴ

分布《ぶんぷ》 北海道《ほっかいどう》から九州《きゅうしゅう》・沖縄《おきなわ》までの日本《にっぽん》各地《かくち》に分布《ぶんぷ》しています。主《おも》な生息《せいそく》場所《ばしょ》は沿岸《えんがん》の岩《がん》しょう域《いき》のほか、防波堤《ぼうはてい》のテトラポッドの合間《あいま》などにもよくひそんでいます。

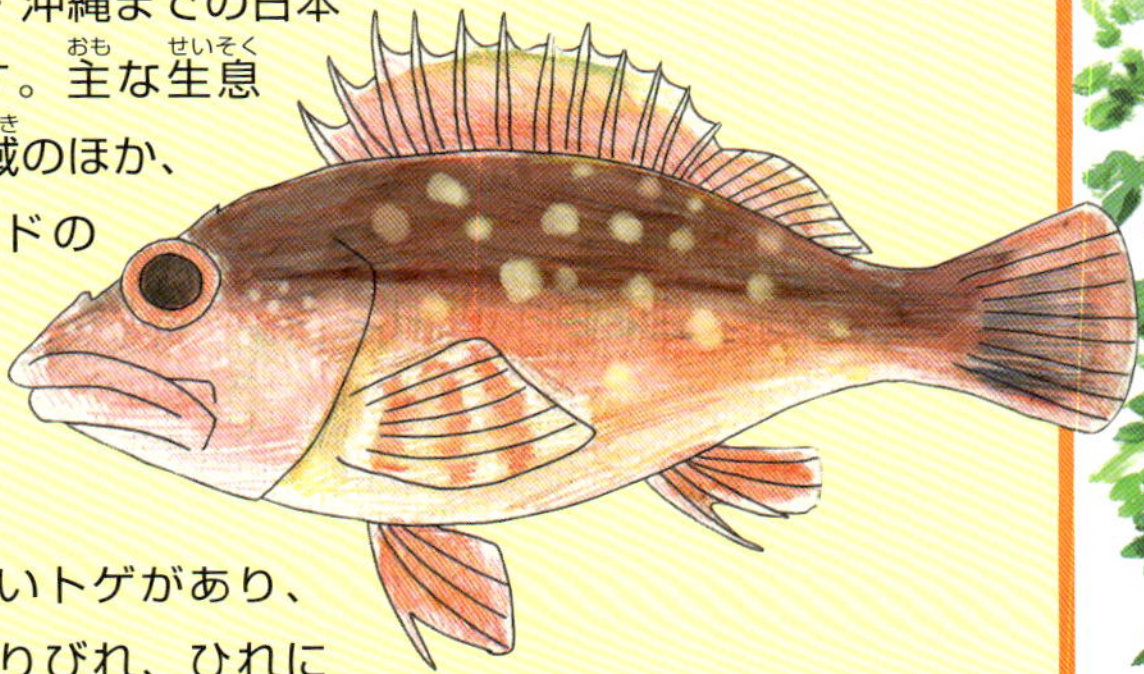

特徴《とくちょう》

大《おお》きな頭部《とうぶ》にはするどいトゲがあり、その他《ほか》にも背《せ》びれ、しりびれ、ひれにトゲがあります。刺《さ》さるとひどく痛《いた》むため要注意《ようちゅうい》。体色《たいしょく》は一般的《いっぱんてき》に茶色《ちゃいろ》にまだら模様《もよう》が入《はい》ることが多《おお》いです。

生《う》まれた海域《かいいき》で一生《いっしょう》を過《す》ごす魚《さかな》で、ロックフィッシュといわれています。同《おな》じ場所《ばしょ》に複数《ふくすう》いる場合《ばあい》もあり、釣《つ》れるときは数釣《かずつ》りが可能《かのう》です。

タックル

堤防釣《ていぼうづ》りの場合《ばあい》、タックルはパワーより感度《かんど》がよくてルアーをアクションしやすいロッドを選択《せんたく》するのがおすすめです。リールはスピニングリールの2000〜3000番《ばん》、ラインはフロロカーボンラインやナイロンラインの2号《ごう》を使《つか》うといいでしょう。

リグ

カサゴが主食《しゅしょく》とするのはカニ・エビなどの甲殻類《こうかくるい》やゴカイなどの多毛類《たもうるい》です。そのためワームはグラブ系《けい》を選択《せんたく》するのがおすすめ。リグはジグヘッドリグ、テキサスリグなど、シンカーやフックを組《く》み合《あ》わせたリグでいどみましょう。

ポイント

堤防《ていぼう》の周囲《しゅうい》は海底《かいてい》の様子《ようす》が分《わ》かりにくい。比較的《ひかくてき》ストラクチャーが少《すく》ないのでしずみ瀬《せ》や藻場《もば》、ケーソンのつなぎ目《め》、テトラ一帯《いったい》を攻《せ》めてみよう。

釣《つ》り方《かた》

すき間《ま》を見《み》かけたら仕《し》掛《か》けを下《お》ろし、オモリが底《そこ》に着《つ》いたらじっと待《ま》つか、オモリを持《も》ち上《あ》げて落《お》とすをくり返《かえ》す「リフト&フォール」でカサゴが食《く》いつくのをさそおう。

堤防《ていぼう》でのタックル

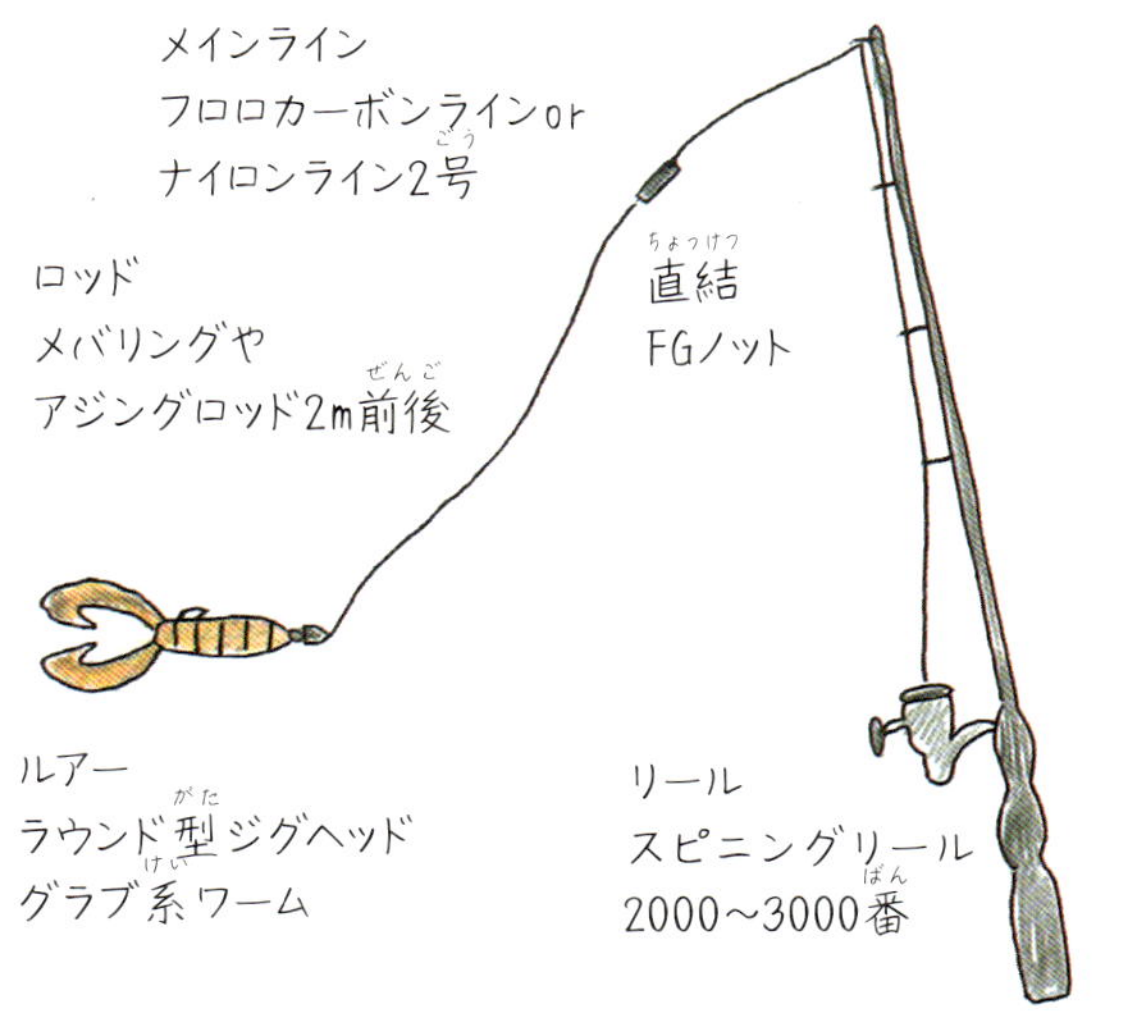

堤防《ていぼう》の釣《つ》りポイント

遠浅《とおあさ》の場所《ばしょ》でも岩《いわ》があればカサゴがいる可能性《かのうせい》は高《たか》い。テトラポッドの切《き》れ目《め》はねらいどころ。

カサゴは落《お》ちてくるエサを待《ま》ち構《かま》えているので、頭上《ずじょう》でフワフワとただようエサに必《かなら》ず反応《はんのう》します。

スズキ

スズキはルアーフィッシングでは人気《にんき》のターゲットで、基本的《きほんてき》に潮《しお》の流《なが》れがあるところに生息《せいそく》し、春《はる》や夏《なつ》は浅場《あさば》や海底《かいてい》の岩《いわ》などがある漁礁《ぎょしょう》に集《あつ》まります。秋冬《あきふゆ》は水深《すいしん》のある外海域《がいかいいき》に移動《いどう》します。スズキ釣《つ》りは海《うみ》でのブラックバスのような釣りという意味《いみ》からシーバスと呼《よ》ばれています。

分布《ぶんぷ》 東北《とうほく》から九州《きゅうしゅう》までの沿岸域《えんがんいき》に分布《ぶんぷ》する日本近海《にほんきんかい》の固有種《こゆうしゅ》で、近年《きんねん》は温暖化《おんだんか》の影響《えいきょう》か北海道南部《ほっかいどうなんぶ》での生息《せいそく》も確認《かくにん》されています。港湾部《こうわんぶ》や地磯《ちいそ》、サーフなどに棲《す》んでいて、淡水域《たんすいいき》の河川《かせん》にも棲《す》んでいます。

特徴《とくちょう》

スズキはセイゴ→フッコ（関西《かんさい》ではハネ）→スズキと名前《なまえ》が変《か》わる出世魚《しゅっせうお》で、体長《たいちょう》は５～６年《ねん》で60㎝前後《ぜんご》、最大《さいだい》では１ｍを超《こ》えることもあります。また「ヒラスズキ」と「タイリクスズキ」という種類《しゅるい》もいます。

タックル

ロッドはフィールドに適合《てきごう》したものを使《つか》うことが大切《たいせつ》。足場《あしば》のいい堤防《ていぼう》や港内《みなとない》なら2・4ｍ前後《ぜんご》、河口《かこう》やサーフで釣《つ》るなら遠投性《えんとうせい》が高《たか》めの2・7～3ｍクラスが最適《さいてき》。ラインはＰＥの0・8号前後《ごうぜんご》を使《つか》うと良《よ》いでしょう。リーダーにはフロロカーボンラインの3～5号《ごう》を使《つか》うのがおすすめです。

リグ

シーバスは何《なん》でも食《た》べるのですが、シーズンごとに食《た》べるベイトが変化《へんか》します。その時期《じき》に主《おも》に食《た》べられるベイトを模《も》したワームを使《つか》うのがおすすめです。

ポイント

初心者《しょしんしゃ》におすすめなのが、イソメやゴカイ類《るい》などが産卵《さんらん》するために、砂《すな》からはい出《だ》して水中《すいちゅう》に抜《ぬ》け出《だ》す「バチ抜《ぬ》け」の時期《じき》。冬《ふゆ》から春《はる》の大潮《おおしお》から中潮《なかしお》の下《さ》げ潮《しお》の夜《よる》がねらい目《め》となります。バチ抜《ぬ》けがうまくいかない場合《ばあい》はストラクチャーをねらいたいところ。特《とく》に日中《にっちゅう》のシーバスは沖《おき》のブロックやテトラポッドの陰《かげ》にひそんでいることが多《おお》いので、ストラクチャーをぴったり攻《せ》めましょう。

港湾《こうわん》でのシーバスタックル

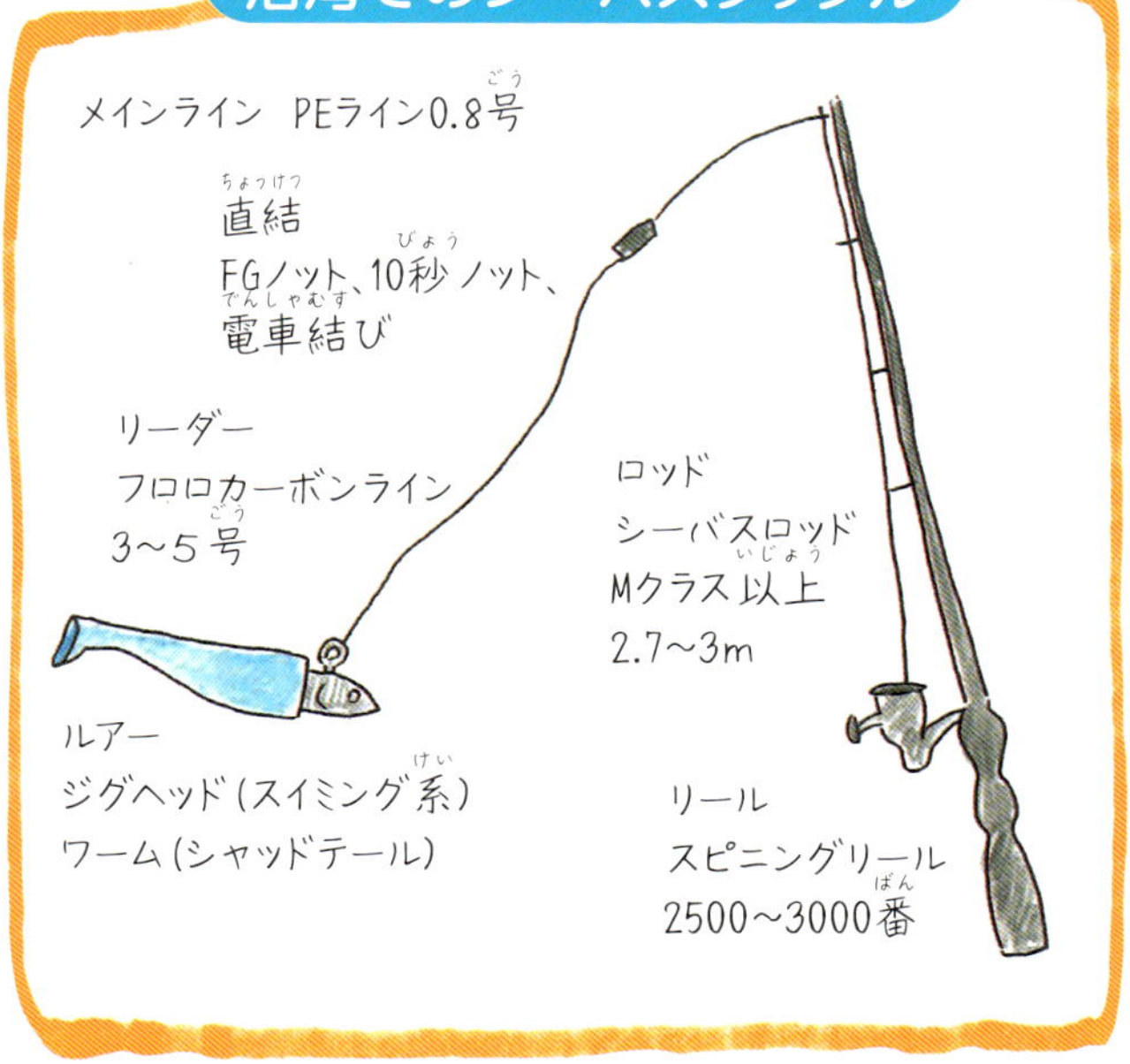

釣《つ》り方《かた》

ストラクチャーを攻《せ》める場合《ばあい》、直接《ちょくせつ》狙《ねら》いたい場《ば》所《しょ》にアタックするのではなく、少《すこ》しはなれた場所《ばしょ》に着水《ちゃくすい》させて、ラインをまきながらねらいの場所《ばしょ》に近《ちか》づけましょう。

危《き》険《けん》な魚《さかな》たち

釣《つ》れる魚《さかな》の中《なか》には、するどい牙《きば》やトゲ、毒《どく》を持《も》ち食《た》べたり触《ふ》れたりすると危険《きけん》な魚《さかな》がいます。種類《しゅるい》が分《わ》からない魚《さかな》が釣《つ》れたときは、不用意《ふようい》に手《て》で触《さわ》らずメゴチバサミなどで固定《こてい》しながら「ハリ外《はず》し」で処理《しょり》しましょう。ここでは釣《つ》りを行《おこな》ううえで気《き》を付《つ》けなければいけない魚《さかな》の一部《いちぶ》を紹介《しょうかい》します。

フグ

いわずと知《し》れた毒魚《どくぎょ》の代表格《だいひょうかく》。さまざまな釣《つ》りでかかることがあり、釣《つ》れても決《け》して食《た》べてはいけません。多《おお》くは内臓《ないぞう》の各部《かくぶ》位《い》にフグ毒《どく》のテトロドトキシンを持《も》ちますが、中《なか》には皮膚《ひふ》や身《み》にも毒《どく》を持《も》つ種類《しゅるい》がいます。自己判断《じこはんだん》で内臓《ないぞう》を取《と》り除《のぞ》いて食《た》べたりしないように。

ハオコゼ

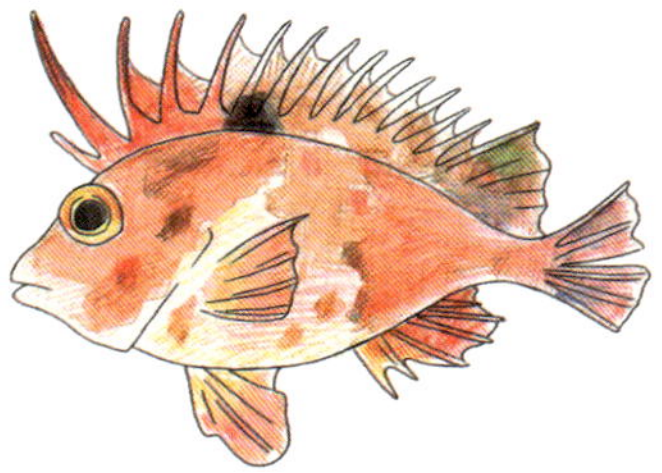

全国《ぜんこく》に広《ひろ》く生息《せいそく》し、内湾《ないわん》でのサビキ釣《つ》りや投《な》げ釣《つ》りで釣《つ》れます。背《せ》ビレ、胸《むね》ビレ、尻《しり》ビレに毒《どく》トゲがあり、刺《さ》されると鈍《にぶ》い痛《いた》みが半日《はんにち》から1日《にち》つづきます。カサゴに似《に》ており間違《まちが》いやすいが、成魚《せいぎょ》でも体長《たいちょう》5〜10cmと小《ちい》さい。小《ちい》さいカサゴが釣《つ》れたと思《おも》ったときはむやみに触《さわ》らないように。

ゴンズイ

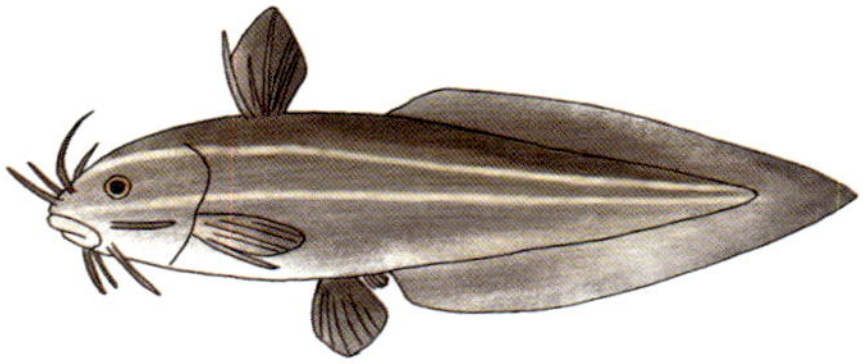

ナマズの仲間《なかま》で磯《いそ》、砂浜《すなはま》、防波堤《ぼうはてい》などあらゆる場所《ばしょ》に生息《せいそく》しています。かわいらしい見《み》た目《め》に反《はん》して背《せ》ビレと胸《むね》ビレに強《つよ》い毒《どく》トゲを持《も》ちます。刺《さ》されると強《つよ》い激痛《ずきつう》がはしり、最悪《さいあく》の場合《ばあい》は刺《さ》された部分がくさってしまいます。特《とく》に夜釣《よづ》りでよく釣《つ》れます。

ミノカサゴ

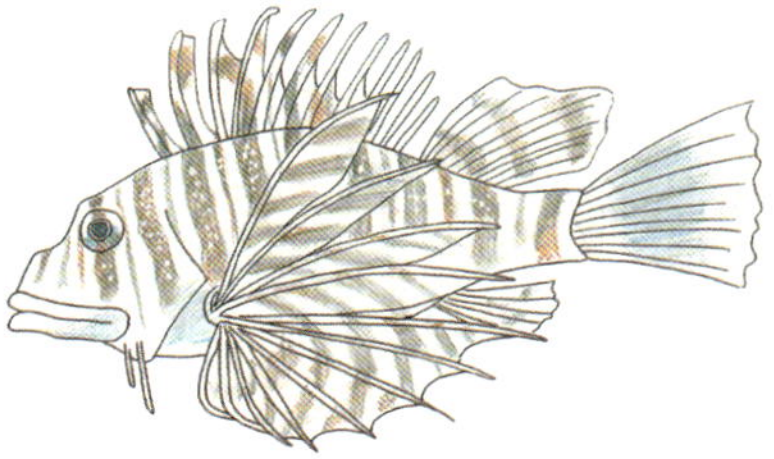

北海道以南《ほっかいどういなん》の海《うみ》に生息《せいそく》するカサゴの仲間《なかま》。穴釣《あなづ》りで釣《つ》れることが多く、優雅《ゆうが》な姿《すがた》から観賞魚《かんしょうぎょ》としても人気《にんき》。その反面《はんめん》、背《せ》ビレ、尻《しり》ビレ、腹《はら》ビレに毒《どく》トゲを持《も》っていて、刺《さ》されると激《はげ》しい痛《いた》みや腫《は》れ、発熱《はつねつ》、嘔吐《おうと》などを引《ひ》き起《お》こします。派手《はで》なカサゴだなと思《おも》ったら注意《ちゅうい》が必要《ひつよう》です。

アカエイ

日本全国《にほんぜんこく》の砂地《すなち》や泥地《でいち》に生息《せいそく》し、釣《つ》りはもちろん海水浴《かいすいよく》や潮干狩《しおひが》りでも注意《ちゅうい》が必要《ひつよう》。長《なが》い尾《お》ビレにノコギリ状《じょう》の毒針《どくばり》があり、刺《さ》されると重症化《じゅうしょうか》や死亡例《しぼうれい》もあります。魚体《ぎょたい》が大《おお》きく、釣《つ》られると自身《じしん》の尻尾《しっぽ》を大《おお》きく振《ふ》り回《まわ》すため、決《けっ》して近寄《ちかよ》らずハリスを切《き》ってしまいましょう。

もし刺《さ》されたときは?

⚠ CAUTION ⚠ CAUTION ⚠ CAUTION ⚠ CAUTION ⚠

アカエイ、ゴンズイ、ハオコゼ、ミノカサゴに刺《さ》されてしまったら、傷口《きずぐち》を洗浄《せんじょう》し、トゲが残《のこ》っている場合《ばあい》は取《と》りのぞくことが必要《ひつよう》です。魚《さかな》の毒《どく》はタンパク質《しつ》が主《おも》な成分《せいぶん》ですので、熱《ねつ》に弱《よわ》く、熱《ねつ》を加《くわ》えると分解《ぶんかい》する性質《せいしつ》を持《も》っています。このため刺《さ》された場所《ばしょ》を46℃前後《ぜんご》のお湯《ゆ》に30～90分《ふん》ほど浸《ひた》すことが有効《ゆうこう》です。ただし、これはあくまでも応急処置《おうきゅうしょち》であるので、手当《てあて》が終《お》わったらすぐに病院《びょういん》に行《い》きましょう。

ヒュウモンダコ

成長《せいちょう》しても10cmほどという小《ち》さいタコですが、猛毒《もうどく》を持《も》っています。もともと南日本《みなみにほん》海域《かいいき》にいるとされていましたが、温暖化《おんだんか》の影響《えいきょう》で関東近《かんとうちか》くでも見《み》つかっています。興奮《こうふん》すると青《あお》い輪《わ》が体《からだ》に浮《う》かび威嚇《いかく》をします。フグと同《おな》じ猛毒《もうどく》のテトロドトキシンを持《も》ち、噛《か》まれると最悪《さいあく》の場合《ばあい》死《し》んでしまうこともあります。

釣《つ》り用語《ようご》解説《かいせつ》

ア

●**赤潮《あかしお》**…海水《かいすい》の色《いろ》が赤《あか》くなる状態《じょうたい》のこと。日本《にほん》近海《きんかい》ではプランクトンの異常繁殖《いじょうはんしょく》が原因《げんいん》であることが多《おお》く、魚貝類《ぎょかいるい》の死滅《しめつ》をまねきます。

●**アクション**…①魚《さかな》を誘《さそ》うためにロッドを操作《そうさ》してルアーに動《うご》きを与《あた》えること。②ルアーやロッドの調子《ちょうし》のこと。

●**浅場《あさば》**…水深《すいしん》の浅《あさ》いところ。

●**アタリ**…エサをつけたハリに魚《さかな》が食《く》いついたとき、ウキやサオ先《さき》にあらわれる反応《はんのう》のこと。

●**アワセ**…アタリがあったとき、魚《さかな》にハリをかりさせる操作《そうさ》のこと。

●**荒食《あらぐ》い**…魚《さかな》がハリにかかる回数《かいすう》の多《おお》いことで、次々《つぎつぎ》に釣《つ》れること。

●**糸《いと》フケ**…サオ先《さき》からウキまでのミチイトが、風《かぜ》や水《みず》に流《なが》されるなどして、たるんだ状態《じょうたい》。

●**糸《いと》まき**…ミチイトなどをまいておく道具《どうぐ》。

●**打《う》ち込《こ》み**…目的《もくてき》のポイントに仕《し》かけを投《な》げ入《い》れること。

●**上潮《うわじお》**…海面《かいめん》に近《ちか》い表層《ひょうそう》を流《なが》れる潮流《ちょうりゅう》のこと。

●**エダス**…胴《どう》つき仕《し》かけなどで、ミキイトから枝《えだ》のように出《で》ているハリス。

●**大潮《おおしお》**…潮《しお》の干満《かんまん》の差《さ》が最大《さいだい》になる潮《しお》まわり。満月《まんげつ》と新月《しんげつ》のときに起《お》こります。

●**置《お》きザオ**…サオを手《て》に持《も》たず、サオかけ（立《た》て）などに置《お》いてアタリを待《ま》つこと。

●**おまつり**…仕《し》かけが他人《たにん》のものと絡《から》みあってしまった状態《じょうたい》のこと。

カ

●**かくれ根《ね》**…海面《かいめん》の下《した》にかくれて見《み》えない岩《いわ》のこと。「根《ね》」ともいう。

●**かけ上《あ》がり**…海《うみ》や川《かわ》の底《そこ》が深場《ふかば》から浅場《あさば》へ向《む》かって坂《さか》のように上《あ》がっているところ、魚《さかな》が集《あつ》まる好《こう》ポイント。

●**かけバリ**…魚《さかな》の口《くち》ではなく、魚体《ぎょたい》にかけるためのハリのこと。

●**空《から》アワセ**…アタリがなくてもサオをちょっと上《あ》げて一応《いちおう》アワセてみること。

●**きく（聞《き》く）**…魚《さかな》がかかっているかどうか確《たし》かめることで、軽《かる》くサオ先《さき》を上《あ》げたり、ミチイトを張《は》ったりして様子《ようす》をうかがうこと。

●**キャスティング**…仕《し》かけやルアーなどを狙《ねら》ったポイントに投《な》げること。

●**消《け》しこみ**…エサを喰《く》った魚《さかな》が底《そこ》に向《む》かって泳《およ》ぐことで、ウキが一気《いっき》に水面下《すいめんか》に沈《しず》みこむこと。

●**ケーソン**…防波堤《ぼうはてい》や岸壁《がんぺき》などを作《つく》るときに使《つか》う、大《おお》きなコンクリートのかたまり。

●**コマセ**…魚《さかな》を寄《よ》せるためにまくエサ。マキエ、寄《よ》せエサともいいます。

●**コンビネーションルアー**…2つ以上《いじょう》のルアーを組《く》み合《あ》わせたルアーのこと。

サ

●**サビく**…少《すこ》しずつ仕《し》かけをたぐり寄《よ》せて魚《さかな》を誘《さそ》うこと。

●**サラシ**…海《うみ》でも川《かわ》でも、白《しろ》くアワ立《た》つところ。海《うみ》なら磯《いそ》に寄《よ》せる波《なみ》があたり、酸素《さんそ》の量《りょう》が多《おお》いところ。

●**時合《じあ》い**…魚《さかな》が最《もっと》も喰《く》いが立《た》つ（喰《く》いが活発《かっぱつ》になる）時間帯《じかんたい》。満潮前後《まんちょうぜんご》や朝夕《あさゆう》の「まずめ」など。

●**潮通《しおどお》し**…潮《しお》の流《なが》れのことをいいます。

●**しゃくる**…サオ先《さき》を大《おお》きく上下《じょうげ》させて、エサをおどらせること。

●**捨《す》て石《いし》**…防波堤《ぼうはてい》のまわりの水底《みずぞこ》にある石《いし》のこと。魚《さかな》のすみかになっています。

●**スレ**…魚《さかな》の口以外《くちいがい》の部分《ぶぶん》にハリがかかって釣《つ》れること。

●**瀬《せ》**…水深《すいしん》が浅《あさ》く、水《みず》がサラサラと音《おと》を立《た》てて流《なが》れているところ。

●**底《そこ》どり**…オモリなどをつけて底《そこ》までの水深《すいしん》を測《はか》ること。

タ

●**タチ**…水深《すいしん》のこと。「上《うえ》からタチは何《なん》メートル」などと使《つか》います。

●**タナ**…魚《さかな》が泳《およ》ぐ層《そう》のこと。

●**釣果《ちょうか》**…釣《つ》りの成果《せいか》のこと。

●**調子《ちょうし》**…サオのしなりぐあいや硬《かた》さのこと。

●**手釣《てづ》り**…サオを使《つか》わずに釣《つ》る方法《ほうほう》で、ミチイトを直接手《ちょくせつて》に持《も》って釣《つ》ります。

●**胴《どう》つき仕《し》かけ**…船釣《ふなづ》りなどで使《つか》われる仕《し》かけで、一番下《いちばんした》にオモリをつけミキイトから数本《すうほん》のハリを出《だ》したもの。

ナ

●**中通《なかどお》しザオ**…ミチイトをイト巻《ま》きやリールからサオの内部《ないぶ》に通《とお》し、穂先《ほさき》に出《だ》したサオ。

●**ナブラ**…魚《さかな》の群《む》れによって、海面《かいめん》が波立《なみだ》っている状態《じょうたい》のこと。

●**根《ね》**…水底《すいてい》にある岩礁地帯《がんしょうちたい》のこと。

●**根《ね》がかり**…水底《すいてい》にある岩礁地帯《がんしょうちたい》や障害物《しょうがいぶつ》に仕《し》かけ(ハリ)が引《ひ》っかかってしまうこと。

ハ

●**早《はや》アワセ**…アタリがあったときに、素早《すばや》くアワセること。

●**ばらす**…いったんハリにかかった魚《さかな》を取《と》り逃《に》がしてしまうこと。

●**ハリス**…ミチイトとハリの間《あいだ》の糸《いと》(ライン)

●**PE(ピーイー)ライン**…強度《きょうど》が高《たか》く、伸《の》びが少《すく》なく、吸水性《きゅうすいせい》が極《きわ》めて低《ひく》く、釣《つ》りイトの中《なか》では最《もっと》も比重《ひじゅう》が軽《かる》いです。

●**ヘビ口《ぐち》**…サオの先端《せんたん》についている、ミチイトを取《と》り付《つ》けやすくした輪《わ》。

●**ぼうず**…魚《さかな》が全《まった》く釣《つ》れなかったこと。アブレともいいます。

●**穂先《ほさき》**…サオの最先端《さいせんたん》にあたる部分《ぶぶん》。